CORAGEM PARA SONHAR
NOSSA VIDA COMO **ONE DIRECTION**

CORAGEM PARA SONHAR
NOSSA VIDA COMO **ONE DIRECTION**

INTRODUÇÃO

Bem-vindos ao nosso segundo livro! Quase não conseguimos acreditar. Muito obrigado por comprar nosso primeiro livro e fazê-lo virar um sucesso. Esperamos que vocês curtam este tanto quanto curtiram o outro.

Nós nos divertimos muito escrevendo este livro e lembrando de todos os momentos malucos, engraçados e emocionantes que vivemos até agora. E, acredite, houve muitos. Queremos compartilhar com vocês o máximo possível, então aqui dentro vocês podem ler tudo sobre os nossos altos e baixos, descobrir como é o nosso relacionamento de verdade e nossos planos para o futuro.

É incrível pensar sobre quanta coisa aconteceu em um espaço de tempo tão curto. Há um ano, estávamos começando no X Factor. Desde então, viajamos muito, aprendemos pra caramba e fizemos músicas das quais temos muito orgulho, e esperamos que você goste.

Não é exagero dizer que agora estamos vivendo os melhores momentos de nossas vidas e, se não fosse por vocês, isso nunca teria acontecido. Obrigado a todos pelo apoio inacreditável. Ele é muito importante para nós e adoramos vocês. E ainda passaremos muitos, muitos bons momentos juntos.

Com amor,

HARRY STYLES

DIAS FELIZES

Às vezes, eu lembro da minha infância e acho que minhas primeiras memórias são de quando fui à Disney World quando tinha cinco anos. Tudo parecia tão grande e divertido, eu adorei.

A primeira vez em que fiquei longe da minha família foi quando comecei a ir a uma creche chamada Happy Days. E, pra dizer a verdade, foram dias realmente felizes. Eu me dava muito bem com todos os funcionários, e a dona da creche também era nossa babá, então provavelmente eu brincava mais com os melhores brinquedos do que as outras crianças. Eu me comportava bem e não me metia em muita confusão ou coisa parecida. Estava mais interessado em brincar do que em aprontar.

Lembro muito bem do meu primeiro dia na escola. Minha mãe foi junto e sentou-se comigo na sala de aula, mas na metade do dia ela foi embora. Todas as crianças estavam brincando juntas, mas algumas choravam um pouco. Fiquei bem e tinha alguns amigos lá, então me adaptei rapidinho e nunca me importei de ir à escola. Meu melhor amigo na escola primária era um cara chamado Jonathan, e ele ainda

DIAS FELIZES

é um grande amigo e nos encontramos o tempo todo. Ele veio me assistir quando estava em turnê e sempre mantemos contato.

Comecei a participar das peças de teatro na escola quando era bem novo e uma vez fiz o papel de Buzz Lightyear em *O Calhambeque Mágico*. Sei que isso parece um pouco estranho, mas basicamente quando as crianças se escondem do Pegador de Crianças na loja de brinquedos, havia um Buzz Lightyear lá, então vesti uma fantasia de Buzz. Essa foi uma das minhas primeiras apresentações, se é que podemos chamá-la assim.

Também atuei em uma peça chamada *Barney* sobre um rato que vivia em uma igreja. Fiz o papel do Barney e tive de usar uma meia-calça cinza da minha irmã e uma tiara com orelhas, e cantar na frente de todo mundo. Acho que fui um bom rato.

Também sempre adorei cantar. A primeira música cuja letra eu decorei foi "Girl of My Best Friend" do Elvis. Meu pai me mostrou essa música e quando ganhei um caraoquê do meu avô, meu primo e eu gravamos um monte de músicas do Elvis. Gostaria de ainda tê-las para poder ouvir.

Quando era pequeno, gostava de matemática porque usávamos tijolos e cubos e era muito divertido, mas depois que fiquei mais velho, comecei a achar mais difícil, então passei a gostar mais de inglês. Eu escrevia bem e fiquei muito orgulhoso quando tirei dez na minha primeira redação. Mas eu me distraía com tanta facilidade que comecei a passar cada vez mais tempo conversando com meus colegas durante a aula ou sonhando acordado, e infelizmente nunca voltei a tirar uma nota tão boa.

Eu também gostava de Educação Física e jogava muito futebol. Quando comecei a jogar no time da cidade como goleiro, fiz amizade com crianças de outras escolas, o que significava que eu tinha muitos amigos. Sempre gostei de estar perto das pessoas e de conhecer gente nova, então sempre tive um grande grupo de amigos. E eu era amigo de meninas e meninos. Eu não era daqueles meninos que pensavam que as meninas fediam e não gostavam delas; eu meio que era amigo de todo mundo.

CORAGEM PARA SONHAR

Com o passar do tempo, fui ficando mais atrevido, e quando tinha oito ou nove anos comecei a testar os limites. Eu sempre tentava enganar os professores. Também comecei a me interessar mais pelas meninas. Só briguei uma vez quando estava na escola, e isso foi no primário. Não sou do tipo briguento, e se alguém tentar começar uma briga comigo, acho que isso me faria rir.

Quando tinha sete anos, meus pais se divorciaram, e foi uma época muito esquisita. Lembro de chorar quando meus pais me contaram que estavam se separando, mas depois disso fiquei bem. Acho que não entendia bem o que estava acontecendo, só fiquei triste porque meus pais não ficariam mais juntos.

Minha mãe, minha irmã mais velha, Gemma, e eu saímos de Homes Chapel e mudamos para o interior de Cheshire. Nossa casa nova era um *pub*, e minha mãe se tornou a gerente do lugar. Havia um menino chamado Reg que morava ali perto e ele era a única outra criança na região, então, apesar de ele ter a idade da minha irmã, passávamos muito tempo juntos. No verão em que nos mudamos para lá, Reg e eu íamos todos os dias até a fábrica de sorvetes Great Budworth, que ficava a cerca de 3 quilômetros de distância. Pegávamos duas libras com nossas mães e íamos até lá de bicicleta para comprar sorvete. Lembro disso muito bem. É o mesmo lugar aonde levei os meninos quando vieram pra cá antes do Campo de Treinamento. E o sorvete ainda é muito gostoso.

Em relação às meninas, quando eu tinha cerca de seis anos, era amigo de uma menina chamada Phoebe Fox. Minha mãe e a dela eram melhores amigas, e eu até comprei um ursinho de pelúcia igual ao meu para ela. Ela era uma menina muito fofa. Eu tive algumas outras namoradas aqui e ali quando era novinho, mas não tive uma namorada de verdade até os 12 anos. Daí comecei a namorar uma menina chamada Emilie, e durou bastante tempo, se levarmos em consideração a nossa idade. Ainda somos bons amigos. Também namorei uma menina chamada Abi. Acho que posso dizer que ela foi a minha primeira namorada séria.

Estou solteiro desde o final de 2009 e me sinto tranquilo com isso. Não estou procurando uma namorada, mas se eu conhecer alguém de quem goste, seria legal. Gosto de estar com alguém e, se surgir a pessoa certa, vamos ver o que acontece.

Quando eu tinha cerca de 12 anos, voltamos para Holmes Chapel. Foi então que minha mãe conheceu meu padrasto, o Robin. Eu gostei muito dele e sempre perguntava sobre quando ele viria nos visitar, mas ela queria ter certeza de que Gemma e eu estávamos confortáveis com a situação. Ela ficou muito preocupada com isso, então no final das contas era eu quem mandava mensagens de celular para ele e o convidava para ir lá em casa, porque achava que ele realmente era um cara bacana. Sempre me dei bem com ele.

Fiquei muito feliz quando Robin pediu minha mãe em casamento. Ele fez isso de surpresa quando estávamos assistindo à novela "Coronation Street", na véspera do Natal, há alguns anos. Eu estava na casa da minha namorada Abi naquela hora e lembro de receber uma ligação da minha mãe e de como fiquei feliz quando ela me contou que eles iriam se casar. Não sei quando eles pretendem fazer isso, e apesar de algumas pessoas terem sugerido isso, não acho muito provável que o One Direction toque no casamento.

Minha mãe e eu sempre fomos muito próximos. Sou o filhinho da mamãe. Também sou muito próximo do meu pai, o Des, e ele me apoia em tudo o que faço. Acho que somos bem parecidos em muitas coisas.

Em geral, minha irmã e eu também nos damos muito bem. Sei que muitos irmãos brigam, e nós tivemos nossos momentos enquanto estávamos crescendo, mas agora passamos muito tempo juntos e ela até me acompanhou em parte da turnê.

Cometi alguns crimes contra o mundo da moda no passado, e infelizmente deixei provas fotográficas! Meu cabelo mudou muito ao longo dos anos. Quando nasci, meu cabelo era bem loirinho e encaracolado, depois ficou castanho e liso, e

ACIMA: **OLHA ESSA TARÂNTULA!**
NA PÁGINA OPOSTA: **AOS SEIS ANOS, DE FÉRIAS NA FLÓRIDA. OLHA O VISUAL!**

então começou a ficar cacheado de novo quando eu tinha 12 anos. Ele passou por várias fases. A pior delas provavelmente foi quando fiz mechas loiras aos oito anos. Eu parecia um adolescente revoltado. Quando fui para a escola no dia seguinte, achei que estava arrasando, mas, quando penso agora, acho que parecia um babaca. Eu vivia de agasalho e tudo o que queria fazer era andar de bicicleta, acho que estava de acordo com a minha imagem.

Eu curti muito a fase entre o sexto e o nono anos e dei duro, mas também me diverti. É preciso ter equilíbrio na vida. Eu jogava muito badminton nessa época. Meu pai jogava muito bem, então aprendi com ele, e sempre fui muito competitivo. Eu gostava do fato de não ser um esporte óbvio e de que era necessário ter muita habilidade para jogá-lo. Gosto de coisas que exigem habilidade e adoro um pouco de desafio.

No final da quinta série, fiz amizade com um cara chamado Will e ele se tornou quase um irmão. Tínhamos o mesmo senso de humor e nos demos bem logo de cara. Ele e um amigo chamado Hayden estavam muito a fim de montar uma banda, e um cara chamado Nick tinha acabado de começar a tocar baixo, então ele também entrou pro grupo. Eles queriam entrar no desafio de bandas da escola e precisavam de um vocalista, então me pediram para tentar.

Isso foi um certo choque porque até então eu só tinha cantado sozinho no chuveiro ou no carro. Sabia que era afinado, mas não fazia ideia de como seria. Mas sempre pensava em como seria fazer parte de uma banda, então comecei a ensaiar com eles. Sempre cantávamos "Summer of 69" do Bryan Adams e "Be My Girl" do Jet, então decidimos nos apresentar com essas músicas na competição.

Estávamos prontos para nos apresentar e começamos a preencher o formulário, mas não tínhamos um nome e não conseguíamos pensar em nada. Um dia antes da apresentação, precisávamos escrever algo, então decidimos colocar qualquer coisa. Eu sugeri White Eskimo, e como não pensamos em nada melhor, escrevemos isso mesmo e a partir daquele momento esse era o nosso nome.

CORAGEM PARA SONHAR

A competição foi no refeitório da escola e decidimos usar roupas parecidas, então todos estavam de camisa branca e gravata preta. Na época nos achamos muito descolados. Todos os nossos amigos estavam na frente do palco quando cantamos "Summer of 69" e depois uma garota veio até a mim e perguntou "Que música é essa?". Foram escolhidos três finalistas, incluindo a gente, e tivemos de cantar de novo – e acabamos ganhando, o que foi incrível. Depois disso, resolvemos levar os ensaios um pouco mais a sério.

O grupo mudou um pouco depois da competição porque arranjamos um baixista novo, além de um guitarrista chamado Jacob. Ensaiávamos todas as quartas-feiras depois da escola na casa do Will. Então conseguimos fazer nossa primeira apresentação.

Uma menina da minha escola disse que sua mãe iria se casar e queria que a gente tocasse na festa, então ensaiamos muito por dois dias. Tínhamos uma lista de cerca de 25 músicas que a noiva havia escolhido e aprendemos todas. Usamos os amplificadores do meu padrasto, montamos tudo e deu certo. A gente se sentiu como se fosse uma banda de verdade. Tocamos várias músicas do Bob Marley, algumas acústicas e eu também cantei "Aleluia".

Um dos convidados do casamento era um produtor musical que depois veio falar com a gente e nos disse que éramos realmente bons. Também disse que eu parecia o Mick Jagger, o que, claro, eu adorei.

Recebemos 160 libras pela apresentação, 40 para cada um. E ganhamos sanduíches. O que mais você pode querer? Depois disso, ensaiamos mais e mais. A mãe do Will é uma apresentadora de rádio e tevê chamada Yvette Fielding. Ela nos deu muito apoio, oferecendo conselhos e nos ajudando com tudo. Agora estávamos levando o grupo a sério e queríamos assinar um contrato um dia.

Sempre pensei em participar do X Factor, e assistir ao Eoghan Quigg e ao Lloyd Daniels em 2009 – caras novos como eu – fez com que eu quisesse ainda mais.

Além disso, acho que ter estado diante do público com a banda me deu um gostinho pelo palco. Adorei estar lá e queria fazer isso cada vez mais.

Eu não sabia se tinha o que era necessário e estava muito nervoso a respeito de realmente seguir adiante e inscrever-me, então no final das contas foi minha mãe quem preencheu o formulário e enviou – sou muito agradecido por ela ter feito isso. Muitas vezes eu penso "E se ela não tivesse feito isso" ou "E se isso ou aquilo não tivesse acontecido?". Pensei assim outro dia, enquanto líamos uma matéria sobre nós. Percebi que se eu não tivesse participado do X Factor estaria na faculdade. Em vez disso, estou viajando pelo país – e para outras partes do mundo – com quatro dos meus melhores amigos, vivendo os melhores momentos possíveis.

ESCALADA

Lembro muito bem do meu teste no X Factor e do Campo de Treinamento, mas ao mesmo tempo tudo parece meio nebuloso. Para mim, o melhor momento de todos foi quando nos disseram que iríamos montar uma banda. Eu havia falado com o Louis, o Zayn e o Niall no Campo de Treinamento e lembro de pensar "Isso vai ser muito divertido", mas em nenhum momento achei que as coisas terminariam assim.

Depois do programa, todos acabaram ficando na casa do meu padrasto em Cheshire, e durante os primeiros dias ficamos apenas fazendo amizade. Era uma experiência nova para todos nós porque era como viver em uma república de estudantes. Minha mãe e Robin nos deixaram completamente por conta própria. Fizemos uma vaquinha, minha mãe encheu a geladeira de comida e fomos deixados sozinhos. Certa noite, fiz o jantar – peito de frango, batata frita e ervilhas –, sentamos em volta da mesa e ficamos falando besteira. Fora isso, acho que comemos macarrão instantâneo na maioria dos dias, e íamos para o jardim e jogávamos futebol por horas. A gente ensaiava dez minutos e depois jogava futebol por três horas, nadávamos, íamos até o KFC... Estávamos apenas nos divertindo, mas foi um bom jeito de nos conhecermos melhor. Brincando estávamos aprendendo um pouco sobre cada um de nós.

O Louis e eu nos demos bem logo de cara. Somos muito parecidos e gosto do fato de que ele tem essa capacidade de ser legal com todo mundo e aproveitar o momento. Ver alguém assim faz você sorrir. Sinto que posso dizer qualquer coisa para ele e foi assim desde o começo. Ele pode ser muito engraçado em um minuto, mas, se alguém tiver um problema, ele consegue entrar no modo sério e dar conselhos muito bons.

A Espanha foi muito, muito estranha, porque ainda estávamos nos conhecendo e de repente nos vimos em um avião indo para o que parecia ser um feriado. Ainda estávamos descobrindo muito a respeito uns dos outros – na verdade, ainda estamos –, então foi outro momento muito bom. Acho que de repente nos sentimos realmente adultos porque estávamos nessa grande competição e, apesar da equipe do X Factor estar lá, até certo ponto cuidávamos de nós mesmos.

Saber que estávamos nas finais ao vivo também é um momento que nunca esquecerei. Sinceramente não fazíamos ideia se o Simon iria nos escolher ou não, então ouvir um "sim" foi a sensação mais incrível do mundo. Estávamos chocados quando ligamos para os nossos pais para contar as novidades, mas não podíamos contar para mais ninguém, o que deixou as coisas meio estranhas. Queria contar para todo mundo. Estava muito feliz.

Voltamos pra casa por um tempo depois da Espanha, peguei um pouco de dinheiro emprestado com a minha mãe e comprei um monte de roupas para as apresentações ao vivo porque queria estar preparado. Aliás, preciso devolver o dinheiro pra ela agora.

CORAGEM PARA SONHAR

O que foi esquisito naquele momento foi me acostumar com o fato de as pessoas saberem quem eu era. Meu teste tinha ido ao ar no dia anterior à minha mudança para a casa, então todos os meus amigos me mandaram mensagens me parabenizando. Quando estava indo para Londres, paramos num posto de gasolina e alguém me reconheceu, e isso foi muito estranho.

Mudar para a casa foi legal e nem me importei com o tamanho do quarto. O lugar ficou nojento porque você pode imaginar o que são cinco adolescentes compartilhando um espaço pequeno. Tínhamos muita bagagem e havia muita coisa no quarto, então a coisa acabou ficando um pouco deprimente. Parece que em algum momento alguém tirou uma lasca da parede e mandou para um laboratório. Havia todo tipo de bactérias nela.

Tentamos manter o quarto arrumado, mas quanto mais tempo ficávamos no programa, mais coisas acumulávamos, e o espaço parecia ficar cada vez menor. Mas não posso ter achado tão ruim, porque Louis e eu estamos pensando em morar juntos. Deve ter sido suportável.

Tenho tantas lembranças incríveis da casa, em especial de todas as vezes em que andei pelado. Tirar a roupa é muito libertador. Eu me sinto tão livre! Sempre era uma coisa de momento, mas ninguém parecia se importar. Acho que no fundo a Mary gostou... Fiquei muito mais confiante durante meu período no programa por estar na frente de tanta gente, e minha confiança se expressou na forma da nudez. Quando estava na escola abaixava as calças e mostrava o bumbum de vez em quando porque isso me fazia rir, então continuei a fazer isso.

Às vezes, eu ficava completamente pelado; às vezes, usava um fio dental. Meu amigo Nick me deu um fio dental dourado com estampa de cobra de aniversário, e levei-o comigo para a casa porque achei que seria divertido, então comecei a usá-lo.

Uma vez eu tive de gravar um videoclipe pelado para ITV2 no qual eu ficava de pé sem roupa e os meninos tinham de passar com vários objetos na minha frente,

SABER QUE ESTÁVAMOS NAS FINAIS AO VIVO TAMBÉM É UM MOMENTO QUE NUNCA ESQUECEREI.

HARRY: ESCALADA

mantendo certas partes cobertas. Esse era o plano, mas a certa altura o Zayn não movimentou rápido o suficiente o livro que estava segurando e o cameraman viu tudo. Acho que você pode dizer que não sou tímido.

Do ponto de vista das apresentações, curti muito fazer "Something About the Way You Look Tonight", que sugeri assim que soube da semana em homenagem ao Elton John. Adoro aquela música e acho que funcionou muito bem. Além disso, conhecemos algumas celebridades incríveis. O Simon Cowell e a Cheryl Cole são lendas absolutas, e o Jonathan Ross fez todo mundo rir. O Alan Carr e o Russell Brand também foram muito bacanas.

Acho que a final do X Factor foi muito emocionante. Eu não fazia ideia se íamos ganhar ou não, e quando ficamos em terceiro lugar, fiquei abalado. Chorei assim que saímos do palco, e então parei, respirei fundo e fiquei bem de novo. Depois disso, quando fomos convidados a ir até o escritório do Simon para descobrir o nosso destino, tentei ficar o mais calmo possível, mas estava apavorado por dentro. Assim que o Simon nos disse que iríamos assinar um contrato para gravar um disco, comecei a chorar de novo e fiquei sentado lá pensando "Por que estou chorando? Se isso der certo, vai mudar a minha vida completamente". Minha vida já tinha mudado muito, mas foi aquele momento que me mostrou que não havia como voltar atrás. Pelo menos, não por enquanto.

Apesar de eu sempre ter querido estar em uma banda e cantar no palco, nunca achei que isso aconteceria de verdade. Imagine lhe dizerem que você pode trabalhar exatamente com aquilo que quer. É o tipo de coisa que você sempre quer ouvir e, quando ouve, não sabe como reagir.

Não via a hora de contar a novidade para a minha família – na verdade, eu queria gritar pra todo mundo –, mas claro que eu tinha de guardar segredo. Desci as escadas até a área do bar porque havia uma festinha lá, e acho que meus pais puderam ver no meu rosto o que tinha acontecido. Nós nos demos um grande e forte abraço. Todos nós estávamos inacreditavelmente felizes e animados.

UM NATAL INESQUECÍVEL

Acho que todos estávamos ansiosos para ter uma folga no Natal. Senti falta dos meninos, mas ao mesmo tempo foi ótimo simplesmente relaxar e ver minha família. Muitos amigos meus queriam colocar o papo em dia, então as coisas foram meio tumultuadas, mas não queria que as pessoas pensassem que eu mudara e que não tinha tempo para elas ou coisa parecida. Às vezes, estava conversando com meus amigos e eles diziam, "É tão esquisito, você não mudou nada", e sempre fiquei aliviado ao ouvir isso. Às vezes, eu tentava não falar muito sobre as coisas que estava fazendo, porque, apesar de ser o meu trabalho, não quero que pareça que estou me mostrando.

Odiaria se alguém pensasse que estou tentando impressionar. Não preciso disso, eles são meus amigos há muitos anos.

Todos os meus amigos me apoiaram muito em tudo o que fiz. Era frustrante para mim, porque, às vezes, durante o programa eu recebia uma mensagem de texto e queria responder imediatamente, mas era arrastado e tudo ia embora da minha cabeça, o que significava que às vezes esquecia de responder para as pessoas. Mas todos os meus amigos foram muito legais e compreensivos quando as coisas começaram a ficar malucas. Eles sabiam que mesmo que não conseguisse responder, gostava do fato de eles ainda escreverem pra mim e estarem ao meu lado. Uma das melhores coisas de estar em turnê era saber onde e quando estaríamos em cada lugar, então os amigos podiam vir nos visitar e podíamos matar as saudades. Era muito mais fácil organizar nossos encontros.

A maioria dos meus amigos ficou verdadeiramente feliz em ver como as coisas foram longe e eles gostam de me fazer perguntas. É assim que eu sei quem é um amigo de verdade e quem não é. Esbarrei com alguns invejosos, e algumas pessoas fizeram comentários e se afastaram de mim sem me avisar. Tentei falar com elas como sempre fiz e elas foram um pouco frias comigo. Quando você é próximo de alguém, é difícil quando essa pessoa começa a agir assim. Eu não

TODOS OS MEUS AMIGOS ME APOIARAM MUITO EM TUDO O QUE FIZ.

vou correr atrás das pessoas e pedir para que elas sejam minhas amigas, mas não gostaria que pensassem que não me importo, porque me importo. Então, apesar de algumas pessoas pensarem que eu mudei, na verdade foram elas que mudaram.

Houve momentos em que quis ir para casa e apenas ser uma pessoa normal, ver meus amigos e ir a todos os lugares que costumava frequentar. Eu gosto de mimar a minha família e também gostaria de agradar meus amigos de vez em quando, e sei que meus verdadeiros amigos não vão pensar nada de errado. Não estou falando só de dinheiro. Também é bom poder ajudar as pessoas de outras maneiras. Por exemplo, meu amigo Ben tem muito talento musical e queria alguma experiência de trabalho, então consegui que ele acompanhasse uma parte da turnê e ele adorou. Eu nunca teria a chance de fazer alguma coisa assim antes, mas ajudarei meus amigos como eu puder.

Estou tentando ficar com os pés no chão o máximo possível, então não quero que as pessoas façam para mim coisas que posso fazer sozinho. Às vezes, elas pensam que devem me trazer uma garrafa de água ou algo para eu comer, mas sou capaz de pegar água, então por que elas teriam de fazer isso por mim? É bacana que as pessoas se ofereçam, e entendo que se estivermos muito ocupados e sem tempo para almoçar, ou ensaiando no palco e não conseguirmos pegar alguma coisa para beber, alguém vai arranjar isso pra gente, mas se a garrafa de água estiver na geladeira a 1 metro de distância, posso andar até lá e pegar.

Minha mãe nunca me deixaria fazer uma coisa dessa. Se eu estava em casa e pedia para ela pegar alguma coisa para eu beber, ela falava coisas do tipo "Você sabe onde estão os copos". Ao mesmo tempo, é engraçado quando vou para casa agora porque estou muito acostumado a fazer tudo sozinho, mas minha mãe ainda gosta de cuidar de mim de várias maneiras, então me sinto como um garoto de novo quando estou com a minha família.

Muitas pessoas dizem coisas bacanas sobre o grupo e recebemos muitos elogios. Claro que é muito agradável ouvir essas coisas e você fica feliz quando alguém diz

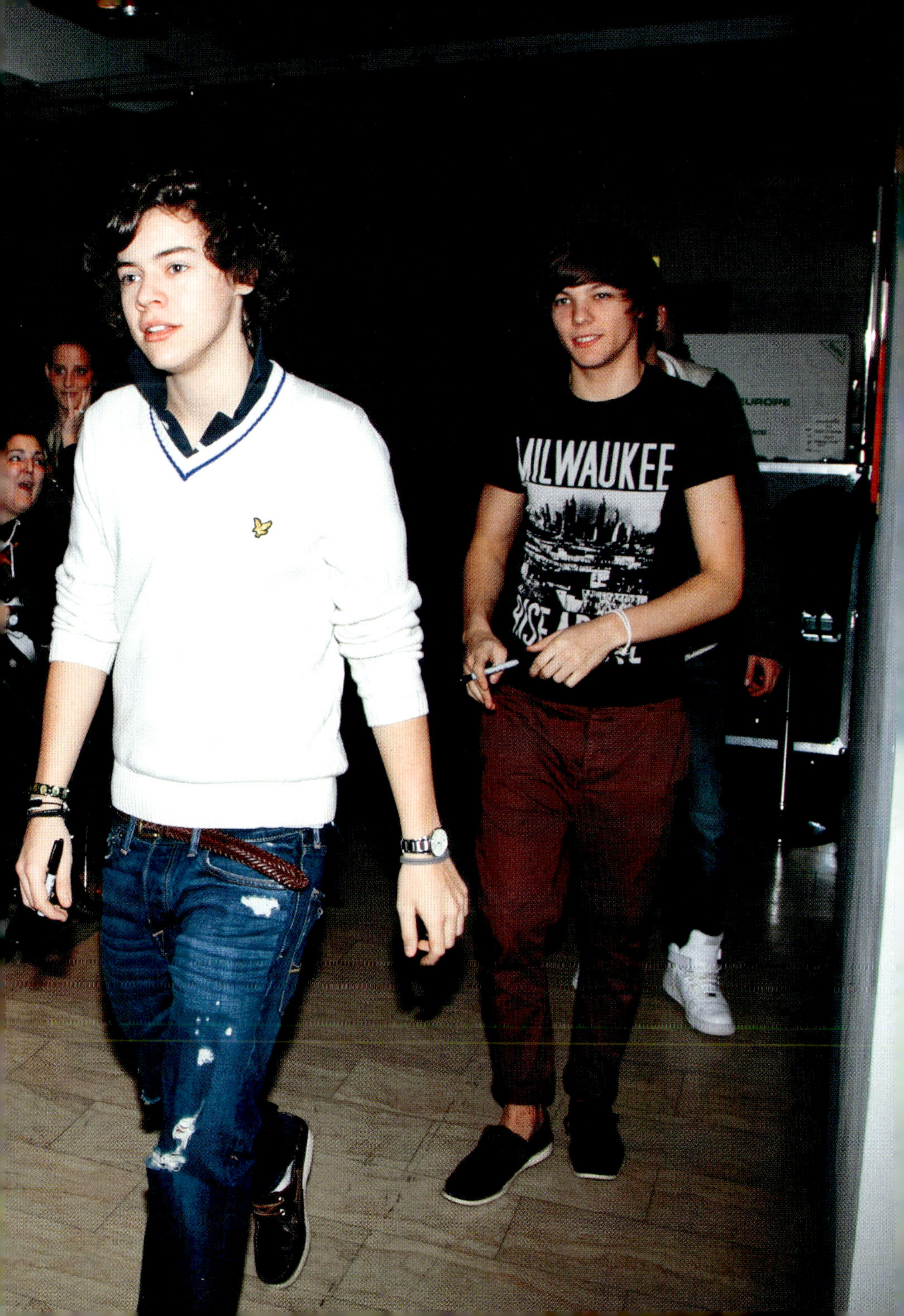
MILWAUKEE
EUROPE

que é bom no que faz, mas quero ficar com os pés no chão o máximo que puder. Não quero ficar metido. É um coisa tão pouco atraente e não consigo me imaginar sendo assim! Quero sempre ficar atento a ser quem eu sou.

Passei a maior parte do Natal em casa com a minha família. Essa foi a coisa mais importante para mim. Isso e ver meus amigos, o que consegui fazer algumas vezes. As coisas andam tão corridas que eu só queria dar um tempo, assistir tevê, comer e dormir. Eu me diverti muito fazendo as mesmas coisas que nossa família faz todos os anos.

Uma coisa diferente foram alguns fãs que vieram até a minha casa no Natal, e foi tão legal que me senti mal por eles estarem do lado de fora. Saí e fiquei com eles o máximo possível quando estava em casa, mas me sentia péssimo por eles estarem de pé no frio por minha causa. Como grupo, sempre dissemos que nunca iríamos reclamar das pessoas que vêm nos ver ou que pedem autógrafos e fotos. Elas são a razão de estarmos fazendo tudo isso.

Ficamos muito felizes com o apoio. É ótimo saber que as pessoas gostam do que estamos fazendo. Há certos dias em que leio cem comentários no twitter e pode haver um de uma pessoa dizendo que não gosta de mim. Se por algum motivo estou tendo um dia ruim, é desse que me lembro e isso pode me deixar um pouco pra baixo. Então volto, leio outras mensagens legais e elas me alegram. Elas significam muito para todos nós.

DE VOLTA PARA O FUTURO

O ano-novo significou a volta ao trabalho e sabíamos que iria ser corrido. A turnê estava se aproximando e precisávamos de ensaiar. Também tínhamos muitas reuniões e apresentações, então as coisas não paravam nunca. Mas tivemos um bom descanso e estávamos prontos para voltar ao trabalho.

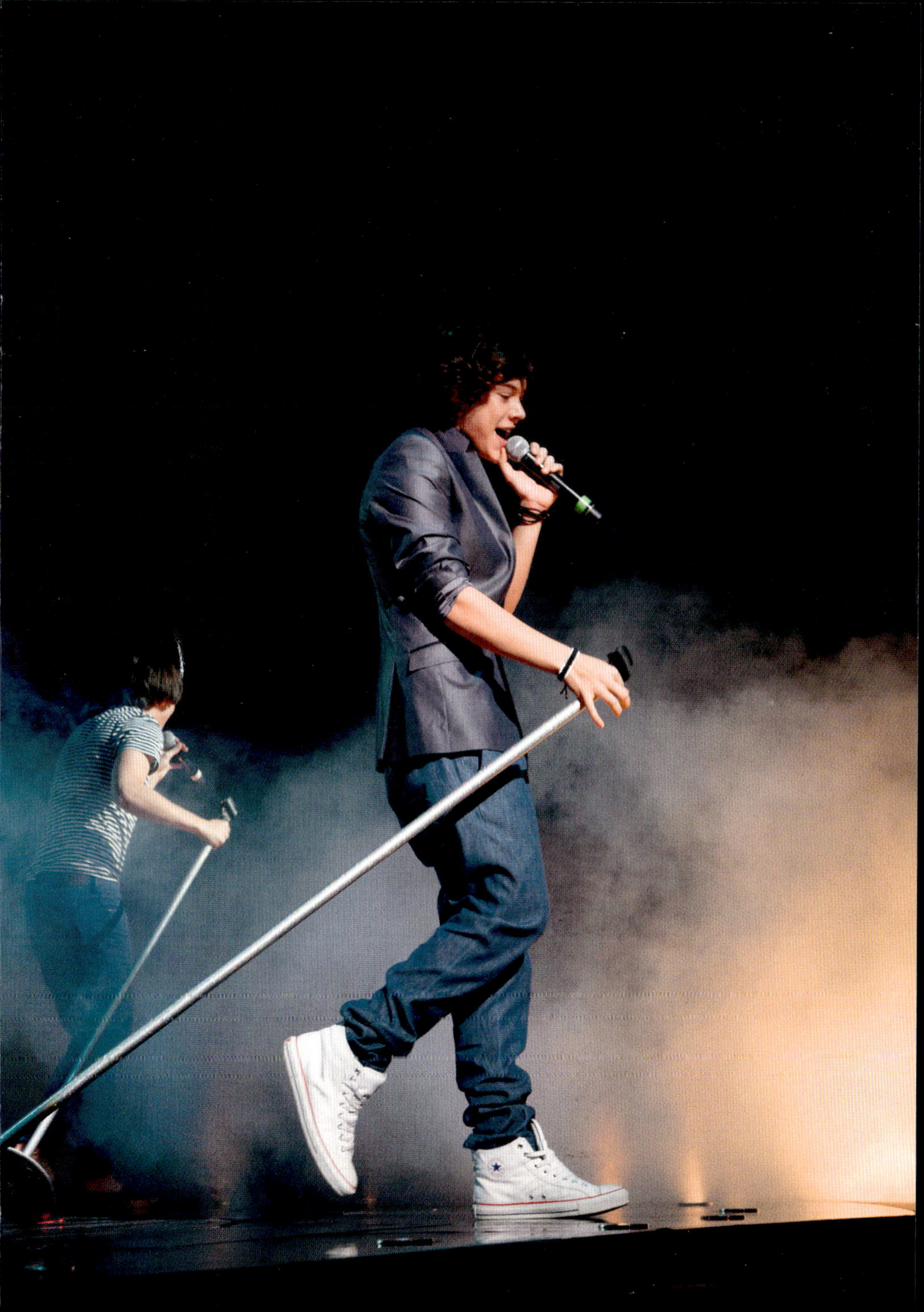

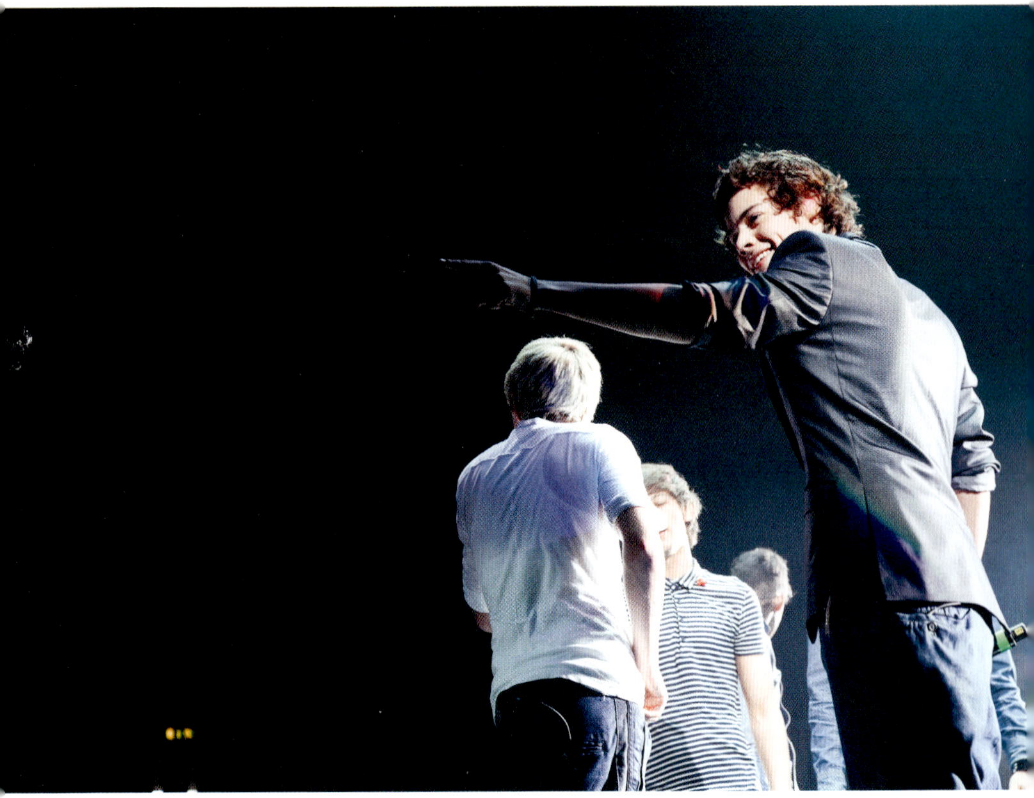

HARRY: DE VOLTA PARA O FUTURO

Uma das primeiras coisas que fizemos foi viajar para Los Angeles. Quando ficamos sabendo que iríamos para lá, meu queixo quase caiu. Adoro viajar para o exterior, mas nunca tinha ido a LA e era um lugar que sempre quis visitar. Eu tinha visto e lido muita coisa a respeito da cidade, então estava ansioso para ver o quanto era verdade.

LA é ainda mais legal do que pensei. Todos nos olhavam como celebridades, mas realmente gostei daquele lugar. Lá é mesmo quente, então tínhamos de vestir short e camiseta a maior parte do tempo, e conseguíamos relaxar de vez em quando no hotel em que estávamos hospedados, o W, que tinha uma piscina.

Achei muito esquisito que as pessoas lá sejam tão educadas. Na Inglaterra, quando as pessoas levam o café da manhã no seu quarto de hotel, elas quase deixam tudo cair no chão e praticamente não dizem uma palavra. Mas lá elas eram tão alegres que dava vontade de convidá-las para tomar café conosco. Uma mulher que veio trazer minha comida disse "Bom dia, senhor, como está sendo o seu dia? Onde você quer que eu coloque essas delícias?". Eles literalmente fazem de tudo para você.

Gravamos algumas coisas nesse complexo muito bacana onde acontecem muitas coisas diferentes ao mesmo tempo. Estavam gravando os *backing vocals* para o Glee em um dos estúdios. E o escritório do Randy Jackson ficava a cem metros de distância, então fomos até lá conhecê-lo e ele é um cara incrível, foi muito simpático.

Também tivemos algum tempo livre para fazer compras, então praticamente ataquei a Abercrombie e a Fitch. O Louis diz que eu comprei todas as camisetas que eles tinham lá, mas acho que ele está exagerando. Mas comprei várias...

Queria que tivéssemos tido mais tempo em LA, mas realmente nos divertimos nos cinco dias em que estivemos lá. Foi como eu esperava que fosse, com o sol e as pessoas glamourosas, e é um lugar ao qual eu definitivamente gostaria de voltar. Quero muito visitar Venice Beach e ver como é.

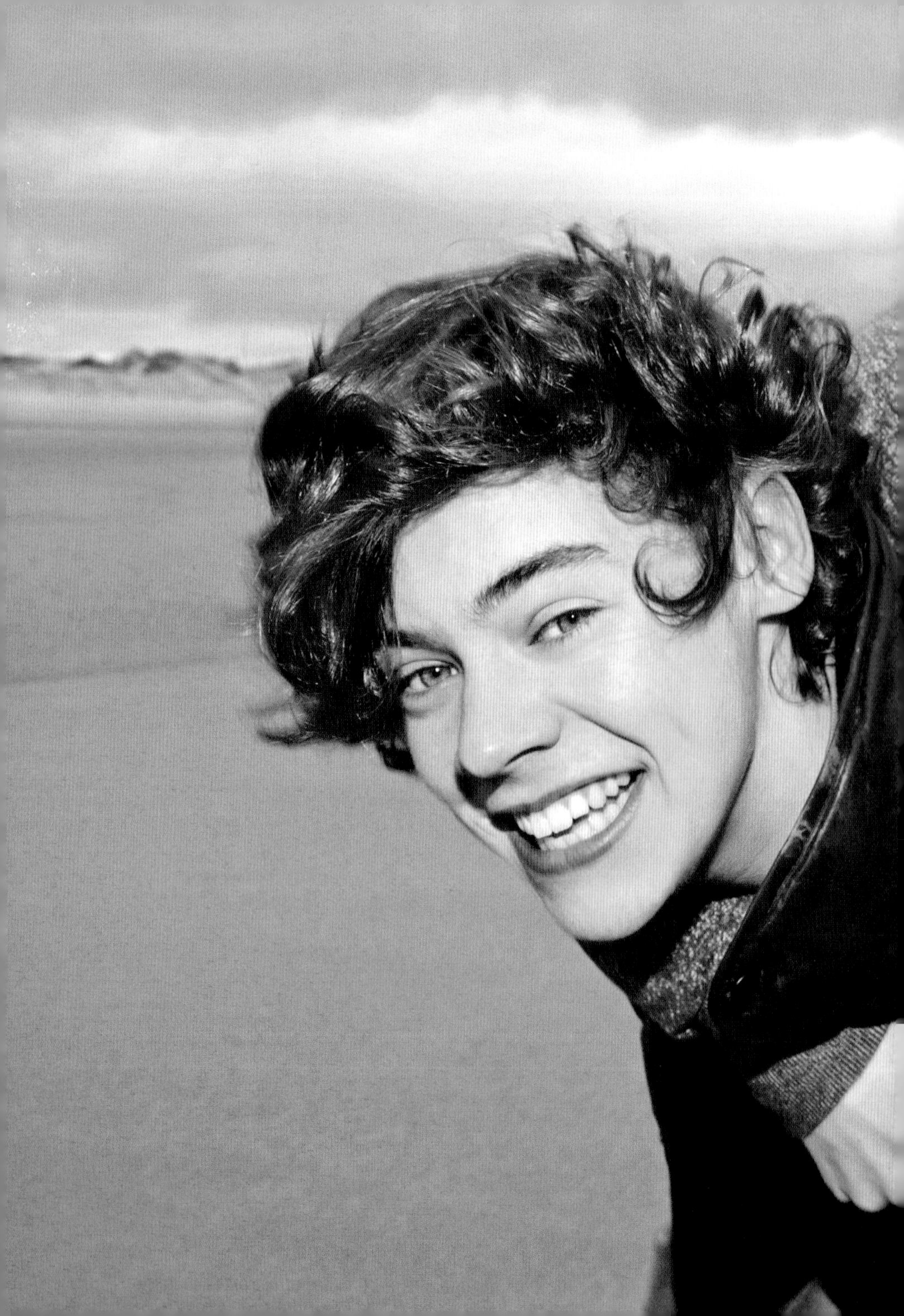

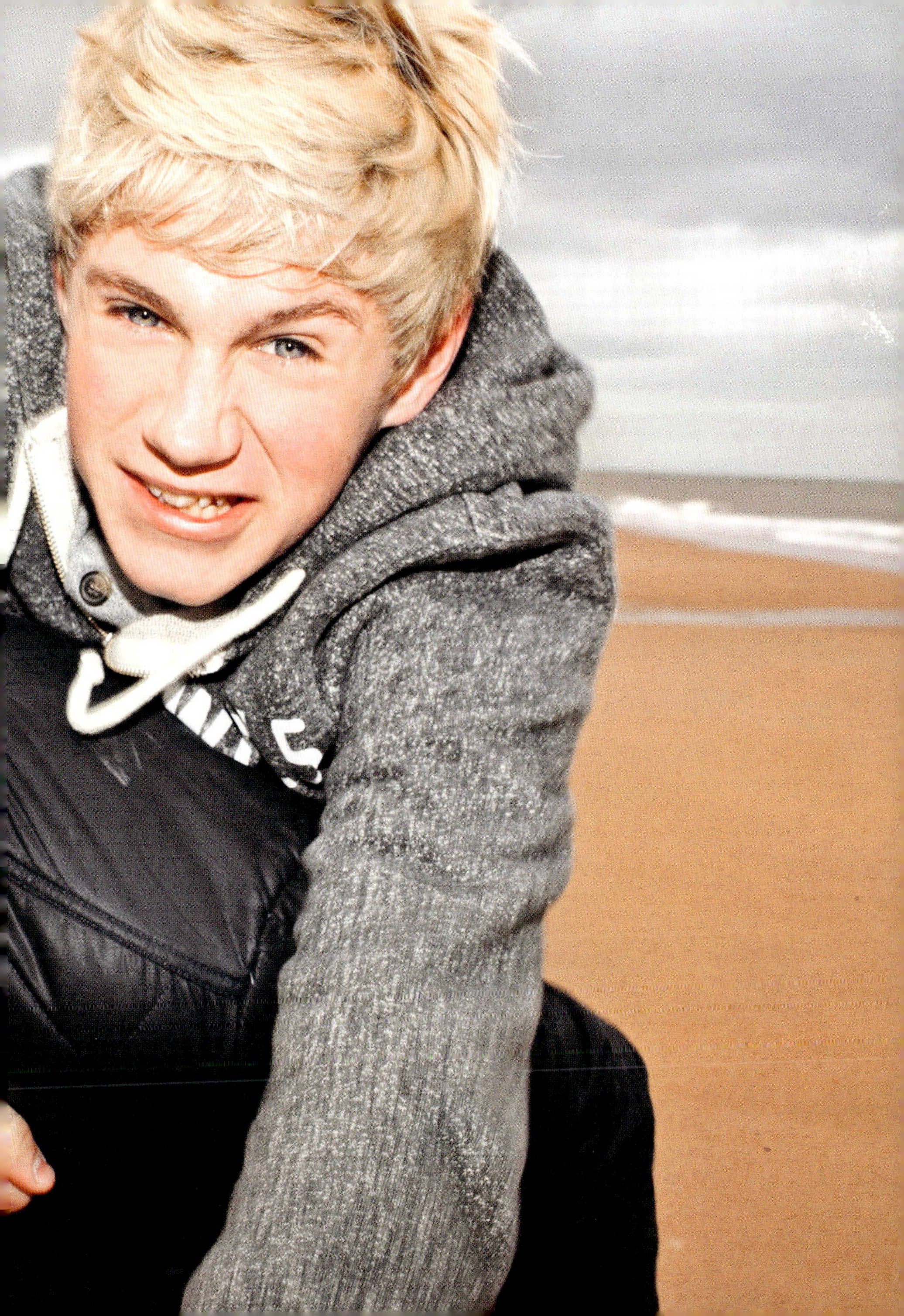

CORAGEM PARA SONHAR

Estávamos bastante cansados quando aterrissamos em Londres, mas logo acordamos com a visão de centenas de fãs. A história agora se tornou uma lenda, mas fomos cercados pela multidão e a polícia foi chamada. Nunca tinha passado por isso na minha vida. Víamos muitos fãs no X Factor, mas normalmente eles estavam atrás de um portão ou na plateia. E quando encontramos fãs em hotéis e depois de apresentações, normalmente eles estão em grupos pequenos. E aquele grupo definitivamente não era pequeno!

Fiquei muito chocado com toda essa experiência de ter de correr em meio à multidão, mas tentei me divertir e não ficar com medo, porque sabia que aquilo era especial. Depois, quando estávamos no carro da polícia ficamos dizendo "Que diabos foi isso?". Foi quase como se não tivesse acontecido, de tão surreal, mas, olhando pra trás agora, foi um momento incrível.

Quando começamos a ensaiar para a turnê, sabíamos que precisaríamos trabalhar duro. Queríamos fazer um show incrível e tínhamos muitas coisas novas para aprender, incluindo nossas coreografias. Aprendemos coisas como colocar mais energia nos movimentos, o que é difícil quando você está num depósito vazio sem plateia.

Também ensaiamos frases para falar entre as músicas, o que também era esquisito, porque falávamos para uma plateia de seis pessoas e elas nem respondiam.

Colocar em prática tudo o que aprendemos foi a maior recompensa pelo trabalho duro que fizemos. Não consigo nem começar a descrever como foi estar no palco pela primeira vez na turnê em Birmingham. Olhar em volta e ver todos aqueles cartazes e ouvir milhares de pessoas gritarem seu nome... Não tem como ficar melhor do que isso. Tínhamos nos apresentado no X Factor e feito alguns shows, mas nada se comparava àquilo. Tive de ficar parado por um instante para absorver tudo, mas, assim que começamos a cantar, as coisas ficaram bem.

HARRY: DE VOLTA PARA O FUTURO

Acho que aquela primeira apresentação em um estádio em Birmingham foi diferente de tudo o que faremos em termos de quanta energia dedicamos e quanto nos movemos no palco. Parecia natural estar lá, apesar de também ser uma coisa completamente surreal. Olhamos uns para os outros em vários momentos e sabia que estávamos pensando a mesma coisa – "Isso é incrível!".

A adrenalina de estar no palco diante de tantas pessoas é indescritível. Gostaria que todo mundo pudesse sentir isso. Posso estar muito cansado e de mau-humor, mas quando subo no palco me sinto incrível. Estou tão empolgado quando saio do palco que fico gritando e pulando! Não existe sensação igual a essa.

Gostei tanto da turnê que não queria que ela acabasse nunca. Nem fiquei com saudades de casa, porque estávamos tão ocupados que não tínhamos tempo para pensar sobre isso, mas na verdade me sinto culpado por me sentir assim. Em geral, nós nos comportamos muito bem durante a turnê, mas tivemos nossos momentos, como a guerra de frutas. Pelo menos, não jogamos aparelhos de tevê pela janela ou coisa parecida... mas ainda temos tempo.

A festa de encerramento quando a turnê acabou foi legal, mas todos ficaram tristes de dizer adeus. Fiquei acordado até as cinco da manhã, então estava um pouco cansado no dia seguinte, mas tínhamos o dia livre para descansar, assim, não houve problema.

Quando a turnê acabou, Louis, seu amigo Stan, meu amigo Johnny e eu fomos esquiar juntos. Eu nunca havia esquiado antes e queria muito experimentar. Rimos muito em Courchevel e adoraria voltar lá.

Trabalhamos muito para encontrar as músicas certas para o disco. Elas precisavam ser perfeitas. Queríamos que nosso primeiro *single* fosse uma música de verão de sucesso. Por exemplo, quando o *single* do Black Eyed Peas "I Gotta Felling"

CORAGEM PARA SONHAR

foi lançado em 2009, tornou-se a música do verão. Quando alguém a ouvia, lembrava-se de todos os bons momentos que tinha vivido. Queríamos que o mesmo acontecesse com o nosso primeiro *single* e que fosse a música da qual todos se lembrariam.

As pessoas com que trabalhamos para gravar o disco eram incríveis. O Steve Robson é muito, muito talentoso, e trabalhou com James Morrison e o Take That e todo o tipo de gente. Trabalhar com o RedOne e o Rami também foi muito legal porque eles são uma lenda. É muito esquisito trabalhar em todos esses estúdios nos quais nunca nem sonhamos entrar antes de estarmos na banda. Foi bem surreal.

O fato de o nosso primeiro livro ficar em primeiro lugar na lista dos mais vendidos também foi inacreditável. Ficamos animados quando ele foi lançado e esperávamos que alguns fãs o comprassem, mas não fazíamos ideia de quantos fariam isso. Os fãs que vieram às sessões de autógrafos eram incríveis. Ganhei um monte de tartarugas porque uma vez disse que gostava delas, e é muito legal quando as pessoas lembram de pequenas coisas que você disse e conversam com você sobre isso.

Fizemos muitas coisas incríveis esse ano. Filmar o documentário foi uma experiência interessante, mas agora nos acostumamos com as câmeras, então foi tranquilo. As sessões de fotos sempre são legais também. Apesar de já termos passado por isso antes, cada vez parece uma experiência nova.

Ir ao programa do Alan Titchmarsh foi engraçado porque é um daqueles shows que todo mundo assiste. E ele realmente foi muito bacana. Foi nossa primeira aparição na tevê depois do X Factor, então sempre nos lembraremos dela.

ACIMA: **ASSINANDO EXEMPLARES DO NOSSO PRIMEIRO LIVRO,** *FOREVER YOUNG*

> **OS FÃS QUE VIERAM ÀS SESSÕES DE AUTÓGRAFOS ERAM INCRÍVEIS.**

EXPECTATIVAS

Uma das coisas surpreendentes sobre fazer parte de uma banda é a dedicação dos fãs. Alguns deles foram a vários shows da turnê. Ainda assim as pessoas não esperam ser reconhecidas. Havia uma garota que estava em nosso hotel um dia e que já tinha estado em vários lugares, e ela ficou realmente chocada quando lembramos o nome dela e mostramos que sabíamos quem ela era – mas é claro que lembramos. Lembramos das pessoas assim como todo mundo, e é legal ter a oportunidade de conhecê-las melhor.

Eu não sei se um dia vou me acostumar com a pressão da mídia. É estranho pegar um jornal e ler algo escrito a meu respeito. Às vezes, parece que estou lendo sobre outra pessoa. Mas desde que as pessoas continuem a escrever coisas boas sobre a gente, eu não me importo.

Como banda, estamos vivendo os melhores momentos de nossas vidas. Nós nos tornamos mais amigos do que poderíamos imaginar e é muito bom ter outros quatro caras com quem compartilhar essa experiência. Se um de nós fica mal, os outros o animam, e ficamos muito bons em ter ideias e colocar as coisas em prática como grupo. Acho que vamos ficar cada vez mais próximos com o passar do tempo.

De todas as coisas que estão por vir, a que nos deixa mais empolgados é sair em turnê. Podemos ver mais os fãs e eles podem ver a gente cantar. É nossa responsabilidade mostrar quem somos e estamos ansiosos por fazer exatamente isso.

Temos muitos sonhos. Queremos ter músicas de sucesso, viajar muito, voltar aos Estados Unidos e nos divertir bastante. Acho que não é pedir demais.

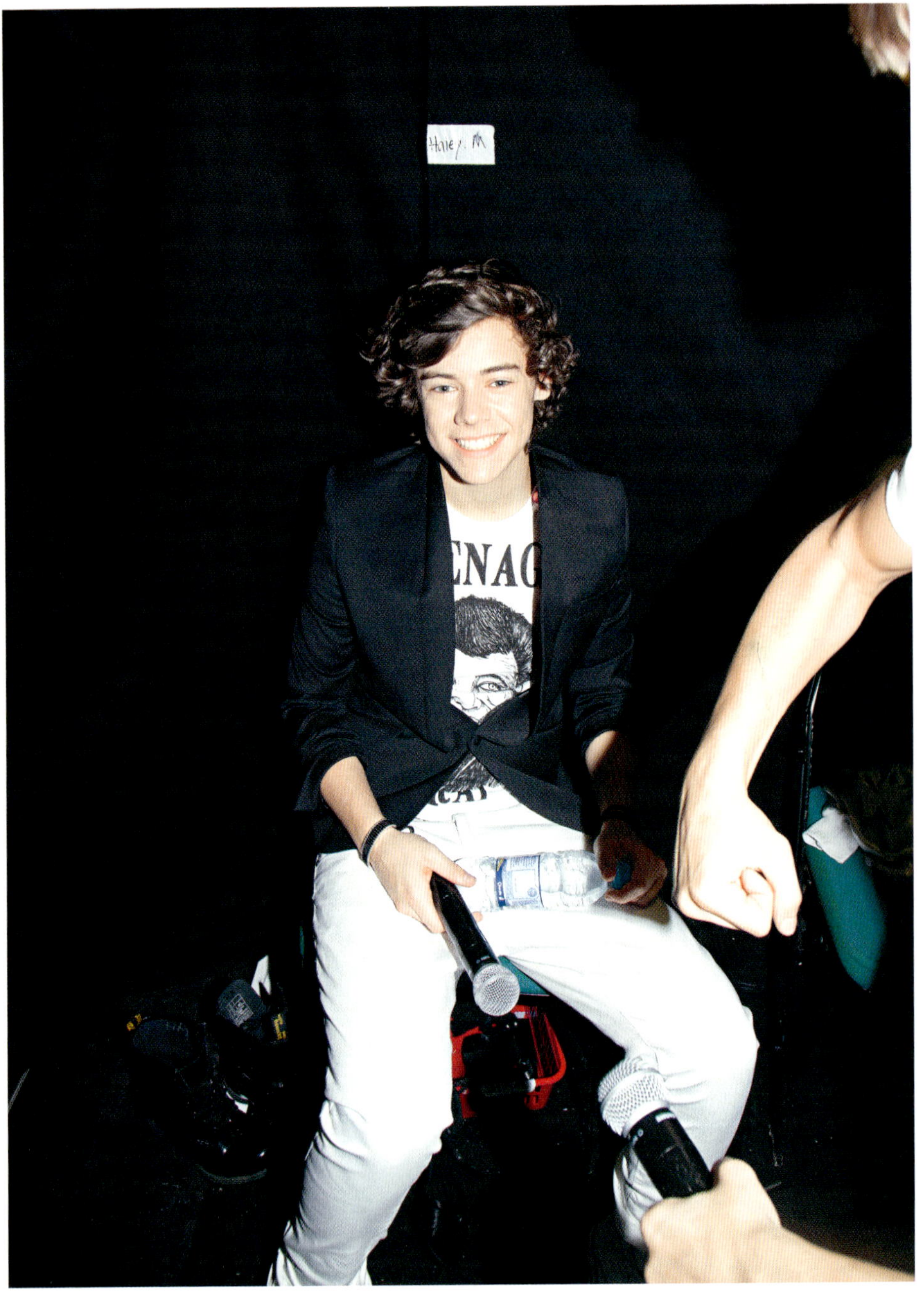

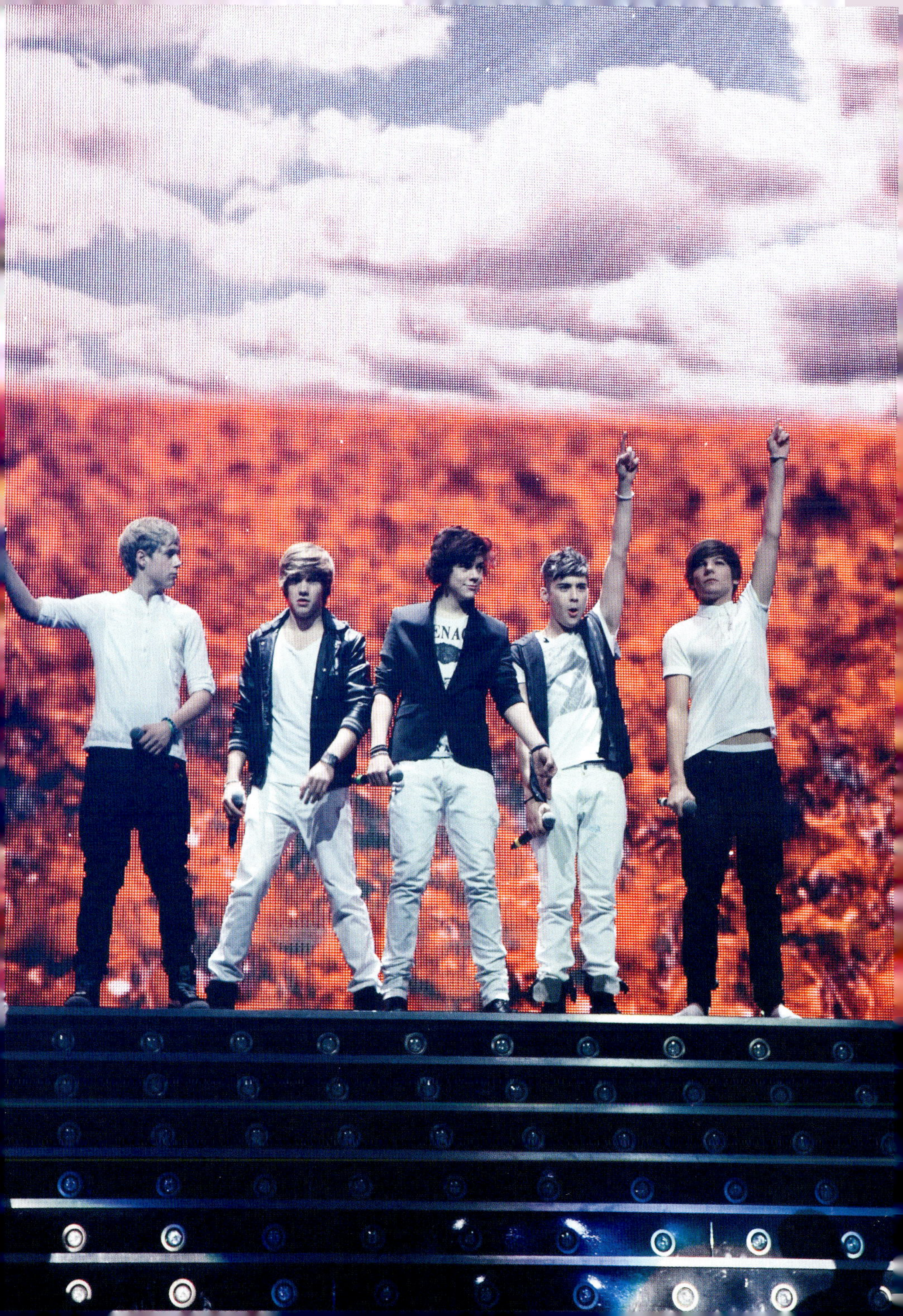

CORAGEM PARA SONHAR

BATE-BOLA
DATA DE NASCIMENTO: 1/2/1994
SIGNO: Aquário

Preferências...
FILME: *Simplesmente Amor, Diário de Uma Paixão, Titanic* – há tantos (mas eu digo pra todo mundo que é *Clube da Luta*)
PARTE DO CORPO: Minhas mãos, porque sempre me disseram que elas são macias
COMIDA: Adoro milho verde
DISCO: *21* da Adele
AMIGO: Louis Tomlinson
CELEBRIDADE FEMININA: Frankie Sandford
LOJA: Selfridges
BEBIDA: Estou tentando beber apenas água, mas adoro suco de maçã
COR: Laranja
PROGRAMA DE TEVÊ: *Family Guy*
LOÇÃO PÓS-BARBA: Blue da Chanel
PERFUME: Alien do Thierry Mugler
JOGO DE COMPUTADOR: Fifa
APLICATIVO DE CELULAR: Texts from Last Night, no qual as pessoas enviam mensagens de texto que receberam de pessoas que estavam bêbadas. Meu amigo Ali e eu mandamos umas boas um para o outro e algumas são bem engraçadas.
MELHOR JEITO DE PASSAR O DOMINGO: Dormindo e relaxando
ONDE TER UM ENCONTRO: Restaurante
PAÍS: Inglaterra
RESTAURANTE: TGI Fridays
COMO RELAXA: Adoro receber massagens porque sempre tive dores nas costas
MEIO DE TRANSPORTE: Trenó puxado por cães
DIVERSÃO NOTURNA: Jantar com todos os meus amigos
BANDA: The Beatles, Queen
QUAL A COR DO SEU EDREDOM? Marrom, ou rosa e azul

HARRY: BATE-BOLA

QUE TIPO DE CUECA USA? Samba-canção. Gosto das cuecas Calvin Klein

PRIMEIRO ANIMAL DE ESTIMAÇÃO: Um cão chamado Max

VOCÊ PREFERE FICAR SOZINHO OU TER A COMPANHIA DOS OUTROS? A dos outros. Gosto de estar com a minha família e os meus amigos

ÚLTIMO LIVRO QUE LEU: *Forever Young* do One Direction

AS CINCO ÚLTIMAS COISAS QUE COMPROU: um par de sapatos da Supra, uma camiseta da Adidas na Selfridges, um jantar no Nando's, um jantar no TGI Fridays e pasta de dente

QUAL O SEU TIPO DE GAROTA? Não tenho um tipo, porque posso não achar algumas garotas atraentes logo de cara, mas então começo a gostar muito delas porque têm uma personalidade atraente. Gosto de alguém com quem possa conversar e sempre vou buscar alguém que se dê bem com os meus pais. Para mim, é importante que minha família também goste dela.

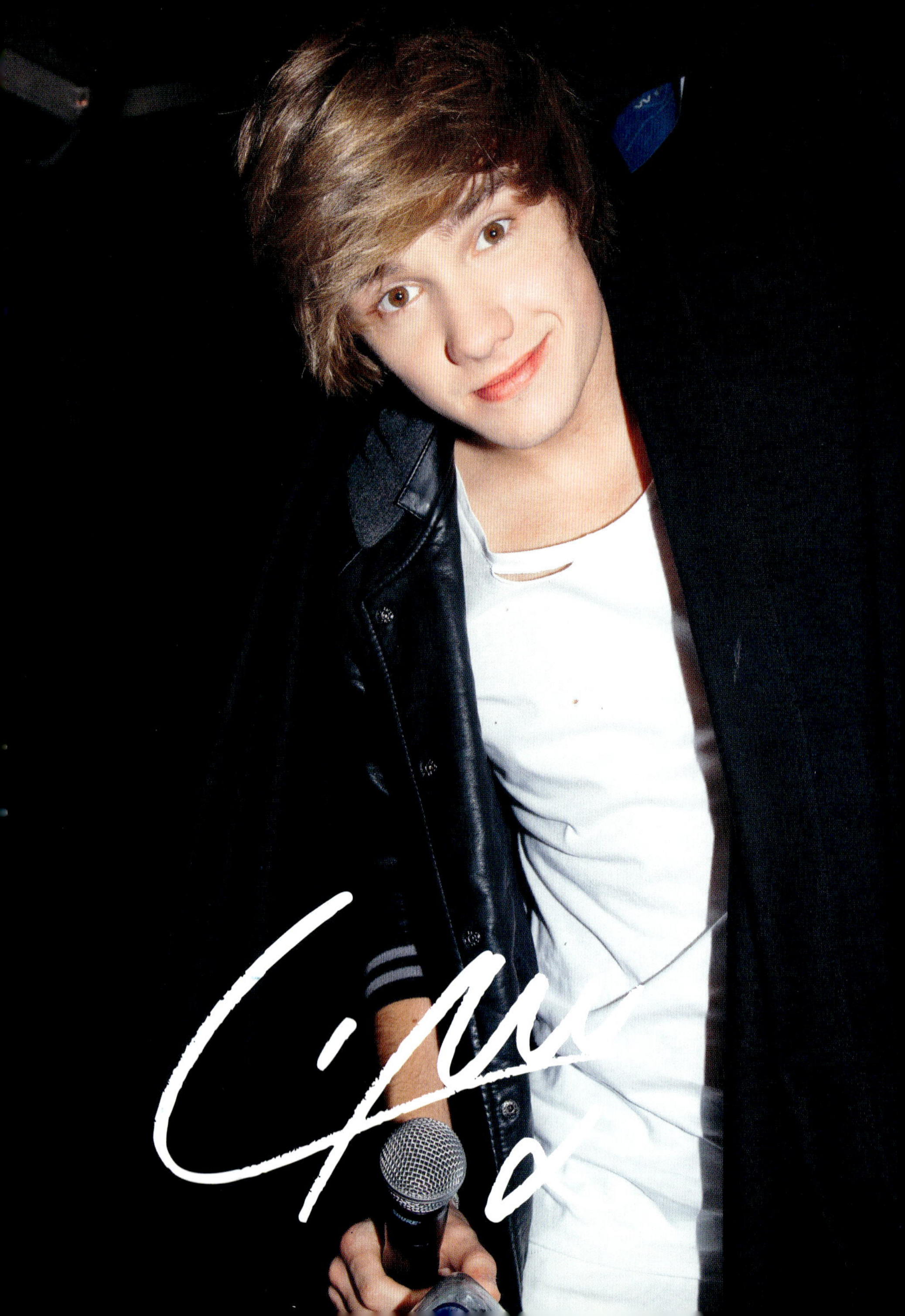

LIAM PAYNE

NÃO PERCA O RITMO

Acho que a coisa mais esquisita que posso contar sobre a minha infância é que só tenho um rim que funciona, porque quando nasci fui considerado morto. É bem estranho, eu sei. Os médicos não conseguiam fazer com que eu reagisse, então tive de ser reanimado, e apesar de parecer que eu estava bem, ainda havia problemas.

Nasci três semanas antes do tempo e estava sempre doente. Desde que nasci até os quatro anos de idade, vivia no hospital fazendo exames, mas não conseguiam descobrir o que havia de errado comigo. No final das contas, descobriram que um dos meus rins não funcionava direito, e como isso não tinha sido diagnosticado a tempo, ele fora prejudicado e o outro estava funcionando com 95% da sua capacidade. Houve uma época em que eu tinha de tomar 32 injeções no braço de manhã e à noite para ver se eu melhorava. Ainda tenho os dois rins, mas um não funciona, então tenho que tomar cuidado e não beber muito, mesmo água, e preciso me manter o mais saudável possível.

CORAGEM PARA SONHAR

Minha primeira escola era um jardim de infância em Wolverhampton chamado Collingwood, e eu aprontava um pouco. Na verdade, fui levado para a diretoria várias vezes nos primeiros dias. Eu fazia guerras de água no banheiro e subia no telhado para buscar bolas.

Quando comecei o primário, estava mais maduro e quis fazer parte de vários times da escola, mas não consegui. Então um dia tentei entrar na equipe de corrida cross-country e fui o primeiro colocado na prova.

Havia um cara que corria por Wolverhampton na época e era o melhor corredor das redondezas, e corri melhor do que ele, então todo mundo disse que eu tinha trapaceado. Na semana seguinte, fizemos o mesmo percurso e eu ganhei de novo, e foi assim que descobri que podia correr. A partir daí, comecei a treinar o tempo todo e acordava às seis da manhã para correr alguns quilômetros. Aos 12 anos, fui colocado na equipe de caras de 18 anos da escola, então corria com eles e conseguia alcançá-los.

Entrei para a equipe de corrida de Wolverhampton e de Bilston, e durante três dos cinco anos fiquei em terceiro lugar na corrida de 1.500 metros para crianças da minha idade no país, o que foi incrível.

Continuei nos esportes após o sexto ano e entrei para o time de basquete, mas algumas crianças mais velhas me enchiam porque eu tinha algumas roupas de basquete superlegais que havia comprado nos Estados Unidos. Eles achavam que isso queria dizer que eu era metido, então começaram a me perseguir. Eu só tinha 12 anos e eles eram muito mais velhos, por isso precisei encontrar um jeito de me defender. Minha irmã tinha um namorado chamado Martin que praticava box, então meus pais sugeriram que eu me juntasse a ele e aprendesse a me defender.

Aquela não era a academia mais bonita do mundo e você tinha de lutar com todos, não importava a idade ou o tamanho, então lá estava eu, aos 12 anos de idade, lutando com o treinador de 38. Quebrei o nariz, perfurei um tímpano e sempre

NA PÁGINA OPOSTA: **PRATICANDO BOX QUANDO ERA BEM NOVINHO!**

FAZIA GUERRAS DE ÁGUA NO BANHEIRO E SUBIA NO TELHADO PARA BUSCAR BOLAS.

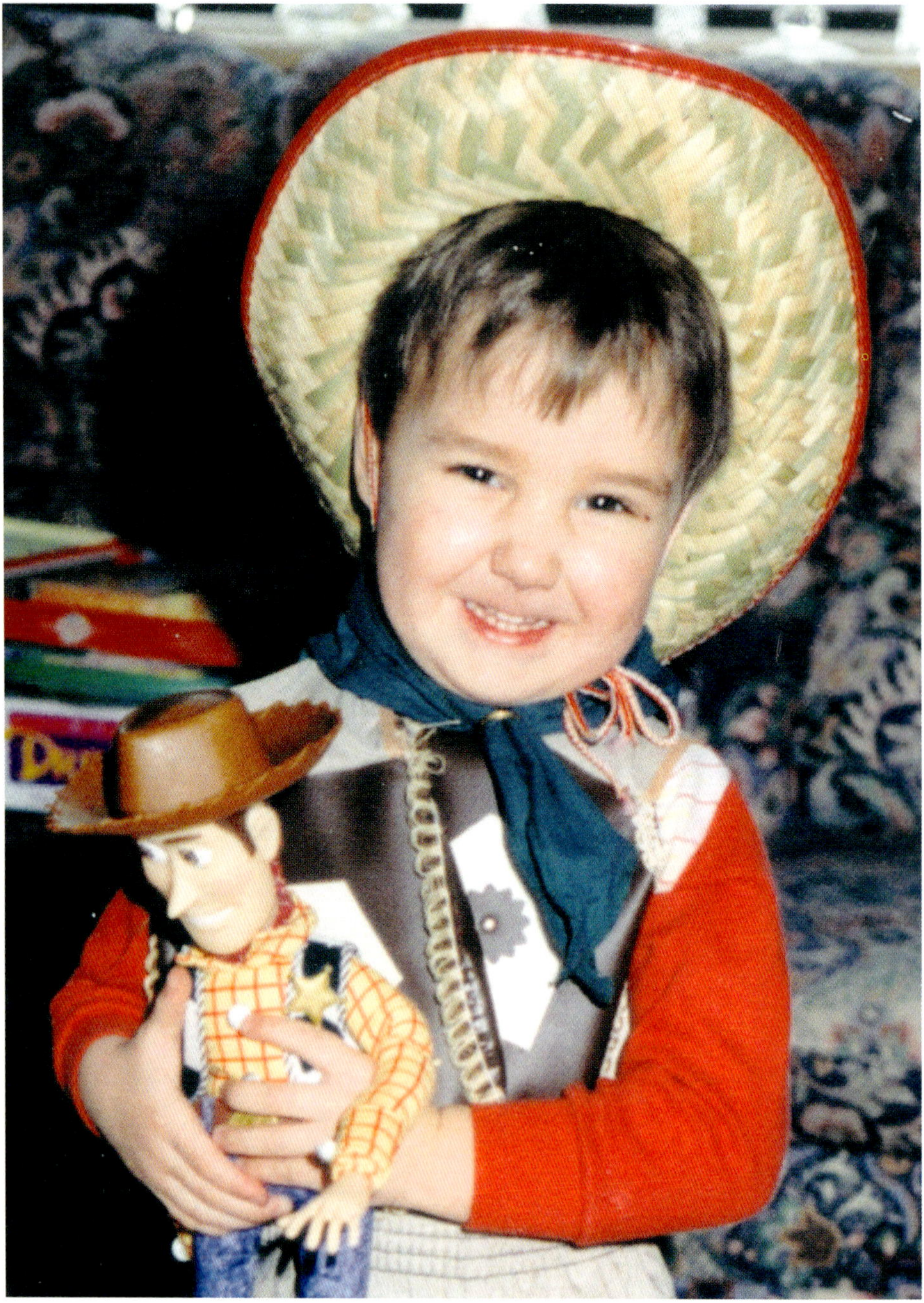

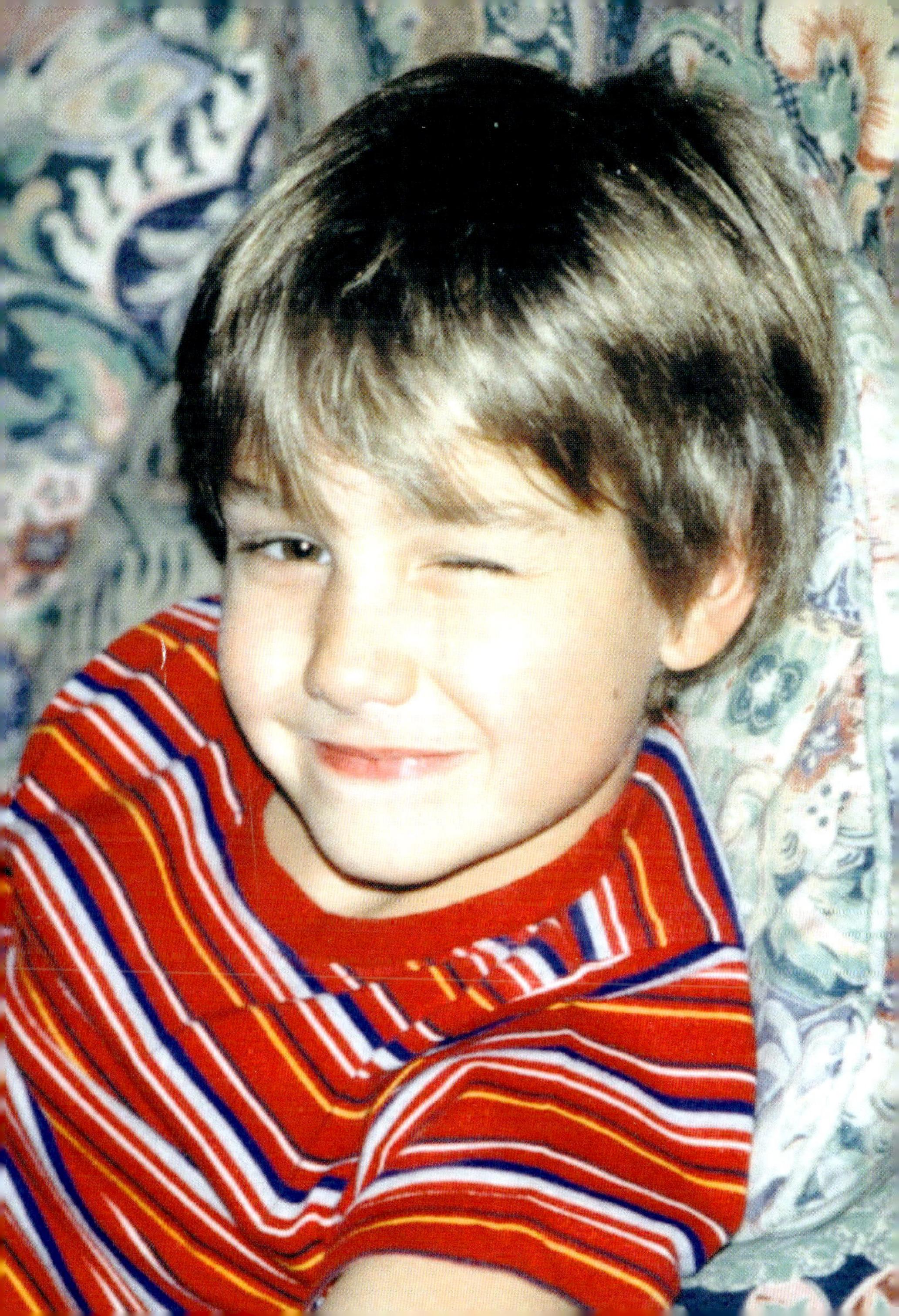

CORAGEM PARA SONHAR

voltava pra casa com o rosto roxo e inchado. Mas isso me deu muita confiança. No começo, eu era muito assustado, mas melhorei bastante ao longo dos anos.

Os mais velhos ainda me perseguiam a ponto de uma vez correrem atrás de mim na rua. A coisa foi longe demais e acabei brigando com um deles. Felizmente ganhei, mas quase fui expulso da escola, o que obviamente não seria a melhor coisa do mundo.

Eu era um homem de negócios mirim quando pequeno. Admirava os caras do *Dragon's Den* e comprava caixas de doces para vender na escola e ter lucro. Eu ganhava cinquenta libras por semana e meu pai tinha muito orgulho de mim. Nunca tive um emprego de verdade porque estava sempre ocupado cantando, então era assim que ganhava dinheiro.

Eu estava sempre cantando em caraoquês. Eu costumava subir em qualquer lugar e cantar músicas do Robbie Williams. Fiz meu primeiro *cover* de "Let Me Entertain You" em um acampamento de férias quando tinha seis anos, e não parei depois disso. Já cantei em caraoquês nos Estados Unidos, na Espanha, em Portugal – em muitos lugares.

Sempre adorei cantar e dançar. Minha irmã Ruth e eu sempre cantávamos no carro, e minha mãe diz que, mesmo quando eu era muito pequeno, costumava dançar na sala ao som do Noddy. Eu também colocava os óculos do meu pai, punha as mãos atrás das costas e ficava cantando com os CDs do Oasis, fingindo que era o Liam Gallagher.

Tenho duas irmãs mais velhas, a Nicola e a Ruth. Sempre me dei muito bem com a Ruth, mas acho que isso acontecia porque a Nicola, por ser a mais velha, sempre tomava conta de nós quando nossos pais saíam, e eu a via como uma figura autoritária, então às vezes a gente se desentendia. Ruth e eu somos muito parecidos porque nós dois gostamos de cantar e não bebemos ou fazemos coisas desse tipo, enquanto a Nicola é mais baladeira.

Quando eu tinha 13 anos, entrei para o coral da escola, e costumávamos nos apresentar bastante, então acho que me acostumei com isso. Quebramos um record mundial quando nos juntamos a outras escolas e cantamos a mesma música em uníssono, a "Lean on Me" do Bill Withers, e foi ótimo porque fiquei com um dos solos.

Além de cantar, eu gostava de ciências e, claro, de educação física. Meus pais até sugeriram que eu me tornasse professor de educação física. Eu era um grande fã de futebol e sempre jogava na hora do almoço, chovesse ou fizesse sol. Eu também costumava assistir ao West Bromwich Albion jogar, e lembro de invadir o campo quando subimos de categoria. Foi um momento incrível.

A julgar pelas fotografias de quando estava crescendo, meu cabelo meio que fechou um ciclo. Eu usava um corte tigelinha quando era criança e depois raspei as laterais e as sobrancelhas como o Martin, o namorado da minha irmã. Depois passei máquina três, deixei crescer, e agora o corte está parecido com o que eu usava quando era criança. Penso em raspar de novo, porque seria muito mais fácil de cuidar, mas tenho um pouco de medo.

Em relação às roupas, também cometi alguns erros. Eu costumava usar uma camiseta laranja fosforescente da Umbro e uma bermuda especial que adorava. Eu não me interessava muito por moda, então quando fiz meu primeiro teste para o X Factor não tinha nada bacana para usar. Meus sapatos estavam furados e peguei emprestado um jeans Armani do Martin. Ele usa 42 e eu, 36, então ficou muito largo. Usei uma camisa de manga comprida e comprei um colete por 30 libras, que foi a única coisa com a qual gastei dinheiro. Quando penso, não sei como tive coragem de aparecer assim. Participei de três rodadas do X Factor com um buraco no sapato.

Apesar das besteiras que fiz com meu cabelo, acho que me dei bem na escola. Aos oito anos de idade, eu tinha uma namorada chamada Charnelle e ela costumava me mandar cartas de amor. Eu também tinha muito orgulho do fato de sair com uma garota que era dois anos mais velha do que eu. Ela era amiga da minha irmã e eu achava muito bacana ter uma namorada mais velha.

— SEMPRE PREFERI TER NAMORADAS DO QUE SÓ FICAR. —

Eu gostava muito de uma menina chamada Emily e pedi para ela sair comigo 22 vezes, mas ela sempre dizia não. Cantei para ela e então ela me disse que sairia comigo, mas me deu um fora no dia seguinte. Meus amigos costumavam zoar comigo e fingir que as meninas gostavam de mim quando não era verdade, então eu as convidava para sair e elas diziam não, o que me deixava arrasado.

Tive alguns desastres amorosos ao longo do caminho, algumas garotas me traíram e uma delas foi minha inspiração para cantar "Cry Me a River" no X Factor. Aquela foi minha vingança por ela ter me traído.

Sempre preferi ter namoradas do que só ficar. Acho que é legal ter alguém especial. Namorava uma garota chamada Shannon quando fazia parte do X Factor. Estávamos juntos havia algum tempo, mas tivemos que ficar separados por muito meses, então isso colocou muita pressão no relacionamento e terminamos. Ainda nos falamos, mas não voltamos.

Eu tinha 14 anos quando tentei entrar no X Factor pela primeira vez. Correr estava me deixando entediado e apesar de eu fazer parte da equipe reserva para as Olimpíadas de 2012, queria encontrar alguma coisa com que me ocupar, além de correr. Quando disse aos meus amigos que iria para o X Factor, eles tiraram sarro da minha cara porque acharam engraçado, mas também me apoiaram muito.

A única coisa que queria fazer era ver o Simon Cowell, e esperei nove horas na fila para ter essa oportunidade, mas realmente valeu a pena. Eu me senti muito adulto na época e achava que era capaz de lidar com tudo que acontecesse no programa. Mas, pensando em tudo por que passei, não conseguiria lidar de jeito nenhum. Seria impossível.

Foi horrível ser recusado na Casa dos Jurados, mas se eu tivesse passado para os shows ao vivo, teria ficado perdido. O JLS e a Alexandra Burke participaram naquele ano e eu teria saído rapidinho.

CORAGEM PARA SONHAR

Foi difícil voltar para a escola depois do X Factor porque tive um gostinho do que era me apresentar em um palco grande e depois disso tudo eu só queria ser um astro da música. Meu desempenho escolar sofreu bastante, para ser honesto, e lembro do meu diretor conversar comigo sobre as minhas notas. Lembro de ele dizer "Suas notas estão caindo. E se você perder a voz e não puder mais cantar? O que vai fazer? Não vai ter nenhuma qualificação para encontrar trabalho".

Isso realmente mexeu comigo; comecei a dar muito mais duro e acabei tirando dez em educação física, além de dois noves, seis oitos e um sete. A escola queria que eu fizesse vestibular mas, em vez disso, fui para a escola de música. Pelo menos, no final das contas terminei com boas notas.

Afastar-me por alguns anos depois de ter tentando entrar no X Factor pela primeira vez e fazer pequenas apresentações foi a melhor coisa que eu poderia ter feito. Trabalhei com produtores e compositores, mas nunca assinei nenhum contrato, para o caso de eu querer tentar o X Factor de novo. Se eu não tivesse entrado, iria fazer um estágio com o meu pai, o que me deixava muito animado, mas primeiro ele queria que eu me dedicasse completamente ao canto.

Meu pai trabalha em uma fábrica que monta aviões, e na minha cabeça era como se eu fosse brincar com um lego gigante ou coisa parecida, mas na verdade o trabalho é duro. Meu outro plano B era me tornar bombeiro. Mas então, quando estava com 16 anos, decidi dar mais uma chance para o canto e para o X Factor.

O PRÓXIMO PASSO

Tentar entrar no X Factor pela segunda vez me deixou realmente nervoso porque agora queria aquilo mais do que tudo. Alguns amigos e parentes até ficaram preocupados porque eu poderia ser recusado novamente, mas eu precisava

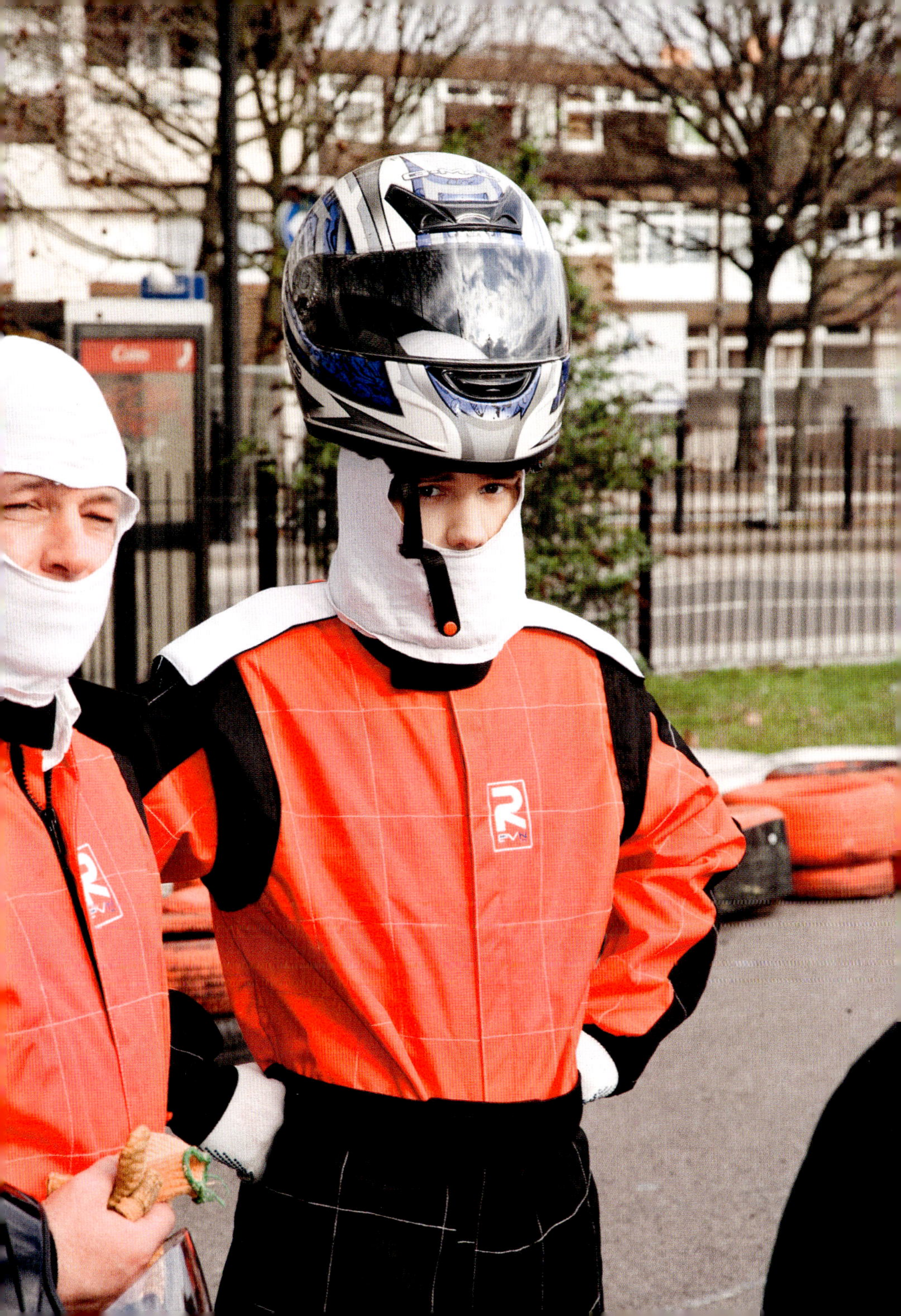

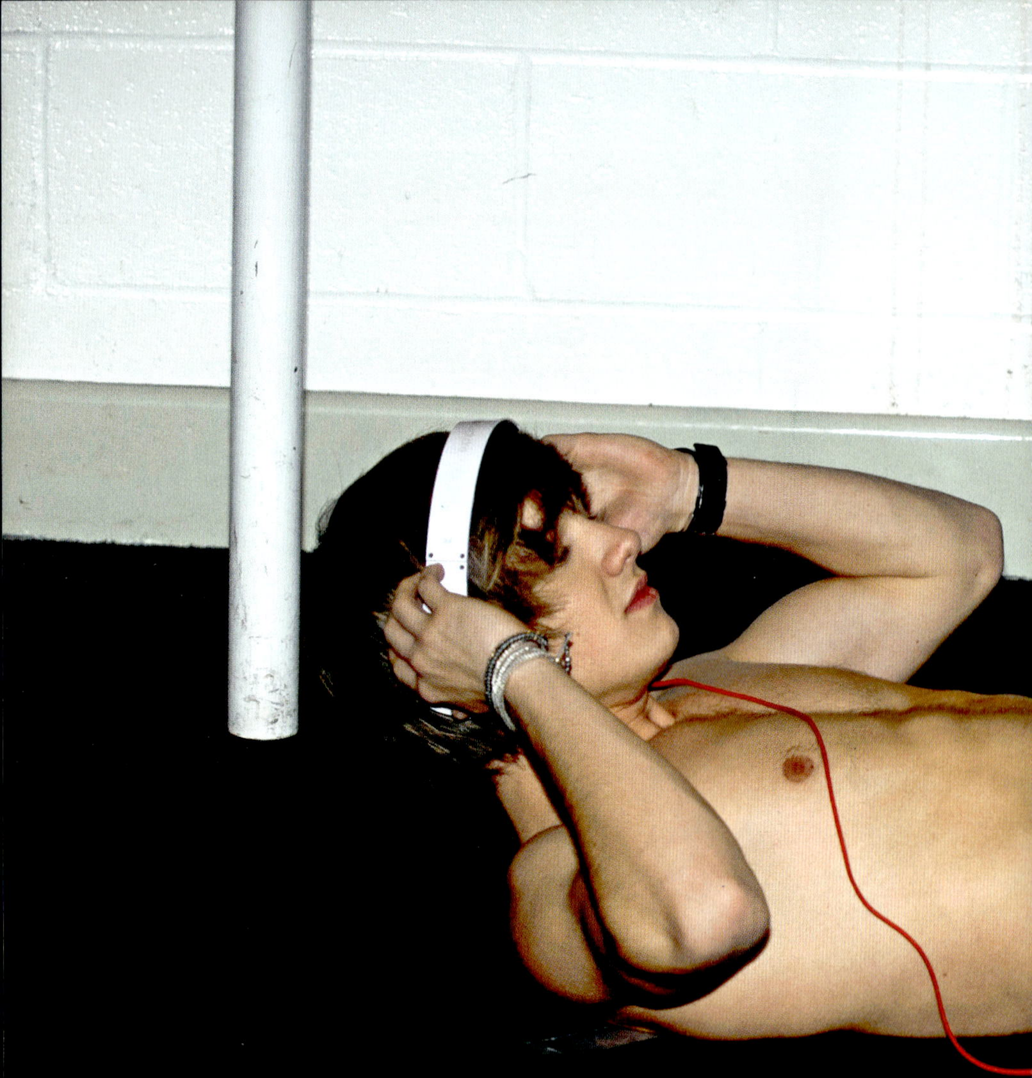

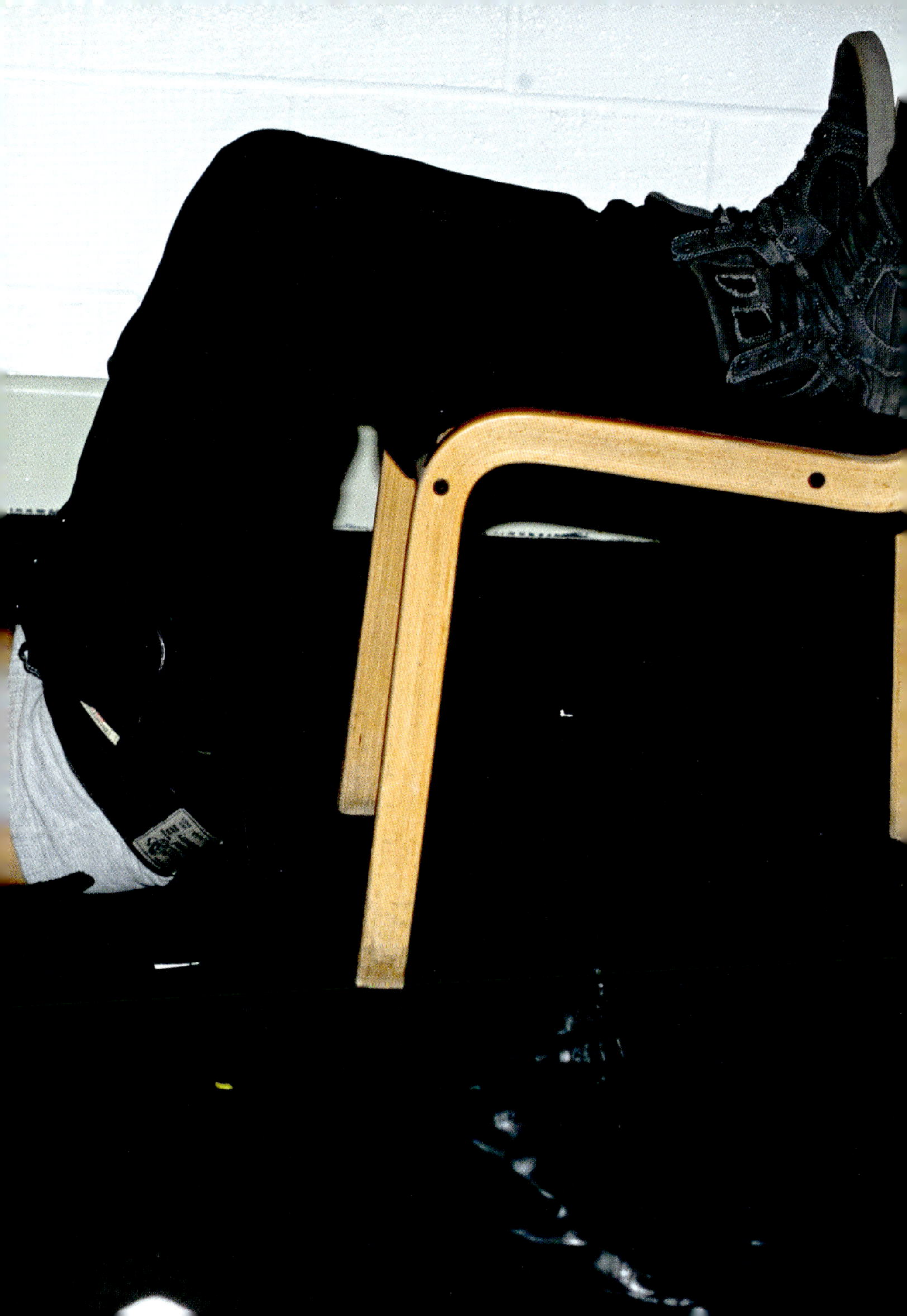

tentar, não importava o que acontecesse. Queria muito receber um "sim" do Simon e provar o quanto tinha melhorado desde a última vez em que estivera no programa. Eu havia crescido muito desde aquela vez.

Passar pelo Campo de Treinamento foi simplesmente incrível, mas descobrir que eu não iria para a Casa dos Jurados foi devastador. Sinceramente, pensei que era o fim de tudo e fiquei muito chateado. Então ganhar uma segunda chance como aconteceu conosco me deixou praticamente sem palavras. Eu era o único dos garotos que realmente tinha de pensar se entrar para a banda era uma boa ideia ou não. Já trabalhava como artista solo havia tanto tempo que não conseguia me imaginar fazendo outra coisa, mas assim que decidi participar, sabia que tinha feito a coisa certa.

Eu estava bem nervoso quando fomos para a casa do padrasto do Harry, porque claro que a gente não se conhecia, então ficar juntos daquele jeito e ter que nos conhecer tão rapidamente foi um pouco assustador. Nós também somos bastante diferentes, então discutimos de vez em quando. Eu tinha muitos amigos na escola, mas eles não eram muito extrovertidos, e o Louis é tão extrovertido que no começo não gostei muito dele. Ele tem muita influência sobre todos do grupo por ser o mais velho e por ter uma noção de liderança, então ele assumiu os e-mails e os telefonemas com os empresários. Eu estou mais para o lado criativo, então acho que nós dois queremos liderar de maneiras diferentes, o que significa que demorou um pouco para fazermos amizade. Mas agora nos damos muito bem. Assim que começamos a ser sinceros um com o outro, as coisas funcionaram, e acabamos virando grandes amigos.

Rimos tanto naquela semana! Ficamos em uma casa no campo e passávamos o dia na piscina ou vendo televisão. Nós dizíamos que estávamos ensaiando, mas na verdade não tínhamos ideia do que fazíamos. A gente sentava e cantava o que achava que eram harmonias e experimentávamos músicas diferentes, mas aquela semana teve mais a ver com a gente se acostumar uns aos outros do que qualquer outra coisa.

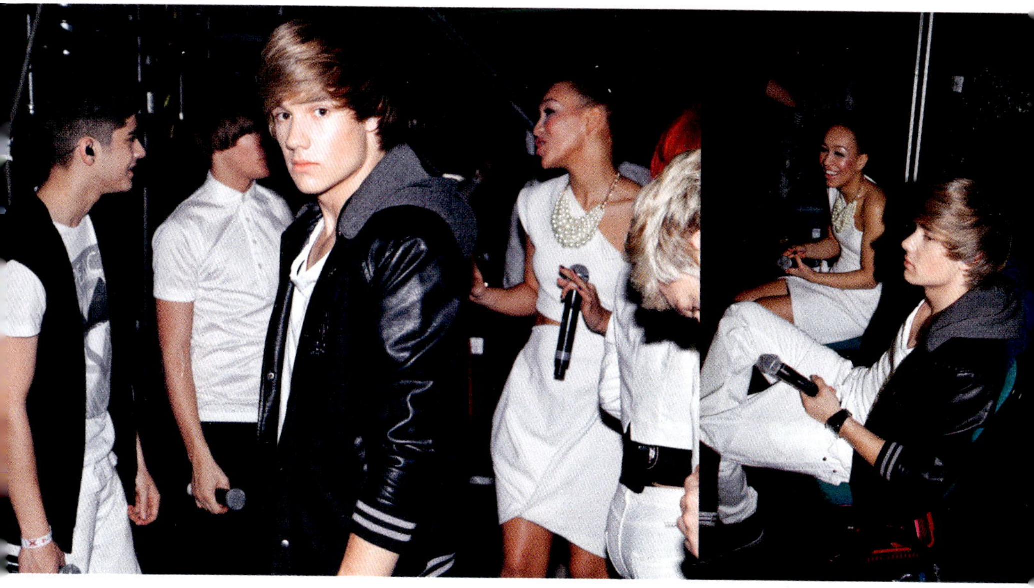

CORAGEM PARA SONHAR

Mudamos muito desde aqueles dias na casa do Harry. A gente cresceu junto de certa maneira, e como eu passo muito tempo com o Niall, às vezes falo com sotaque irlandês sem perceber!

Ir para a Casa dos Jurados na Espanha foi outro momento de aprendizado para nós, pois passamos a nos conhecer ainda mais. Fomos para lá para dar o nosso melhor e trabalhar ao máximo para sermos escolhidos. Pensando bem, aquela semana passou tão rápido e tanta coisa aconteceu que não me recordo de tudo o que fizemos, mas lembro de me sentir incrível quando voltamos.

Retornamos para casa antes de nos mudar para a Casa dos Jurados. Logo já era hora de partir novamente e lembro-me do meu pai dizendo: "Independentemente de qualquer coisa, não volte para casa antes do Natal". Ele queria que fôssemos até o fim.

Foi estranho fazer as malas e sair de casa, sabendo que eu poderia ficar longe durante meses. Além disso, muitos dos outros participantes com os quais iríamos dividir a casa ainda eram estranhos para nós, o que significava que eu ia trabalhar e viver muito próximo de pessoas que não conhecia.

Até mesmo dividir o quarto com os garotos foi um pouco chocante. O quarto era minúsculo e passávamos o dia inteiro juntos. Cada um achou um jeito de passar um pouco de tempo sozinho, e isso foi muito importante. Eu costumava chegar e ir direto para a cama, mas os outros costumavam ficar acordados até mais tarde, então eu sempre reclamava que eles me acordavam. Mas, sinceramente, nunca conheci quatro caras que trabalhassem tanto assim! Nós não nos recusávamos a nada. Toda vez que pediam pra gente fazer uma gravação ou dar uma entrevista, ou qualquer outra coisa, nunca dizíamos não, porque estávamos determinados.

Foi bem divertido dividir a casa com as outras pessoas, como eu disse, mas eles eram estranhos, então tive de conhecer um monte de gente nova. Além dos outros meninos, eu me dei muito bem com a Rebecca e o Matt, e ainda nos damos muito bem.

―

SINCERAMENTE, NUNCA CONHECI QUATRO CARAS QUE TRABALHASSEM TANTO ASSIM!

―

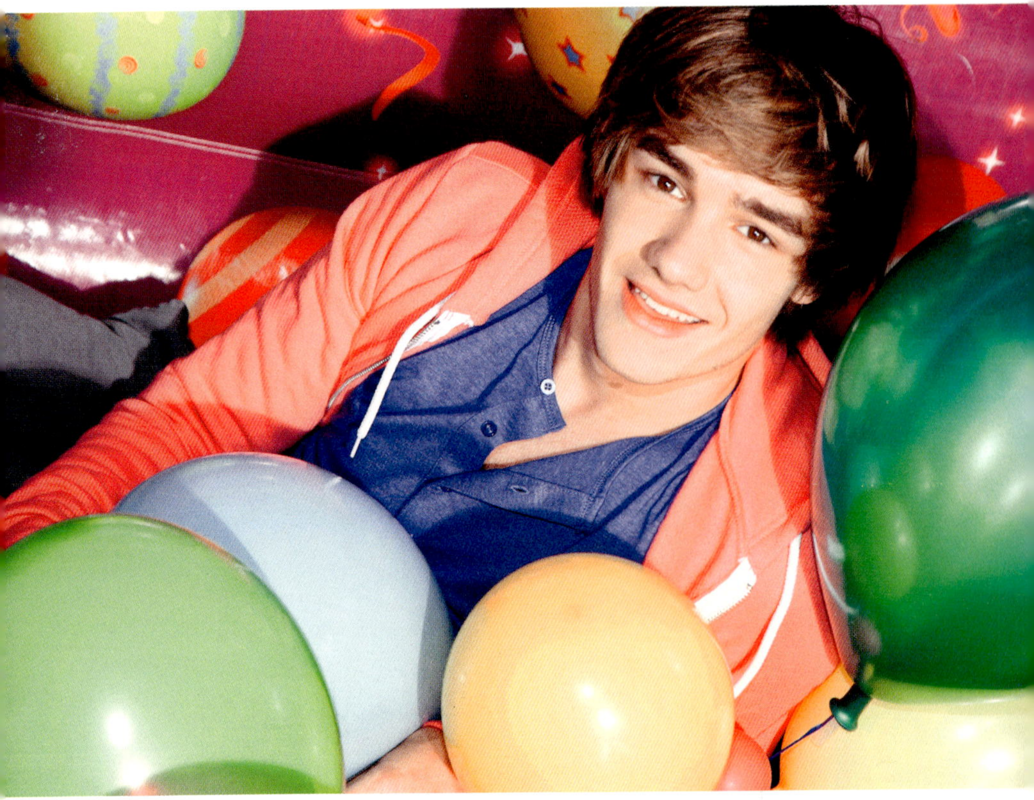

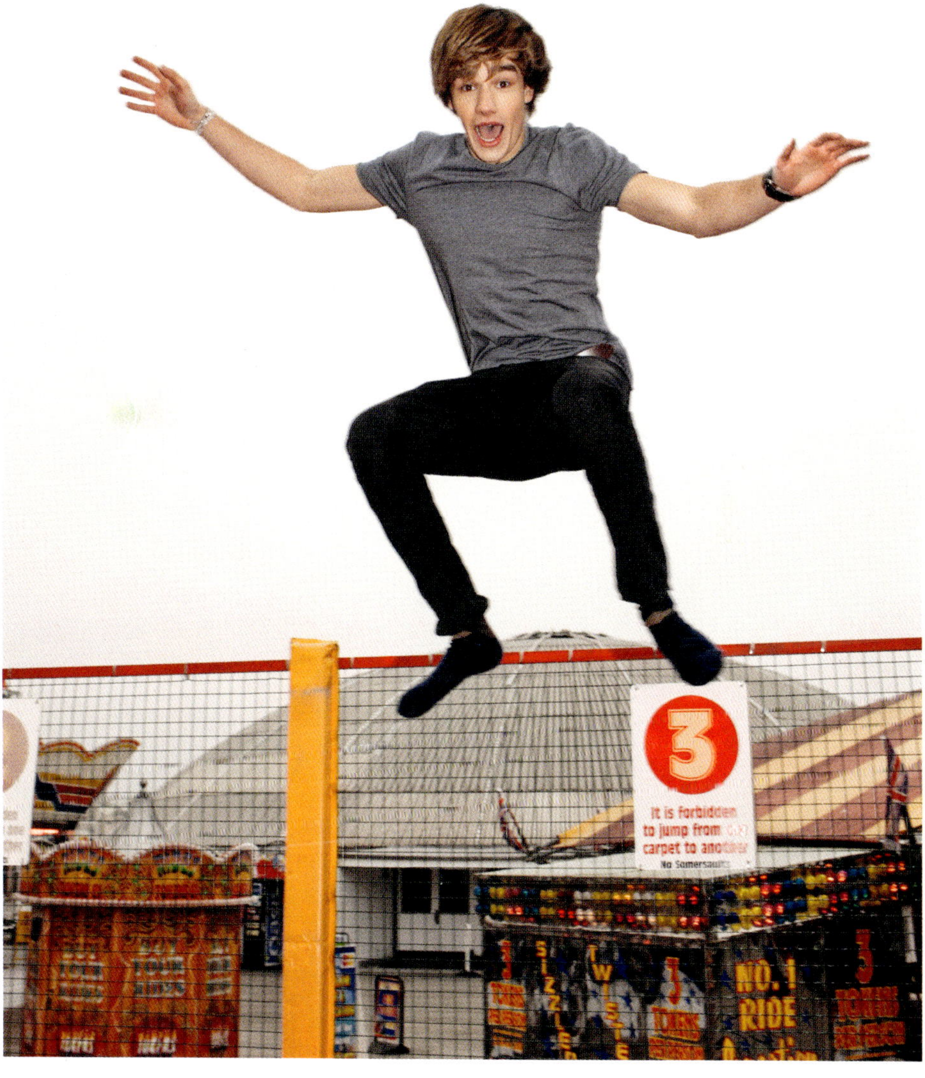
3
It is forbidden
to jump from
carpet to
NO. 1
RIDE

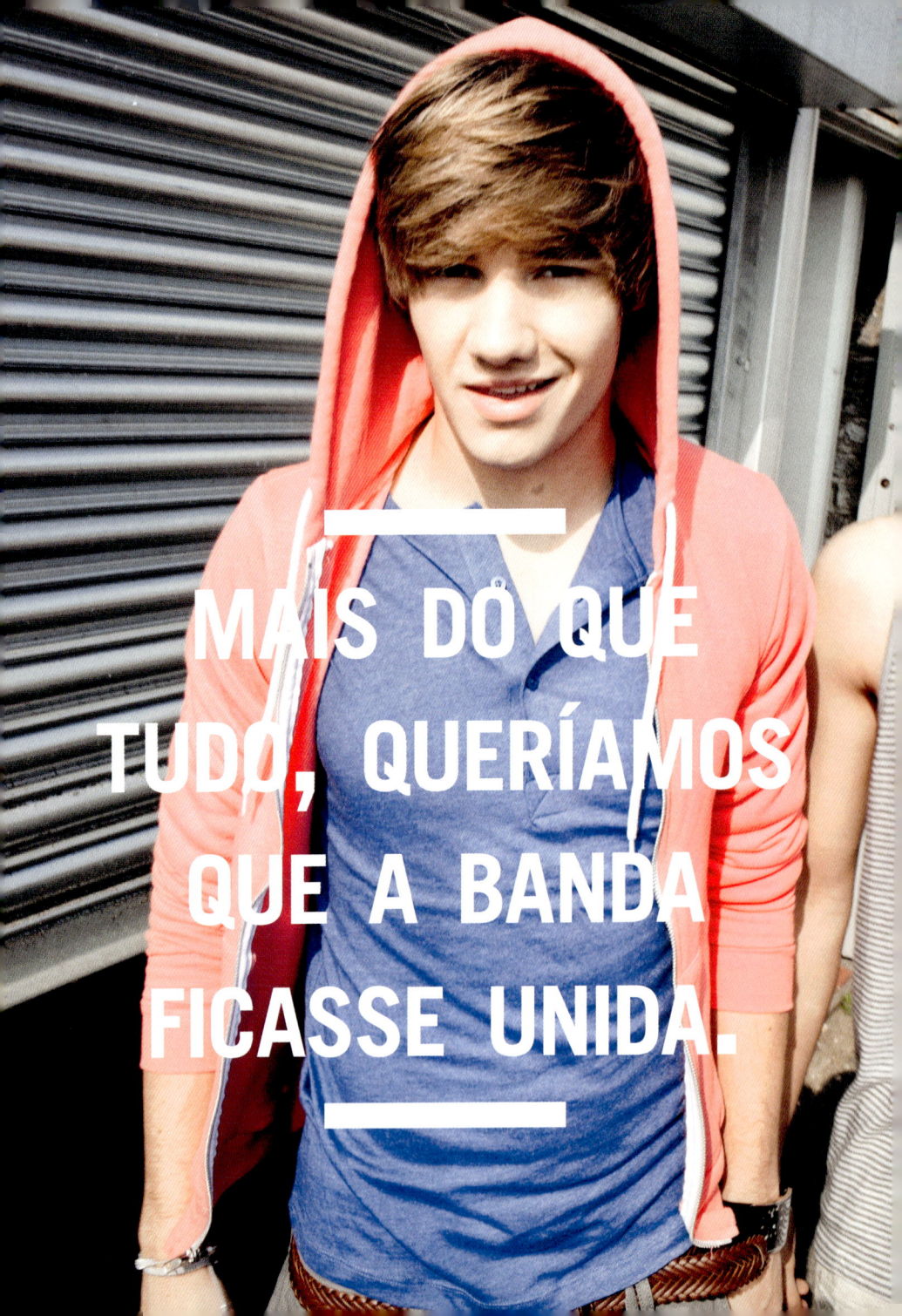

MAIS DO QUE TUDO, QUERÍAMOS QUE A BANDA FICASSE UNIDA.

LIAM: O PRÓXIMO PASSO

Nem preciso dizer que para mim o ponto alto do X Factor foi conhecer o Robbie Williams. Ele é uma das maiores razões por eu estar fazendo isso agora, então só a oportunidade de tirar uma foto com ele já foi maravilhosa. Agradeci e disse que se não fosse por ele, provavelmente não estaria no programa, e acho que ele ficou surpreso com isso e foi muito humilde. Ele admitiu que nunca sabe o que dizer quando as pessoas falam que gostam dele, porque ele só está fazendo o que gosta, mas ouvir isso foi muito importante para mim. Ele nos deu o conselho de manter os pés no chão e era muito coerente.

Conhecer o Michael Bublé também foi incrível. Ele foi muito bacana e falava com todo mundo. E foi um choque saber que ele sabia quem a gente era. Imagine saber que o Michael Bublé assistiu você se apresentar no programa!

Tirar o terceiro lugar na final foi incrível, mas claro que ficamos muito decepcionados por não ganharmos. Mas estávamos muito satisfeitos com a nossa apresentação de "Torn", então pelo menos fizemos tudo o que podíamos.

A gente estava de pé no palco com a Rebecca e o Matt e eles chamaram o Matt primeiro. Então chamaram a Rebecca e ficamos muito decepcionados. Nunca tínhamos passado por aquilo antes, porque nossos nomes sempre eram chamados primeiro durante as votações. Quando assisti de novo pela televisão parece que o Dermot levou anos para ler o nome da Rebecca, mas quando eu estava lá tinha parecido um segundo.

Assim que o Dermot leu o nome da Rebecca, era possível ver nossa cara de decepção e nossos fãs meio que tendo um ataque. Não é que acreditávamos quando as pessoas diziam que iríamos ganhar, mas não podíamos deixar de ter esperanças.

Mesmo quando estávamos no palco assistindo aos nossos melhores momentos, sabendo que não tínhamos vencido, eu não conseguia parar de sorrir. A gente teve momentos incríveis e no fundo eu sabia que outras coisas aconteceriam. Todos os outros estavam chateados, mas eu tinha a sensação de que iríamos ficar bem.

Assistindo ao vídeo de todas as coisas que a gente fez, percebi o quão longe chegamos e como tínhamos feito as coisas darem certo. Fomos colocados juntos e trabalhamos tanto, fazendo tanta coisa por conta própria, então, mesmo não tendo ganho, sentia orgulho da gente e sabia que éramos capazes de muitas outras coisas.

Sempre me lembro daqueles dias no sítio bem no começo da competição e parecia um grande passo estar de pé naquele palco na final. A gente não esperava passar pela Casa dos Jurados, então ir até o fim foi incrível. No final das contas, eu estava muito decepcionado por não termos ganho, mas feliz com o que tínhamos feito em geral.

Depois, nos bastidores, houve muitas lágrimas, mas, apesar de eu ter chorado antes, quando não tinha sido escolhido no Campo de Treinamento, não chorei naquele momento. Acho que na verdade não sabia como me sentir. Estivera em um programa de televisão nas últimas dez semanas, cantando para 20 milhões de pessoas, e era exatamente isso que sempre quis fazer. Sentia que pelo menos tinha tido uma oportunidade de fazer isso. Mas claro que estava pensando se a gente iria assinar um contrato para um disco ou se aquele era o final da linha. Sempre penso sobre as outras pessoas que não ganharam e que se saíram muito bem mesmo assim. A Diana Vickers ficou em quarto lugar – e olha onde ela está agora.

Foi uma situação difícil, mas nós nos controlamos ao máximo e esperamos para ver o que iria acontecer. Então nos chamaram para ir ao camarim do Simon, e sabíamos que iríamos descobrir, de um jeito ou de outro, se ele queria continuar a trabalhar conosco. O clima estava muito tenso e a gente olhava um para o outro, nervosos. Mais do que tudo, queríamos que a banda ficasse unida, desejávamos fazer uma turnê e gravar um disco, mas claro que o Simon fez a gente esperar um pouco antes de dar a notícia.

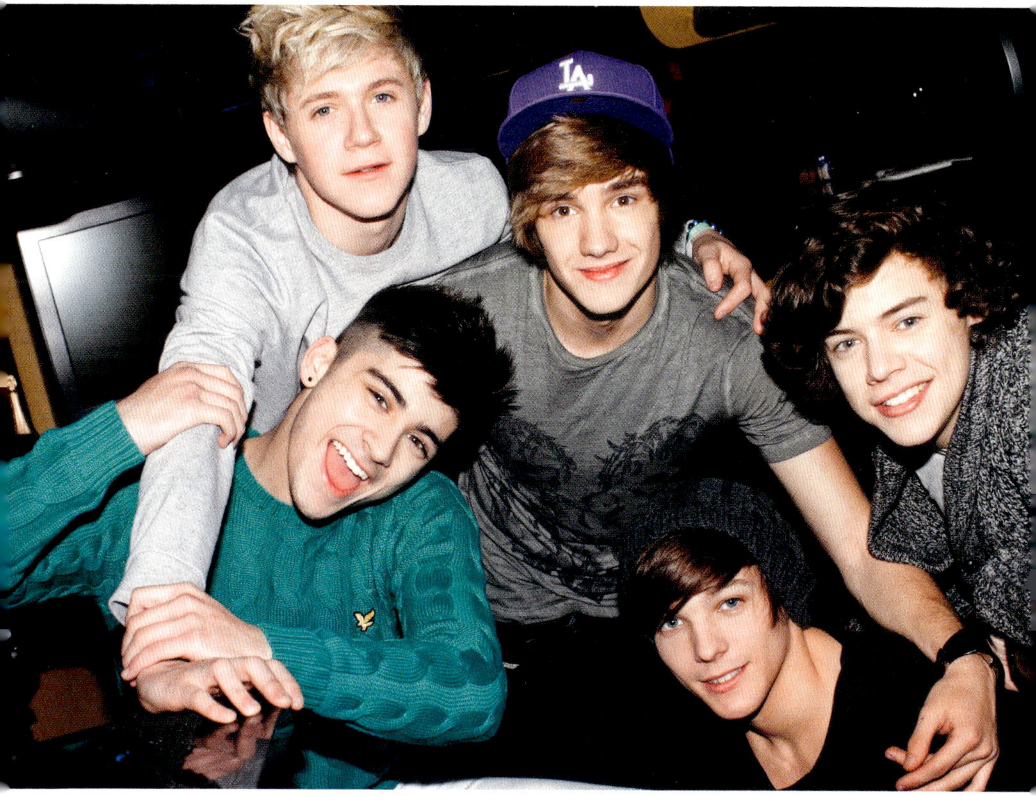
LA

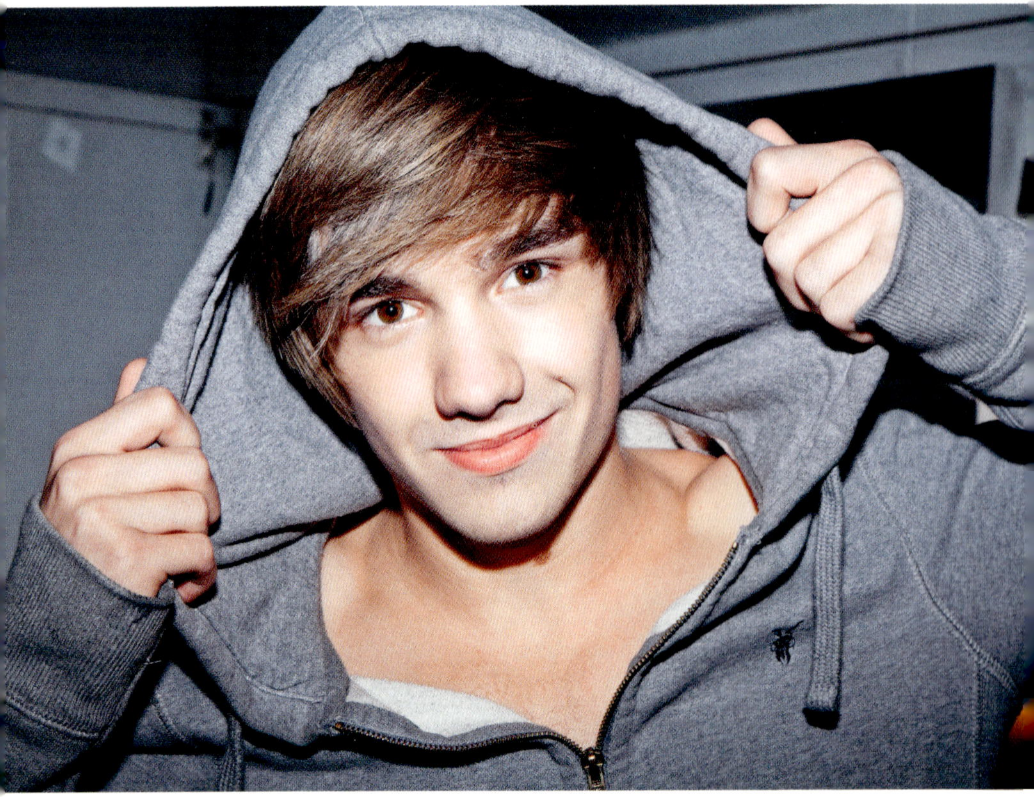

LIAM: O PRÓXIMO PASSO

Foi como estar de volta à Casa dos Jurados, porque ele disse o quanto gostava da gente, mas não dava uma resposta definitiva. Então nos contou que iríamos assinar um contrato e entramos em estado de choque. Eu tinha a sensação de que a notícia seria boa, mas quando o ouvimos falar, eu não conseguia acreditar.

Depois, a gente voltou para baixo e podia contar para a nossa família, mas só para ela. Ninguém mais podia saber, mas nem é preciso dizer que isso logo vazou para a imprensa. Na verdade, a noite toda foi cheia de emoções diferentes. E claro que iríamos embora da Casa dos Concorrentes na manhã seguinte, o que seria outra grande mudança. Havíamos passado os últimos meses vivendo juntos, então seria muito diferente não dividir mais o quarto com os outros garotos. Estávamos felizes em ter nosso espaço de volta, mas devo dizer que todos nós sentimos falta de alguma coisa da época em que dividíamos o quarto.

Mudamos para um hotel em West London direto da Casa dos Concorrentes e tivemos uma festa de encerramento naquela noite que foi muito divertida. Foi legal conversar com todo mundo de novo e falar sobre os bons tempos. Precisávamos acordar bem cedo no dia seguinte para trabalhar, então não piramos muito e provavelmente fomos os que mais se comportaram.

Os dias seguintes foram cheios de reuniões com empresários e apresentações, e ao mesmo tempo que era estranho estar longe da bolha do X Factor, era empolgante experimentar coisas novas. A receptividade que tivemos nas casas noturnas foi incrível e nos sentimos como um grupo mais do que nunca porque estávamos fazendo shows com um *set list* de verdade. Podíamos muito bem ter continuado a fazer isso por semanas, mas chegou o Natal e acho que todos precisavam de um descanso depois da loucura dos últimos meses.

FELIZ NATAL PARA TODOS

Passar o Natal com a minha família em casa foi muito bom. Tudo estava tranquilo e me senti mais próximo dos meus pais do que antes. Podia ver que eles estavam orgulhosos de mim e acho que, por causa da minha ausência, o tempo que passamos juntos foi muito mais especial.

Acho que o mesmo aconteceu com os garotos e eu. Tínhamos passado tanto tempo juntos que acho que precisávamos dar um tempo, e isso fez com que sentíssemos falta uns dos outros e reconhecêssemos tudo o que tínhamos conquistado. Às vezes, trocávamos mensagens de texto, mas também demos um tempo, então quando nos encontramos depois do Natal, ficamos felizes por estarmos juntos de novo.

Foi esquisito estar em casa e não ter muita coisa para fazer. Fiquei tão acostumado a estar ocupado 24 horas por dia que sentar para ver televisão e relaxar pareceu totalmente estranho. Minha irmã Ruth e eu acabamos indo ao cinema e ao boliche, porque eu precisava fazer alguma coisa. Não conseguia ficar lá sentado sem fazer nada.

A festa de Natal mesmo foi muito agradável, com um monte de presentes legais. Normalmente, sou muito cuidadoso com dinheiro por causa do meu lado administrador, mas daquela vez eu realmente esbanjei – foi a primeira vez que pude fazer isso. Comprei quatro IPads, um laptop, um telefone de aniversário para minha mãe e várias pulseiras da Links of London. Levei minha família para jantar fora e paguei tudo, e adorei poder fazer isso. Às vezes, não sou muito esperto com dinheiro, porque se vejo alguma coisa que vai fazer alguém feliz, simplesmente quero comprar, mas então o meu lado administrador me diz para ser sensato.

Minha família e meus amigos não me trataram diferente por causa do programa, mas, de certo modo, acho que meus pais me trataram mais como um adulto.

Acho que minha mãe teve um pouco de dificuldade com isso porque sempre fui o bebê da família e ela sabia que eu iria me mudar depois do ano-novo. Ela não tem de quem cuidar agora, então ainda gosta de lavar minhas roupas e até tenta fazer minhas malas. Mas sou eu quem passa minhas roupas.

COMEÇA TUDO DE NOVO

Foi estranho parar e pensar em como minha vida tinha ficado diferente em tão pouco tempo. Como todo mundo sabe, sou grande fã da Leona Lewis. Eu a adoro e acho que ela é linda. Agora ela me aceitou no twitter e diz que não vê a hora de me conhecer. Não é louco? A vida está indo muito rápido e quero dar valor a tudo que está acontecendo, então às vezes preciso parar e observar as coisas.

Logo depois do ano-novo, voltamos a fazer algumas apresentações e tocamos em umas poucas festas fechadas. Então ficamos sabendo que iríamos a Los Angeles para algumas reuniões e gravações. Não acreditamos. Meu pai sempre me disse que se eu ficasse sabendo de uma viagem para Los Angeles, ele queria ser o primeiro a ser informado.

Tínhamos ido jantar na casa do nosso empresário, o Richard Griffiths. Deixamos nosso telefone no carro para parecermos profissionais, mas quando sentamos para comer e ele começou a falar sobre LA, minha primeira reação foi pegar meu telefone – queria mandar uma mensagem ao meu pai. Logo me toquei que o celular não estava comigo, então fiquei louco para voltar para o carro e falar com meu pai. Ele ficou muito feliz quando soube.

Nunca tinha ido a Los Angeles, então estava ansioso para conhecer a cidade, era muito diferente da Inglaterra. Entendo por que todas as estrelas vão gravar lá, pois

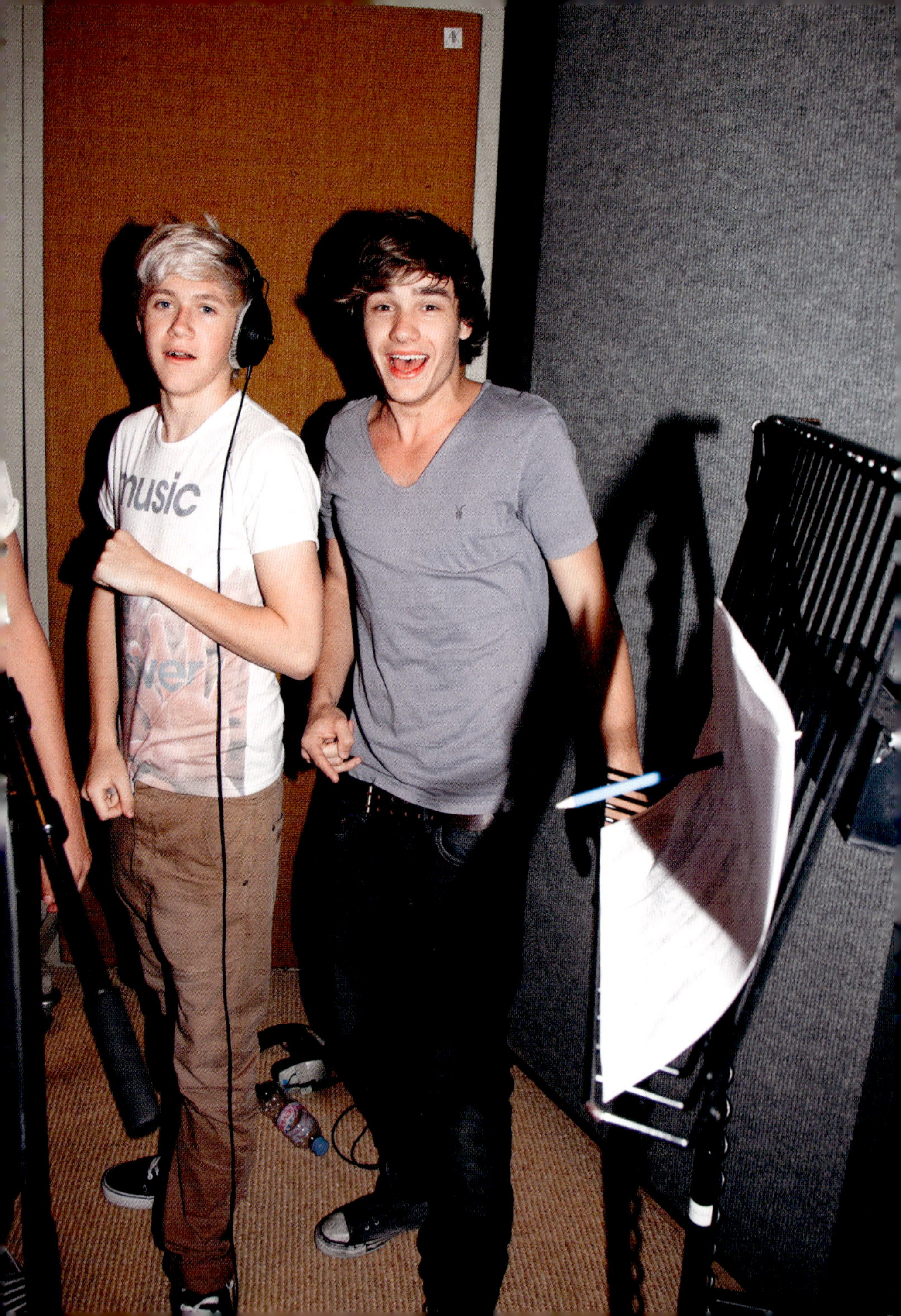
music

LIAM: COMEÇA TUDO DE NOVO

é o lugar perfeito, com seus prédios espetaculares e todo aquele sol. Conhecemos o Randy Jackson, que foi incrível, e o Bryan McFadden passou para dizer oi. A Leona Lewis também iria nos encontrar lá, mas infelizmente não conseguiu.

Ficamos nesse hotel enorme chamado The W. Todo dia a gente acordava e ia para a piscina. Estávamos lá para trabalhar, mas não havia uma agenda fechada, então às vezes parecia que estávamos de férias. Fizemos compras e adquirimos um monte de tênis. Mas ninguém comprou mais do que o Louis, porque ele é viciado em compras. Zayn e eu quase perdemos o avião porque tínhamos ido fazer compras e ficamos presos no trânsito. A gente ficou apavorado, mas chegou na hora.

Quando estávamos em LA, saímos para jantar com um mega produtor chamado Max Martin e fizemos algumas gravações com a equipe do RedOne. Lembro que pensei "Uau! Chegamos até aqui!"

A coisa mais esquisita que aconteceu em LA foi descobrir que havia fãs esperando por nós no aeroporto quando chegamos; não contávamos com isso de jeito nenhum. Eles tinham nos visto no Youtube e foram nos esperar, e eles levaram um cartaz enorme e tudo o mais.

Nossa volta para casa foi a coisa mais louca que já vivi. O aeroporto de Heathrow só tem uma saída e é onde todas as celebridades são fotografadas. Havia literalmente uma parede de fãs, então tivemos que evitar a entrada principal, sair por uma porta lateral e correr quase sem nenhuma segurança. Eu levei um soco no rosto por engano e alguns dos outros caras tiveram as roupas rasgadas.

Quando a viatura de polícia chegou, tivemos de correr do balcão do estacionamento onde estávamos escondidos e tentar entrar na parte de trás, mas alguém segurou meu capuz e acabei sendo prensado na lateral do carro. No final, alguém me agarrou e me jogou na parte de trás do furgão. Fomos embora em meio a flashes

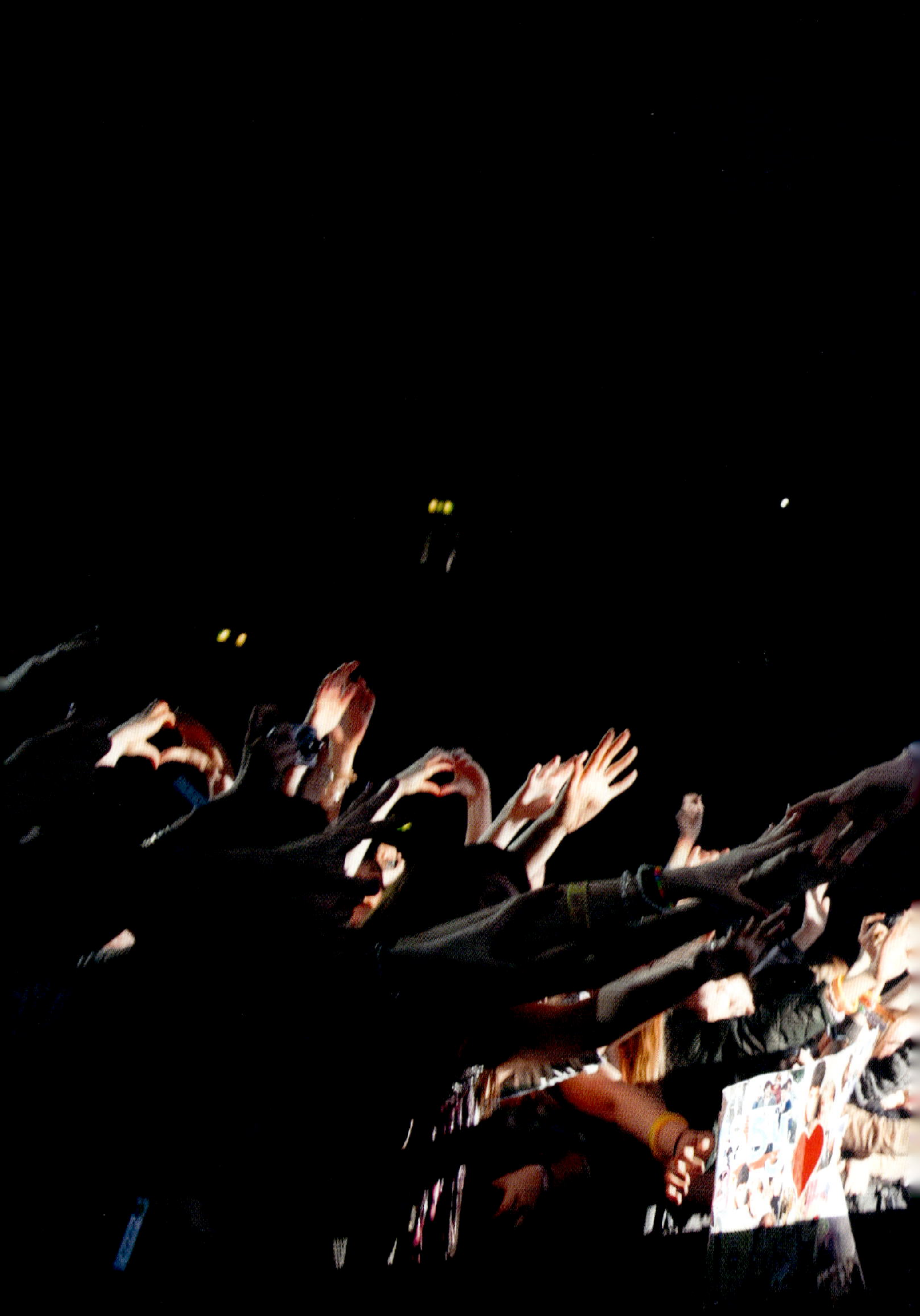

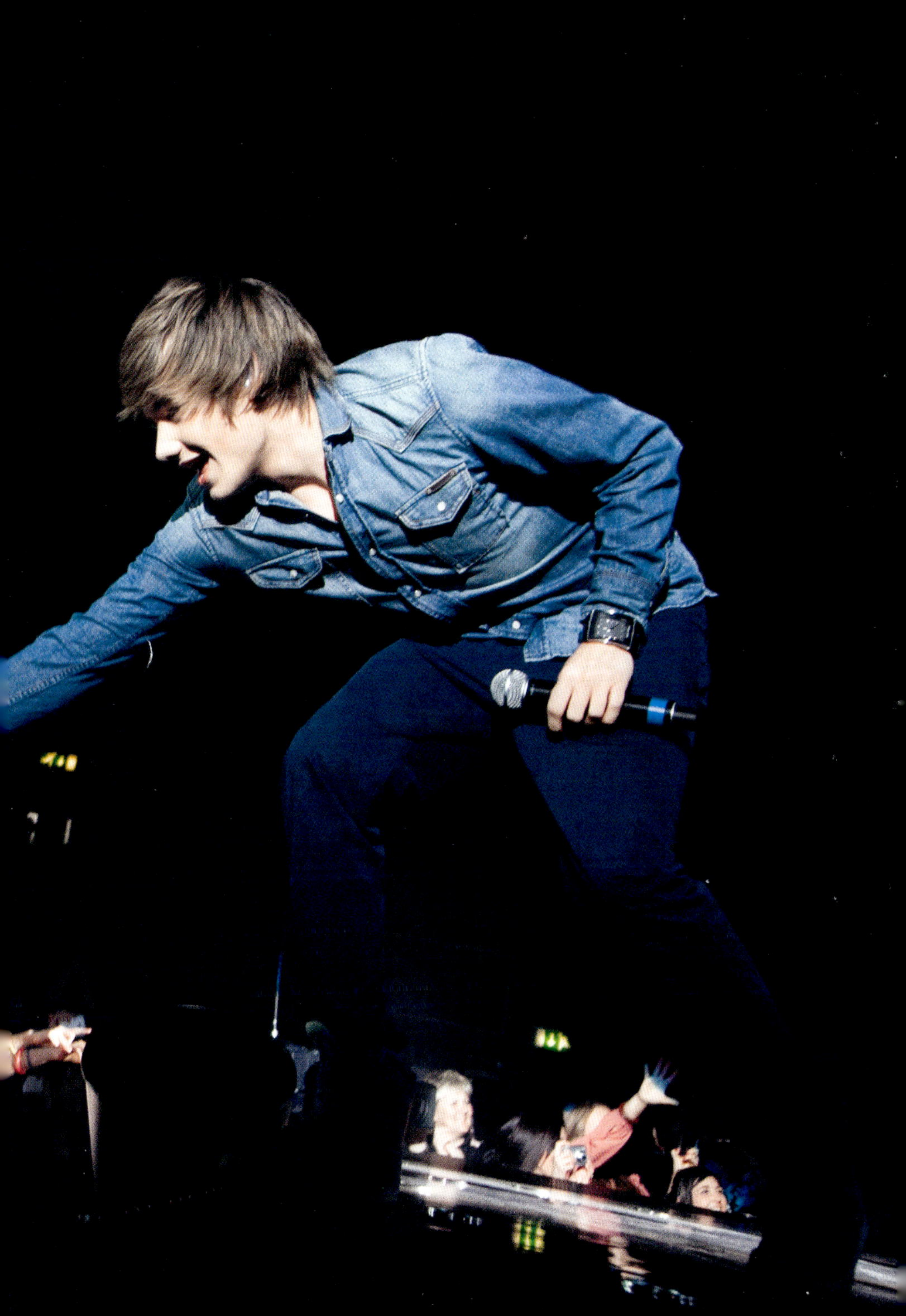

A MELHOR COISA DA TURNÊ FOI VER UM MONTE DE FÃS. ADOREI!

LIAM: COMEÇA TUDO DE NOVO

e sirenes, foi tudo muito dramático. Naquele momento, a gente ainda não tinha lançado nenhuma música, então foi uma coisa muito louca.

A melhor coisa da turnê foi ver um monte de fãs. Adorei! Todo mundo é sempre muito simpático e gentil. Às vezes, somos afastados deles, mas sempre que possível preferimos encontrá-los. Se eles ficam esperando depois de uma apresentação, sempre queremos sair e dizer oi, mas às vezes as pessoas que cuidam da gente acham que não é seguro, então não podemos, o que é uma pena.

Temos os melhores fãs do mundo. Sei que todas as bandas provavelmente pensam assim, mas outro dia, por exemplo, o Louis colocou no Twitter que estava com vontade de comer cereais de canela – e alguém trouxe uma caixa até o hotel. É incrível! Pode ser estranho acordar com pessoas gritando às sete da manhã, mas nós adoramos.

Mesmo os garotos são legais com a gente. Outro dia estava numa lanchonete que vende peixe e batata frita e alguns meninos vieram conversar comigo sobre o grupo e nos deram a maior força. É uma pena quando as pessoas não nos apoiam, porque no final das contas nós somos apenas garotos simples que vieram do nada e que trabalharam duro para chegar até aqui. Se elas estivessem no nosso lugar, se sentiriam exatamente desse jeito.

O engraçado de ser famoso é que acho que não há um momento sequer em que você realmente para e pensa "Agora sou famoso". Há momentos incríveis no palco ou no estúdio, mas a ficha nunca cai de verdade. Lembro de estar no palco em Birmingham, com as luzes do público acesas; olhei para as pessoas lá e pensei "Esse é o meu trabalho. Custe o que custar, não vou parar de fazer isso". Da mesma maneira, quando estou no estúdio, às vezes me pego sorrindo sozinho – só porque estou muito feliz de estar ali.

Ensaiamos para a turnê em um lugar chamado Light Structures. Foi um desafio, pois tivemos de aprender as coreografias e tudo o mais. Eu fiz algumas aulas de dança quando era mais novo, mas estávamos aprendendo tantas coisas novas. Até disseram para a gente tentar andar de um jeito mais sexy e no começo achamos isso meio embaraçoso.

Na verdade, o Zayn se saiu muito bem com a dança e agora ele faz isso o tempo todo. Ele tem muito mais confiança. Somos cinco garotos, e normalmente meninos não dançam muito, então não tiramos sarro uns dos outros quando tentamos coisas novas. Estamos dispostos a tentar qualquer coisa e acho que essa é a melhor postura para se ter nessa indústria. Além disso, sempre há um pouco de competição quando cinco caras estão juntos – mesmo quando estamos jogando Pokemon, o que fazemos com frequência. Mas acho que isso é saudável e estamos batalhando para dar o nosso melhor.

Começamos a turnê em Birmingham, o que foi bom por não ser a minha cidade natal. A primeira noite foi fenomenal e nos pegou completamente de surpresa. Claro que quando saímos do guindaste durante os ensaios – o guindaste que te ergue da parte de baixo do palco – não havia ninguém nos assistindo. Ninguém poderia ter nos preparado para o que enfrentamos naquela primeira noite. A gente estava esperando para entrar no palco e usava fones de ouvido, então podíamos ouvir alguns gritos, mas não muito claramente. Não esperávamos nada mega, então saímos do guindaste e pudemos ver todos os cartazes e as camisetas do One Direction, e as pessoas gritando. Quando você olha para o público e alguém está segurando um cartaz com o seu nome, não cai a ficha de que aquele é o seu nome. Não sei como o Harry se sentiu, porque o número de garotas usando camisetas com os dizeres "I Love Harry Styles" era inacreditável. Elas o amam.

Não tínhamos nenhum ritual antes de entrar no palco; só ficávamos zoando muito. No X Factor, a gente costumava fazer uma rodinha e conversar um pouco antes da apresentação, mas isso era mais tranquilo, porque tínhamos uma ideia melhor do que iríamos fazer todas as noites.

LIAM: COMEÇA TUDO DE NOVO

Dividíamos uma sala com todos os outros artistas homens e sempre que havia alguém com a gente, essa pessoa também fazia bagunça. Acho que a gente é assim – despertamos o lado bobo em todo mundo. A gente se livra de várias enrascadas porque as pessoas que deveriam nos controlar normalmente estão se divertindo conosco.

A única vez em que levei bronca foi quando fizemos algumas guerras de frutas. Louis é um cara impulsivo e certa noite ele começou a jogar frutas nas pessoas. Todo mundo entrou na brincadeira e, quando nos demos conta, estávamos jogando frutas nas paredes.

Nós temos um senso de humor de menino. Duas vezes, antes de entrarmos no palco, Louis e Zayn fizeram uma competição pra ver quem fazia o braço do outro ficar dormente mais rápido. Também fazemos uma brincadeira em que alguém é escolhido para falar palavras aleatórias no palco. Outro dia tive de dizer Rodney e Del Boy no meio de uma música. Alguém teve de falar "colheitadeira" e Ian Beale, personagem da novela *Eastenders*, acabou entrando em algumas músicas. O Louis até deu cambalhotas no palco algumas vezes. Acho que estamos nos soltando nessa turnê.

Eu tinha o hábito de verificar se todas as minhas roupas estavam preparadas e eu, pronto para entrar no palco a qualquer hora. Faço isso porque quando fazia apresentações antes, meu pai me ensinou que eu devia ser profissional. Guardei aquilo comigo, então, apesar de nos divertirmos muito, levamos as coisas muito a sério.

Houve algumas festas durante a turnê, mas eu sou uma pessoa bem tranquila, então enquanto a maioria das pessoas ia para o bar depois dos shows, eu ia para o quarto ficar sozinho. Quero conquistar muitas coisas, então não me interesso em beber. De vez em quando, vou a bares e converso com as pessoas, mas as coisas estavam muito agitadas e nós nos apresentamos para cerca de 9 mil pessoas a cada noite, então era bom passar um tempo sozinho. Depois daquele

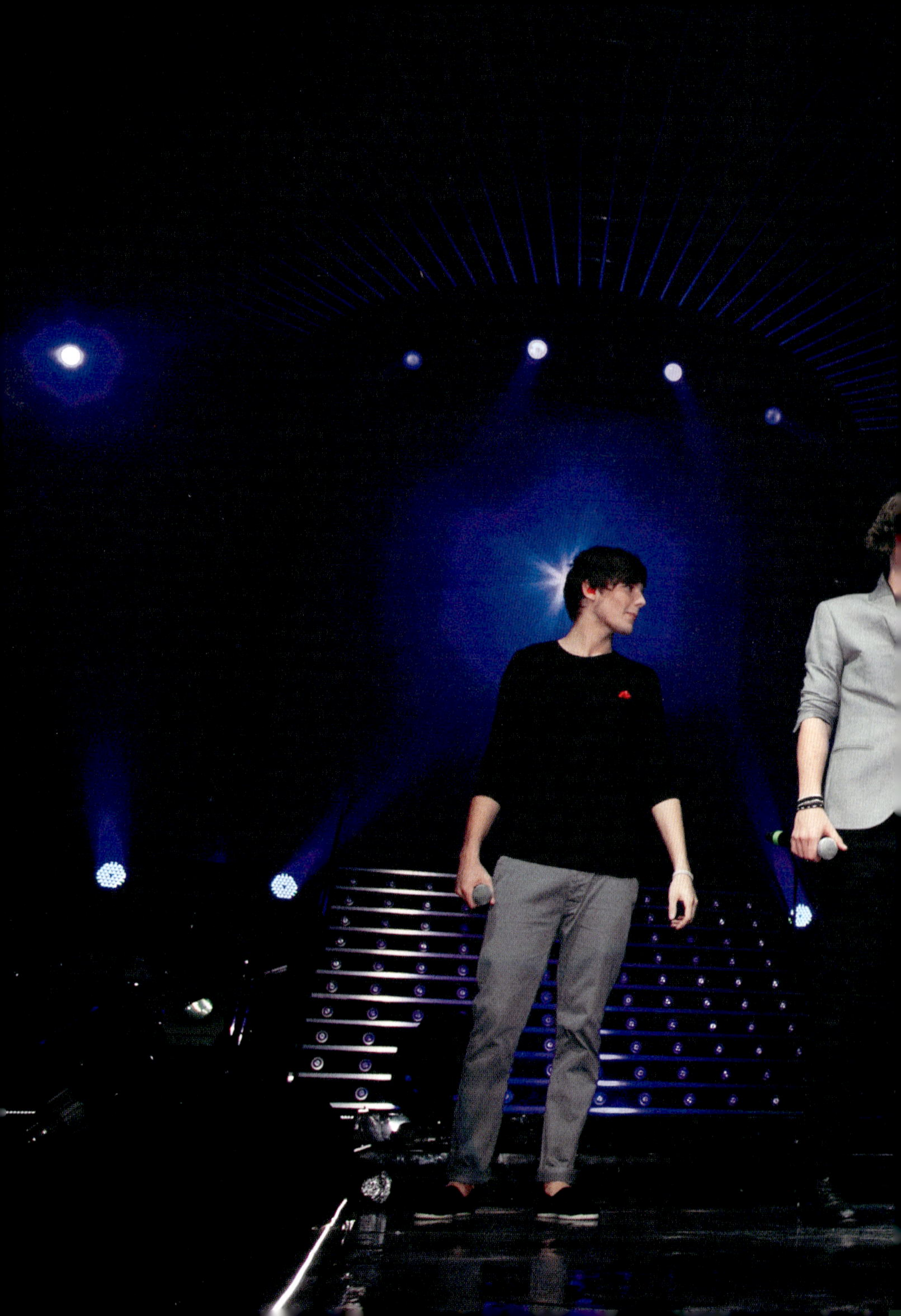

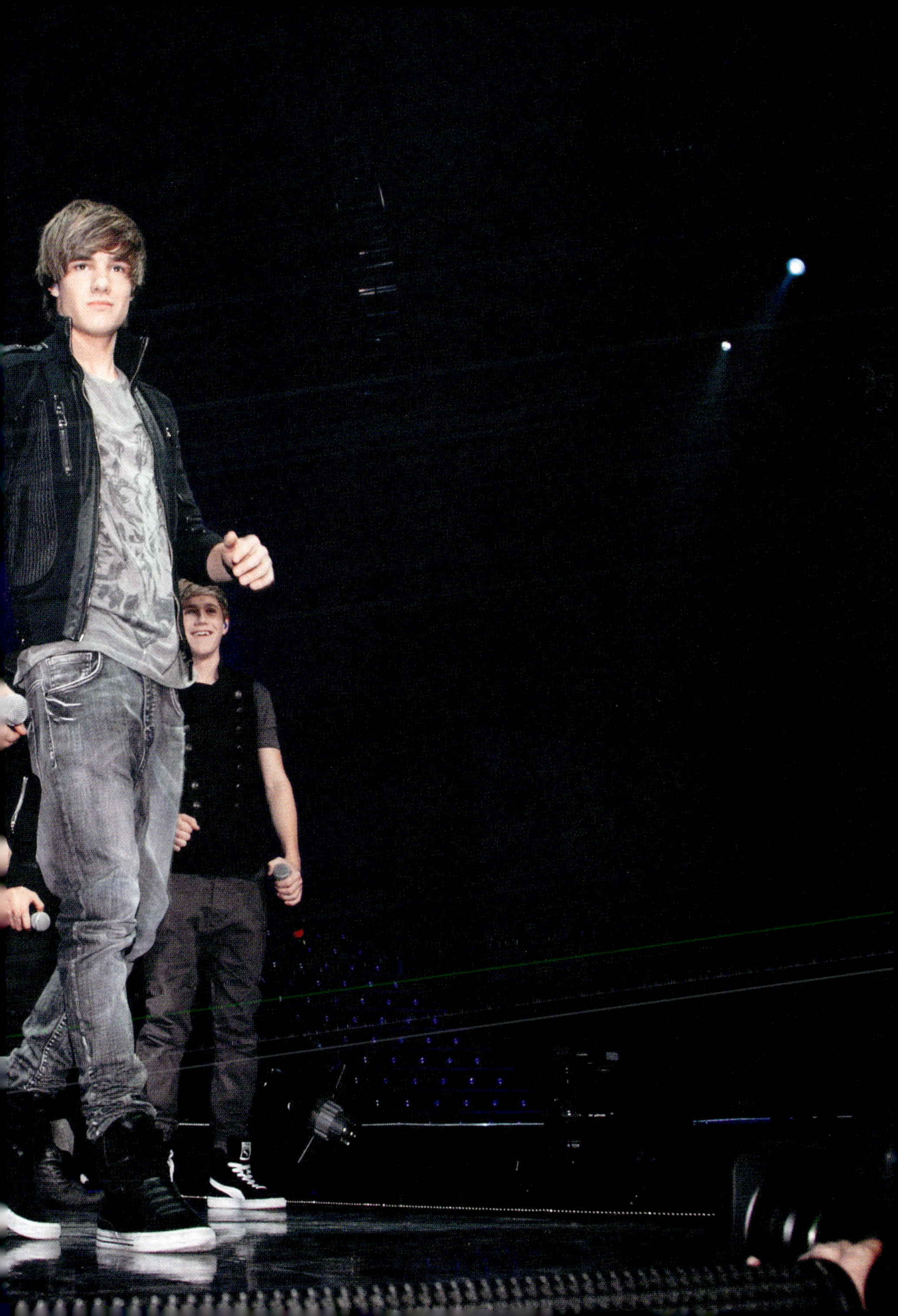

nível de barulho, no entanto, o silêncio se torna um som quase assustador e estranho. É algo com que você precisa se acostumar. Agora, quando fico sozinho, sinto-me mais solitário do que antes.

Quando morava em Wolverhampton, não havia muito o que fazer e eu só saía quando ia com o meu pai ao pub da cidade, o Great Western. Eu ficava entediado de sentar lá e não fazer nada, e ainda sou assim. Para mim, ir a algum lugar para pensar, ou ir à academia e malhar é tão bom quanto estar com as pessoas em um bar. Malhar é uma coisa muito importante para mim, porque isso também alivia muito o estresse.

Já disseram que eu sou o pai do grupo, porque sou o único que não bebe. Como só tenho um rim que funciona, preciso tomar cuidado com coisas como sal, proteínas e álcool, então isso faz com que as pessoas me vejam como o mais sensato. Acho que mesmo quando eu tiver idade suficiente, não vou beber. Quero aprender a dirigir, daí vou poder levar os outros caras de um lado para o outro e de volta pra casa.

O FUTURO FANTÁSTICO

Todos nós compusemos músicas enquanto estávamos em turnê, mas era um pouco difícil porque nem sempre tínhamos um violão. Peguei o autógrafo de vários participantes do X Factor na minha guitarra, dei-a para um amigo e não tive tempo de comprar outra. A gente sempre tinha ideias para músicas, porque queríamos fazer parte de todo o processo. Isso nos daria a sensação de que conquistamos algo e as canções seriam realmente nossas. Não queremos ser um daqueles grupos que só cantam músicas dos outros.

Ficamos lisonjeados quando soubemos que poderíamos contar nossa história em um livro, e nos divertimos trabalhando nele. O tempo passou muito rápido e logo recebemos uma ligação dizendo que ele estava no primeiro lugar da lista dos mais

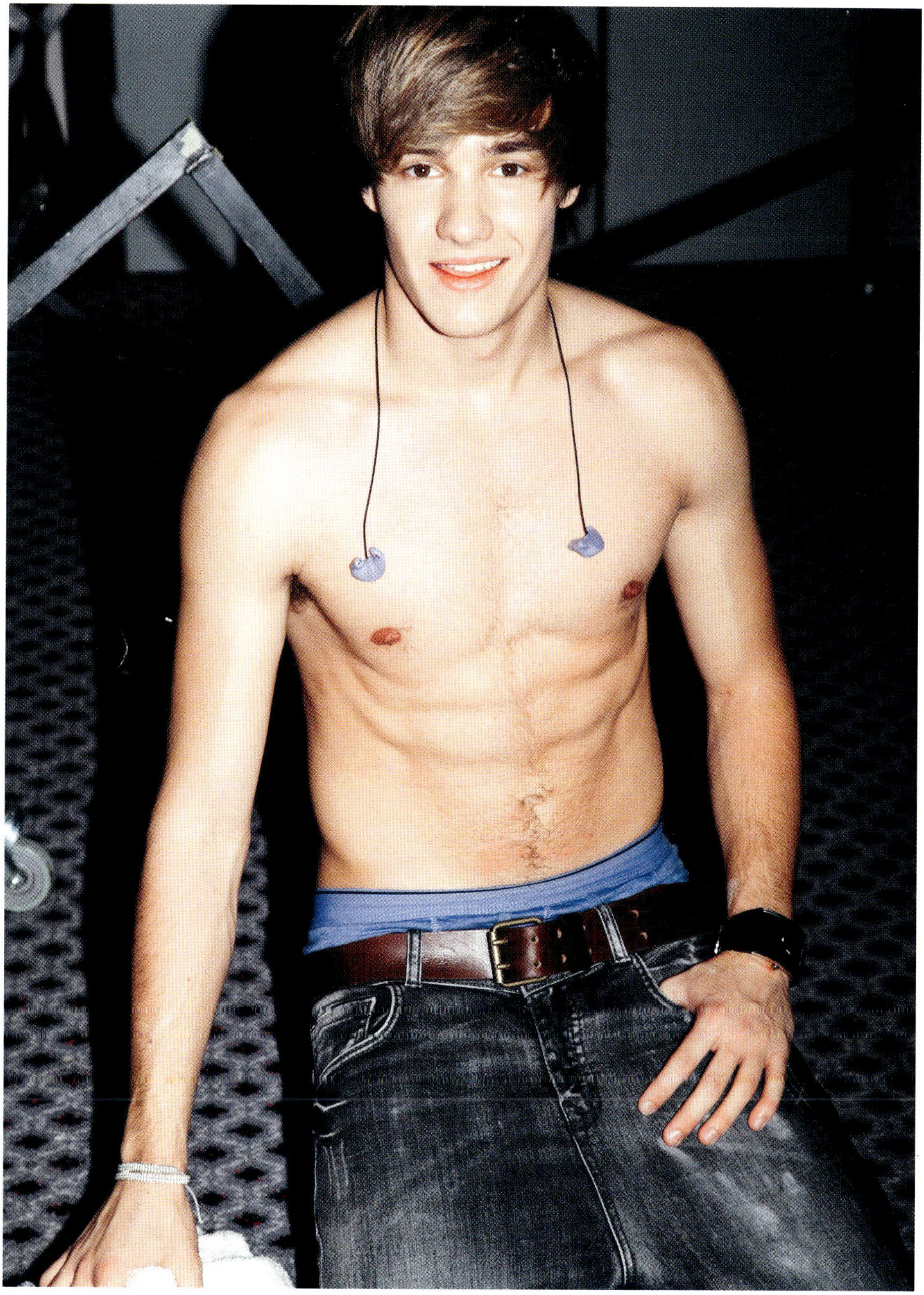

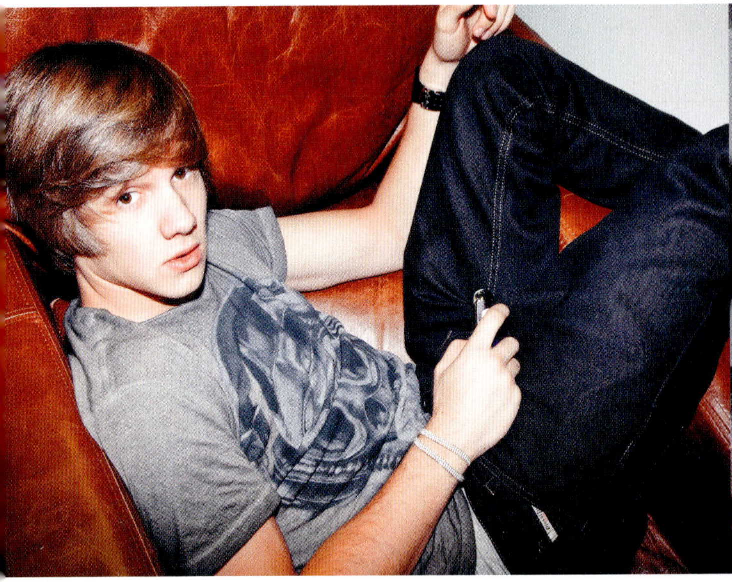

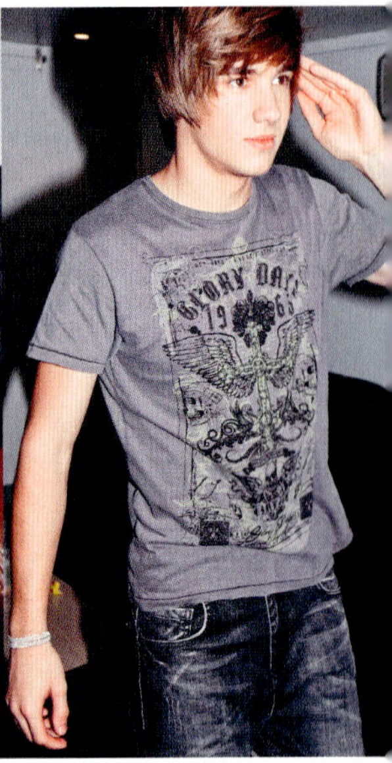

vendidos, o que foi inacreditável. Só quando fomos às sessões de autógrafos e vimos a quantidade de pessoas que estava lá e quantas delas haviam comprado o livro, é que tudo começou a parecer verdade. Muitos fãs vieram usando camisetas legais e foi uma experiência ótima poder conhecer muitos deles.

Eu sou obviamente o membro mais atrapalhado do One Direction e vivo fazendo coisas erradas. Em uma das sessões de autógrafos, bebi uma garrafa de refrigerante rápido demais antes de colocá-la na mesa, e sujei toda a roupa. Outra vez, tropecei enquanto subia no palco na frente de todo mundo. Sou um pouco estabanado.

Durante a turnê tive um problema persistente com as minhas calças! Na hora de cantar "Forever Young" a gente tinha que pular bastante e minhas calças viviam rasgando. Uma vez, elas rasgaram muito – desde a cintura até a perna. Outra vez estávamos esperando para entrar e cantar "My Life Would Suck" e o Louis me empurrou de brincadeira, e minhas calças rasgaram de novo. Tive de cantar duas músicas com elas completamente rasgadas. Não tinha por que esconder, então fiz uma piada com o público e todo mundo riu.

A festa de encerramento foi ótima – ficamos felizes e aliviados ao mesmo tempo. Por mais que tenhamos gostado da turnê, fizemos cerca de 60 shows, então estávamos felizes pela pausa. A festa aconteceu em uma boate embaixo do hotel, e eu só fiquei um pouquinho porque queria ir descansar. Acho que o Harry e o Louis foram os que ficaram acordados até mais tarde. O Louis definitivamente é o mais baladeiro, mas se você colocar a gente numa sala juntos, fazemos festa todos os dias.

Acho que eu e os meninos curtimos a turnê mais do que todos os outros participantes, e no final do ano vamos fazer a nossa própria turnê, que provavelmente é aquilo que mais desejamos. Ela vai ser mais completa do que a turnê do X Factor e poderemos dar várias ideias. Também vamos poder ver mais os fãs e fazer o que sabemos fazer melhor.

CORAGEM PARA SONHAR

Depois que a turnê acabou, levei meus pais de férias para a Flórida, e eles se divertiram muito visitando o Universal Studios. Quando a gente viajava antes, não tinha muito dinheiro, então sempre ficava séculos nas filas para andar nos brinquedos. Dessa vez, decidi esbanjar um pouco e comprei passes VIP, assim não precisávamos esperar nem cinco minutos para fazer qualquer coisa. Tivemos refeições deliciosas e foi ótimo passar um tempo com eles. Para mim, foi muito bom descansar a cabeça depois de toda a experiência com o X Factor.

Curtimos cada minuto em que escrevemos e gravamos o disco. Foi estressante encontrar o primeiro *single*, porque é claro que queríamos que fosse perfeito. Trabalhamos com alguns compositores e produtores incríveis, e parecia inacreditável ter aquelas pessoas ao nosso lado. A pessoa com que me empolguei mais em trabalhar foi um cara chamado Claude Kelly, que escreveu "Grenade" e "My Life Would Suck". Ele é uma máquina de sucessos. Fizemos muitas parcerias para o disco, o que foi muito importante para nós, e adoramos fazer parte do processo.

Viajamos para a Suécia e Los Angeles, duas viagens incríveis. Ficamos em LA por três semanas, então pudemos ver muito mais coisa do que da outra vez, mas tivemos que ficar focados no trabalho. Mas a gente curtiu porque o trabalho era muito divertido. Toda vez que viajamos, ficamos cada vez mais próximos, e tivemos muitas oportunidades para nos aproximar ainda mais enquanto estávamos lá.

Em geral, gosto de viajar, mas não de fazer as malas. Não importa quantas vezes a gente faça isso, acho que nunca vou deixar de ter aquela sensação de que esqueci alguma coisa. Ter que colocar todas as suas roupas e suas coisas na mala, sabendo que vamos viajar durante semanas ou meses, é realmente estressante.

Nesse momento, estamos basicamente morando em hotéis, apesar de às vezes dividirmos casas, o que foi divertido, mas intenso! Logo cada um de nós vai arranjar um apartamento. Alguns de nós vão dividir a casa – o Louis vai morar com o Harry e o Niall com o Zayn – mas acho que vou arranjar um lugar só pra mim porque gosto de ter o meu espaço. Adoro os caras, mas sei que quando voltamos de um período em que passamos 24 horas por dia juntos, vou querer um tempo sozinho. Sempre fui assim.

Trabalhamos muito este ano, e a certa altura acho que só tive um dia de folga em três meses, o que foi um pouco louco. Mas tudo é novo e empolgante, e tirar fotos e participar de programas de televisão é tão emocionante que simplesmente vamos em frente e nos divertimos. E conseguimos ganhar algumas roupas ao longo do caminho.

Outro dia tive uma experiência esquisita enquanto assistia tevê. Eu olhei e pensei "Conheço aquele cara" – e era eu! Nunca nos vimos no X Factor, então enxergar a si mesmo fazendo bagunça e saber que outras pessoas estão assistindo é uma loucura.

Sentimos que já fizemos algumas coisas incríveis, e o disco e a turnê são nossas prioridades agora. Queremos fazer músicas que as pessoas gostem realmente, e estamos planejando muitas coisas bacanas.

Meu objetivo para nós a longo prazo é fazer sucesso nos Estados Unidos. Esse é o meu maior sonho. Vamos precisar trabalhar muito, mas estamos bastante determinados.

Nao temos muitos dias de folga, mas nao nos importamos. A gente se ajuda. Se alguém está cansado e temos muito trabalho a fazer, animamos o cara e nos unimos para ter certeza de que vamos conseguir – mesmo se a gente só tiver dormido duas horas naquela noite. Essa é a nossa oportunidade de ter momentos incríveis fazendo o que amamos, e não vamos deixar isso escapar de jeito nenhum.

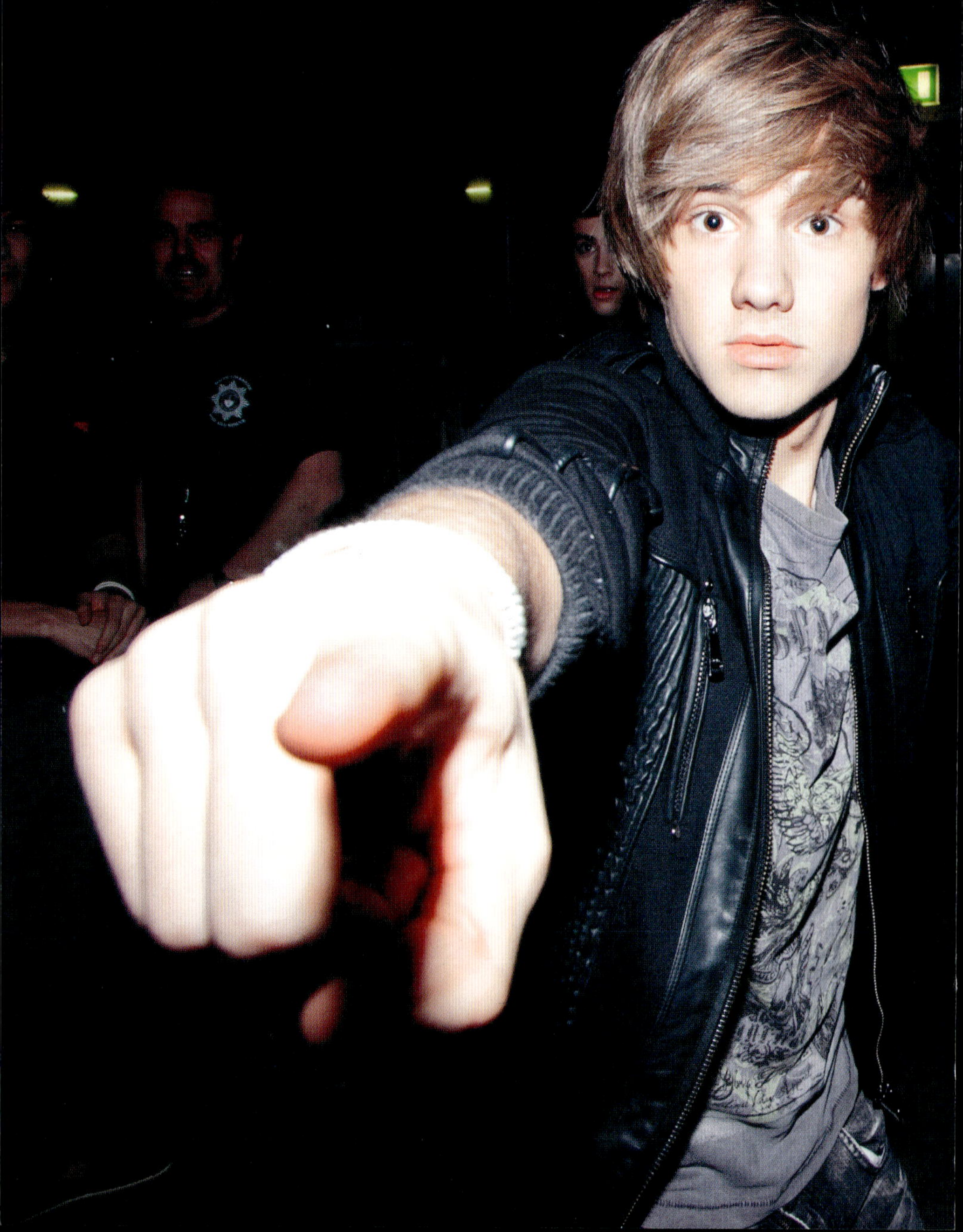

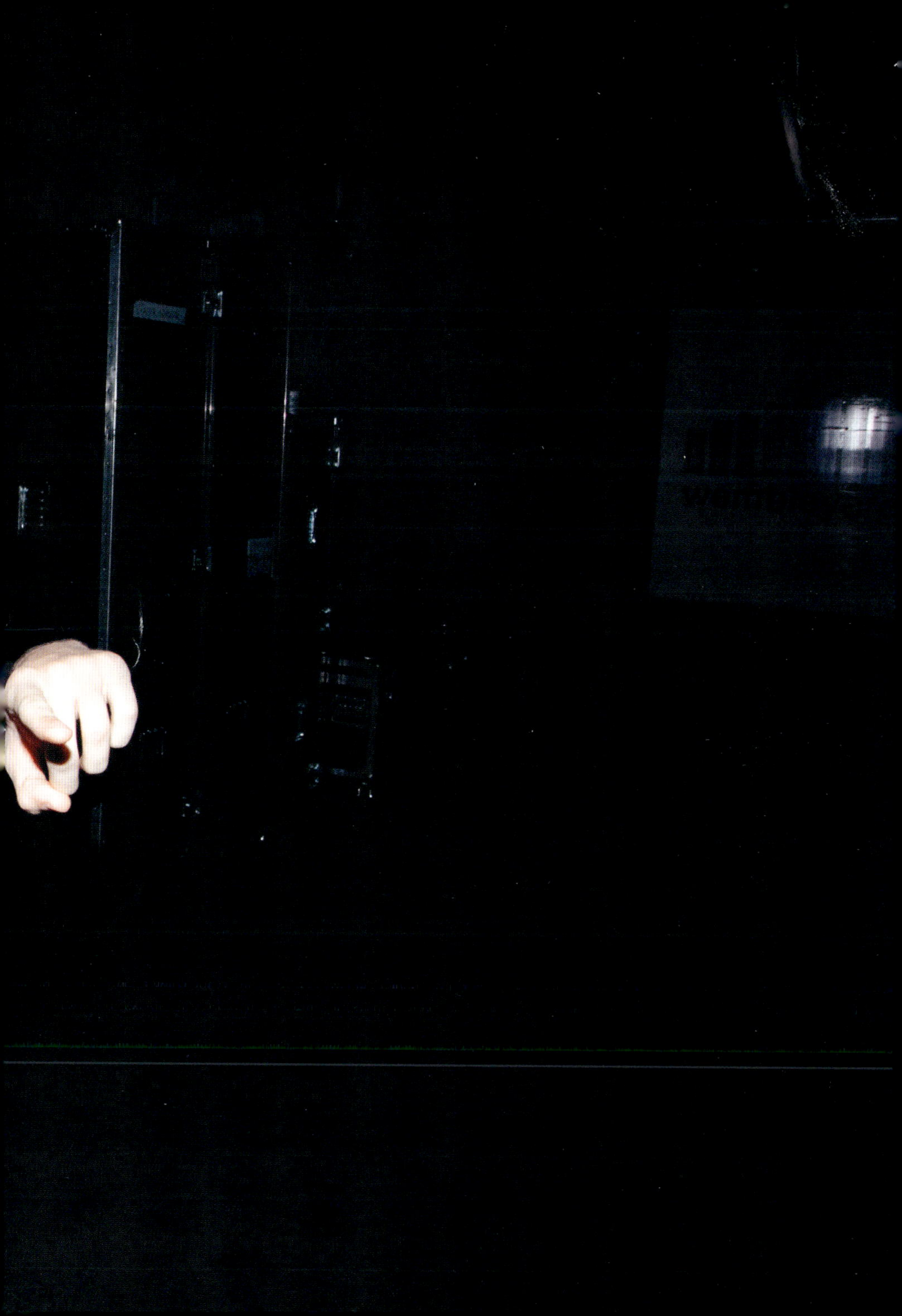

CORAGEM PARA SONHAR

BATE-BOLA
DATA DE NASCIMENTO: 29/08/1993
SIGNO: Virgem

Preferências...
FILME: *Click*, e adoro todos os *Toy Story*
PARTE DO CORPO: Meus braços
COMIDA: Chocolate
DISCO: *Echo* da Leona Lewis
AMIGO: Martin, Andy e Ronnie
CELEBRIDADE FEMININA: Leona Lewis
LOJA: All Saints
BEBIDA: Coca-Cola
COR: Roxo
PROGRAMA DE TEVÊ: *Friends* e *Everybody Loves Raymond*
LOÇÃO PÓS-BARBA: One Million de Paco Rabanne
PERFUME: XXX
JOGO: Pokemon
APLICATIVO DE CELULAR: Flick Kick Football
MELHOR JEITO DE PASSAR UM DOMINGO: Ficar na cama vendo filmes
ONDE TER UM ENCONTRO: Cinema
PAÍS: Estados Unidos
RESTAURANTE: Cosmo. É um buffet de comida chinesa perto da minha casa e é ótimo
COMO RELAXA: Com massagens, especialmente quando estou com dor nas costas
MEIO DE TRANSPORTE: Carro
DIVERSÃO NOTURNA: Boliche
BANDA: One Republic
QUAL A COR DO SEU EDREDOM? Azul

LIAM: BATE-BOLA

QUE TIPO DE CUECA VOCÊ USA? Samba-canção Armani, mas falando assim até parece que sou metido

PRIMEIRO ANIMAL DE ESTIMAÇÃO: Uma tartaruga chamada Frederick – sou muito criativo para dar nome aos meus bichos

VOCÊ PREFERE FICAR SOZINHO OU TER A COMPANHIA DOS OUTROS? Gosto muito de ficar sozinho

ÚLTIMO LIVRO QUE LEU: *Forever Young* do One Direction

ÚLTIMAS CINCO COISAS QUE COMPROU: Um sanduíche do Greggs, proteína em pó, um PlayStation portátil, um chapéu e alguns tênis

QUAL O SEU TIPO DE GAROTA? Gosto de garotas bem tranquilas, mas simpáticas. Do ponto de vista do visual, gosto de meninas com cabelo cacheados, mas fora isso estou aberto a tudo!

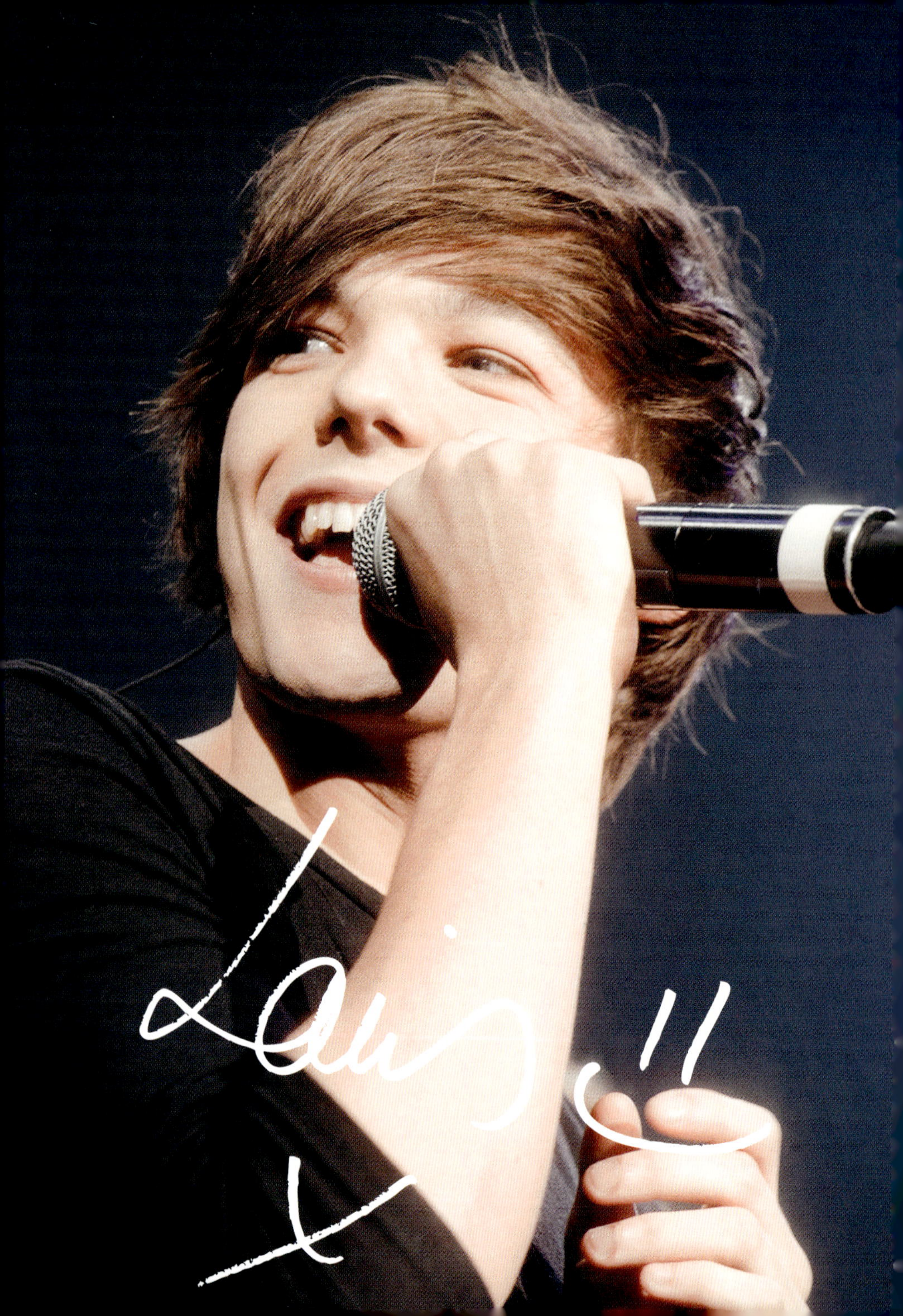
Louis :)
x

LOUIS TOMLINSON

THE ROGUE

As pessoas não vão se surpreender em saber que sempre fui uma criança muito falante e gostava de conversar com todo mundo que encontrava na rua. Fui ao berçário em Doncaster e era muito divertido. Eu gostava de estar com as outras crianças e de brincar. Era obcecado pelos Power Rangers e sempre que me perguntavam o que eu queria ganhar no Natal ou de aniversário, sempre pedia um boneco novo. O Ranger Vermelho era o meu favorito. Quando conheci o Zayn, descobri que ele também era louco por esses bonecos, então costumamos conversar sobre o assunto!

Quando eu tinha quatro anos, a gente se mudou para Poole, perto de Bournemouth, e foi ótimo. Qual garotinho não gostaria de morar perto do mar e estar cercado por parques de diversões? Lembro de ir à montanha-russa do Power Ranger na frente do mar e ficar realmente empolgado. Sempre havia muita coisa acontecendo e era o lugar perfeito para uma criança como eu. Fiz o pré em uma escola chamada Uplands. Nos dois anos em que estive lá, ganhei todas as corridas no dia dos esportes.

CORAGEM PARA SONHAR

Quando já estávamos em Poole havia dois anos, minha mãe engravidou da minha irmã Charlotte. Então voltamos para Doncaster e comecei a frequentar uma escola chamada Willow. Nunca fiz nada muito criativo, mas era bastante seguro e barulhento. Começar em uma escola nova foi difícil para mim, pois eu só tinha seis anos, e deixara o meu melhor amigo, o Alex, em Poole. Logo fiz novos amigos, mas eu aprontava bastante e recebia muitas broncas. Não era mal-educado, mas sempre gostei de bancar o palhaço da turma e fazer as pessoas rirem. Felizmente, acho que ainda assim os professores gostavam de mim. (Se algum deles estiver lendo isso, peço desculpas por pensar num absurdo desses.)

Naqueles primeiros anos, eu passava a maior parte do tempo com a minha avó Edna e meu avô Len, porque os meus pais trabalhavam fora. Minha avó me pegava na escola e me levava ao parque, e eu ficava tanto tempo com ela quanto ficava em casa. Eu tinha um relacionamento ótimo com eles e sempre que íamos lá, meu avô fazia sorvete. Sinto muitas saudades deles. Minha avó amava o X Factor, então ela teria adorado nos ver no programa.

Sinto-me sortudo por ter uma família tão grande. Lembro quando minha primeira irmã, a Charlotte, nasceu. Eu tinha cerca de seis anos e comecei a chorar porque fiquei muito emocionado com a experiência. Eu me senti incrivelmente feliz, mas tinha sido o único filho até aquele momento, então provavelmente também fiquei chocado. Agora tenho quatro irmãs, a Charlotte, conhecida como "Lottie", a Félicité, "Fizzy", a Daisy e a Phoebe, que são gêmeas. É ótimo ter tantas irmãs, mas também sempre quis ter um irmão. Não estou reclamando, porque todas as minhas irmãs são incríveis, mas teria sido legal ter outro menino na casa.

Enquanto eu estava crescendo, a gente não tinha uma casa muito grande e havia cinco mulheres, então meu pai e eu tínhamos de ficar unidos! Acho que de alguma maneira aprendi sobre as mulheres com isso. Elas certamente não me intimidam – estou muito acostumado a elas. Ter tantas irmãs definitivamente também me ajudou com as crianças, e as pessoas sempre comentam sobre

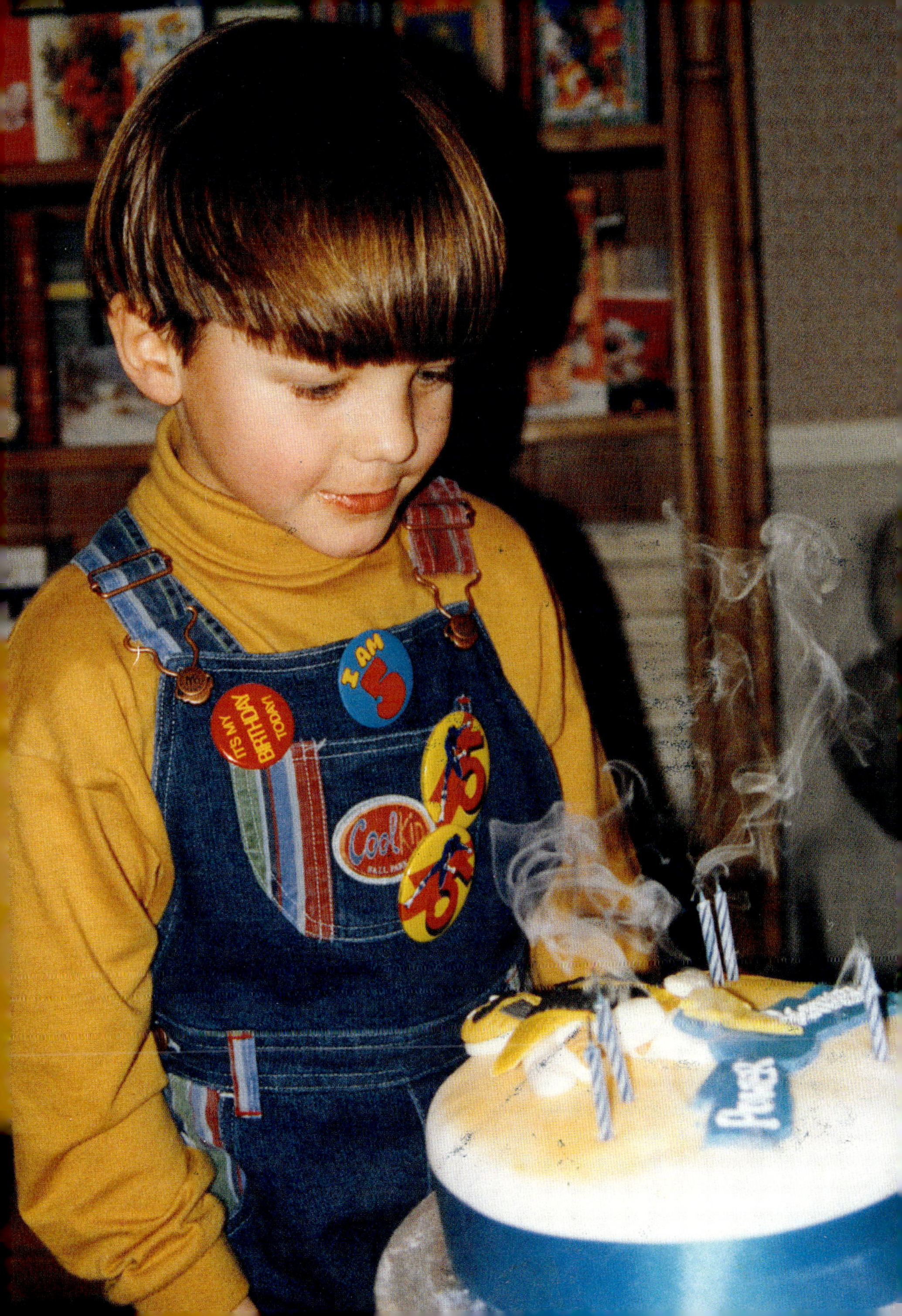
I AM 5
ITS MY BIRTHDAY TODAY!
Cool Kid

ACIMA: **ANIMAÇÃO TOTAL NO DIA DOS ESPORTES**
NA PÁGINA OPOSTA: **LENDO PARA A MAIS VELHA DAS MINHAS IRMÃS, A CHARLOTTE. ADOREI MEU CABELO!**

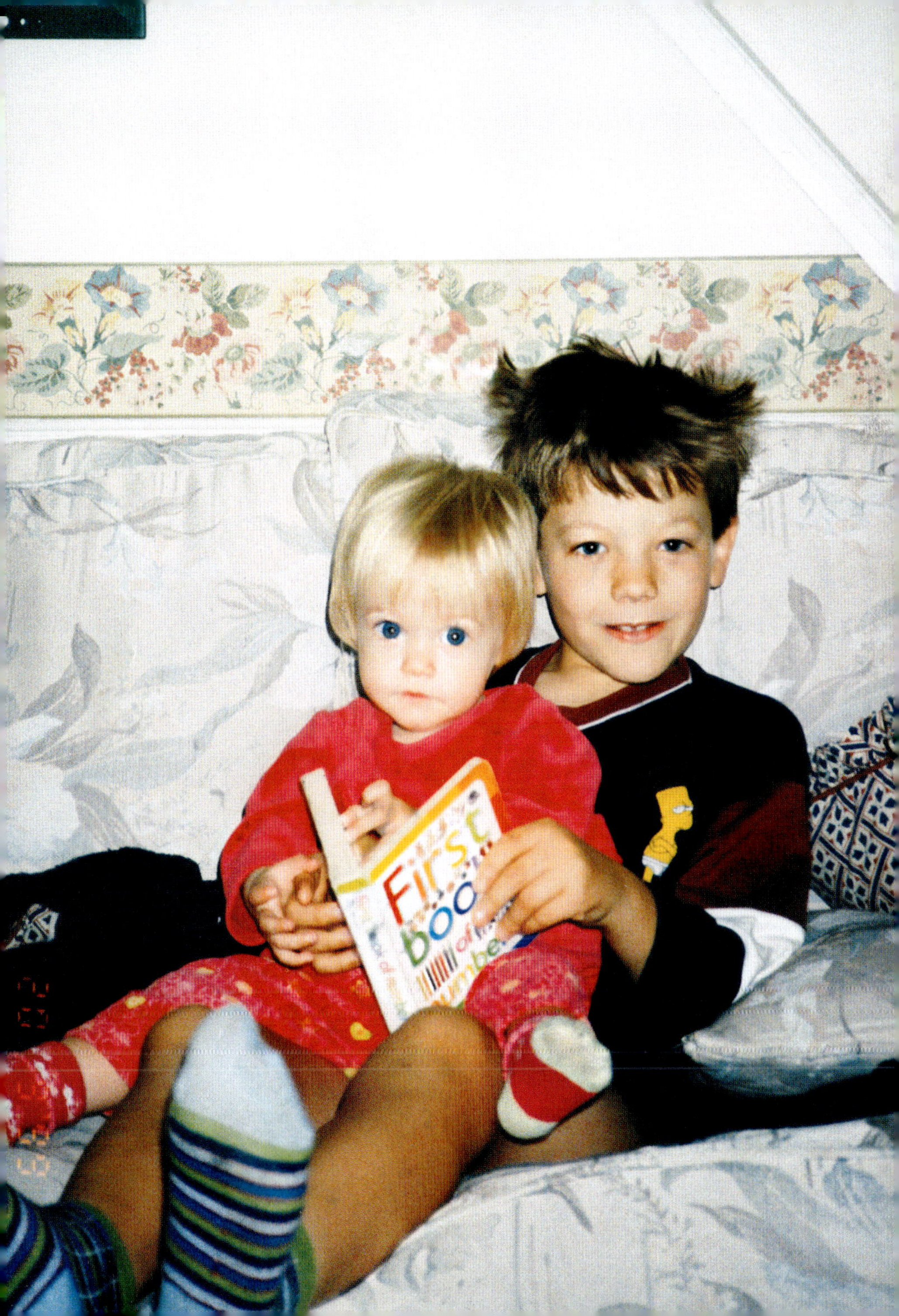
First

como me dou bem com crianças. Adoro bebês e crianças, e os meninos sempre tiram sarro de mim por ser assim. Sem dúvida, eu quero ter filhos, então vou poder ter o menininho que sempre desejei. Há uma pequena possibilidade de que acabe com 15 ou 20 filhos, se não tiver um menino logo de cara – se alguém pensa em casar comigo, deve levar isso em consideração (mas espero que isso não afete sua decisão).

O Ensino Fundamental e Médio foram um pouco loucos para mim, porque acabei mudando de escola duas vezes. Havia duas escolas na minha região e eu queria muito entrar na Hayfield. Mas não entrei e acabei indo para outra escola chamada Hall Cross. Era legal, mas nunca me adaptei de verdade, apesar de ter feito dois bons amigos chamados Dan e Aiden. Simplesmente não estava muito feliz. No final das contas, ofereceram-me um lugar na Hayfield e fui para lá. Foi bem difícil, porque eu tinha 13 anos e todo mundo estava lá havia algum tempo e já se conhecia. Eu era o garoto novo, então as primeiras semanas foram difíceis. Mas hoje em dia fico feliz por ter feito essa mudança, porque era uma escola ótima e passei alguns dos melhores momentos da minha vida lá.

Passei por uma fase de roupas largadas quando tinha 13 anos. Eu usava jeans e camisetas da Inglaterra e parecia um largado. Também adotei um penteado com a franja para um lado só e o cabelo espetado para cima que era popular naquela época. Não me interessei muito por roupas até os 17 anos – naquela época eu costumava usar jeans e camiseta –, mas agora estou completamente viciado em fazer compras.

Depois de cerca de um ano em Hayfield, entrei para uma banda chamada The Rogue. Fizemos uma excursão para Norfolk e eu dividi o quarto com os meus amigos Geoff, Jona e Jamie. Eles faziam parte da banda com um cara chamado Stan, que agora é o meu melhor amigo. Ficamos muito amigos e quando voltávamos de ônibus pra casa, o Geoff disse que eles estavam procurando um vocalista e perguntou se eu queria tentar, o que foi esquisito porque eles nunca tinham me ouvido cantar! A gente ensaiava uma vez por semana, apesar de não nos apresentarmos, tocávamos muitas músicas do Green Day e achávamos que estávamos arrasando!

No final de cada ano, a gente tocava uma música para a nossa classe. Uma das primeiras músicas que tocamos foi "Mr Brightside" do The Killers – que meus amigos passaram a associar comigo durante todo o tempo em que estive na escola. Curtia muito me apresentar, mas não tinha coragem de me apresentar para a escola inteira porque sentia vergonha. Então é estranho pensar que hoje me apresento em um palco na frente de milhares de pessoas. Cerca de um ano e meio depois disso, metade da banda decidiu que queria um novo vocalista, então Stan e eu ficamos com o nome The Rogue e começamos a trabalhar com outro cara chamado Ben, que tem muito talento musical. A gente fazia apresentações acústicas, mas era muito divertido, e nunca esperamos fazer nada grande – eu simplesmente adorava a sensação de me apresentar diante do público.

Eu já me apresentei algumas vezes como ator, além das peças da escola, pois já fui figurante na tevê. As minhas irmãs Daisy e Phoebe são gêmeas idênticas e por isso faziam pontas quando eram bebês, e elas conseguiram um papel em um programa chamado *Fat Friends*. Minha mãe perguntou ao diretor se eu poderia ser figurante, então fui junto e foi quando conheci James Corden, pois ele estava no programa. Ele é um cara muito bacana e hoje em dia é um grande amigo. Ironicamente, fui uma das primeiras pessoas a pedir um autógrafo para ele e ainda o tenho guardado em algum lugar. Preciso encontrá-lo para deixá-lo envergonhado.

Após trabalhar como figurante, comecei a frequentar uma escola de teatro em Barnsley e arranjei um agente. Depois disso, fiz uma minissérie chamada *If I Had You* e um pequeno papel em *Waterloo Road*. Definitivamente tenho planos de atuar mais tarde, mas no momento só penso na banda. Não vou parar até ficarmos muito famosos.

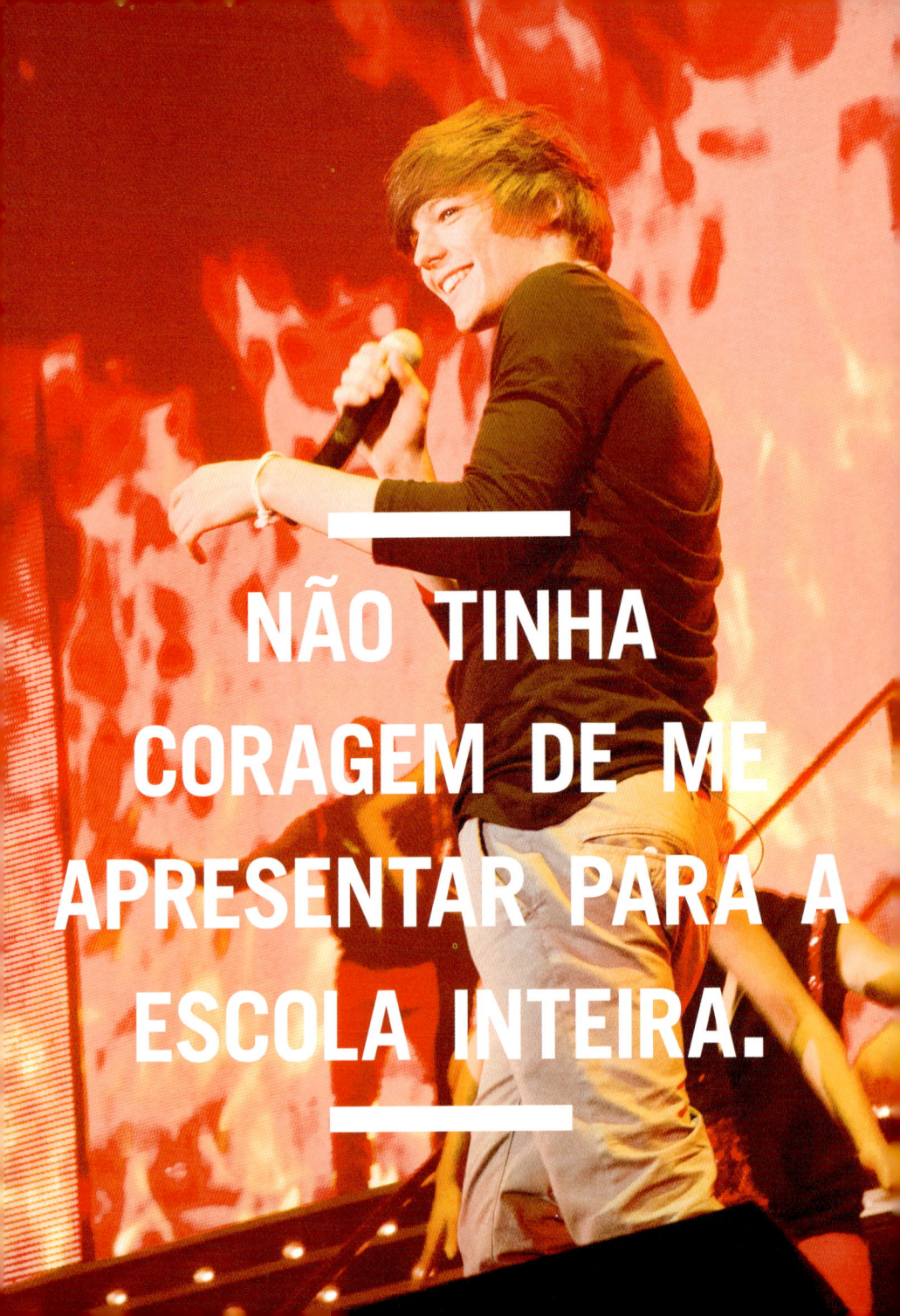

NÃO TINHA CORAGEM DE ME APRESENTAR PARA A ESCOLA INTEIRA.

Tive muitos empregos enquanto estava na escola e um deles foi vendedor de brinquedos. No final do Ensino Fundamental, a gente precisava ter alguma experiência de trabalho, e como meu avô conhecia o diretor do Barnsley Football Club, eu trabalhei como treinador lá por duas semanas e foi ótimo. Na verdade, a certa altura eu queria ser técnico de futebol. Isso ou professor de inglês ou de teatro, porque adoro a ideia de trabalhar com crianças.

Eu também trabalhei como caixa no estádio de futebol do Doncaster Rovers' Keepmoat e vendia salgadinhos nos intervalos, e a única coisa de que gostei foi poder comer de graça. Então consegui um emprego no cinema Vue, e foi ótimo porque podia ver todos os filmes novos. Eu estava no período de experiência de três meses, mas inventava doença algumas vezes e eles descobriram que eu havia ido a festas, então os três meses viraram sete meses e meio. Acho que eles gostaram de mim e provavelmente queriam ficar comigo, mas não estavam dispostos a me dar um emprego em período integral. No final das contas, foi o X Factor que me fez sair daquele emprego. Quando me candidatei a primeira vez para o programa, eu tinha um teste em um dia no qual deveria trabalhar, então pedi para um amigo chamado Laurence cobrir o meu dia. Ele esqueceu e não foi trabalhar – mas era minha responsabilidade. Foi a gota d'água e fui demitido.

Também trabalhei um tempo como garçom. Eu não era um bom garçom, mas ganhava boas gorjetas porque adorava conversar, e talvez paquerar de vez em quando...

Lembro de várias histórias das festas a que fui no Ensino Médio e algumas foram muito loucas. Em uma delas, bebi um pouco e perdi minha carona para casa. Como precisava de um lugar para ficar, então a solução mais óbvia foi caminhar com os meus amigos Rob e Curtis até o aeroporto e dormir lá. Não posso dizer que foi a minha melhor noite de sono!

Só para tornar as coisas mais confusas na escola, repeti o terceiro ano em Hayfield – principalmente porque estava muito ocupado me divertindo. Lembro do dia em

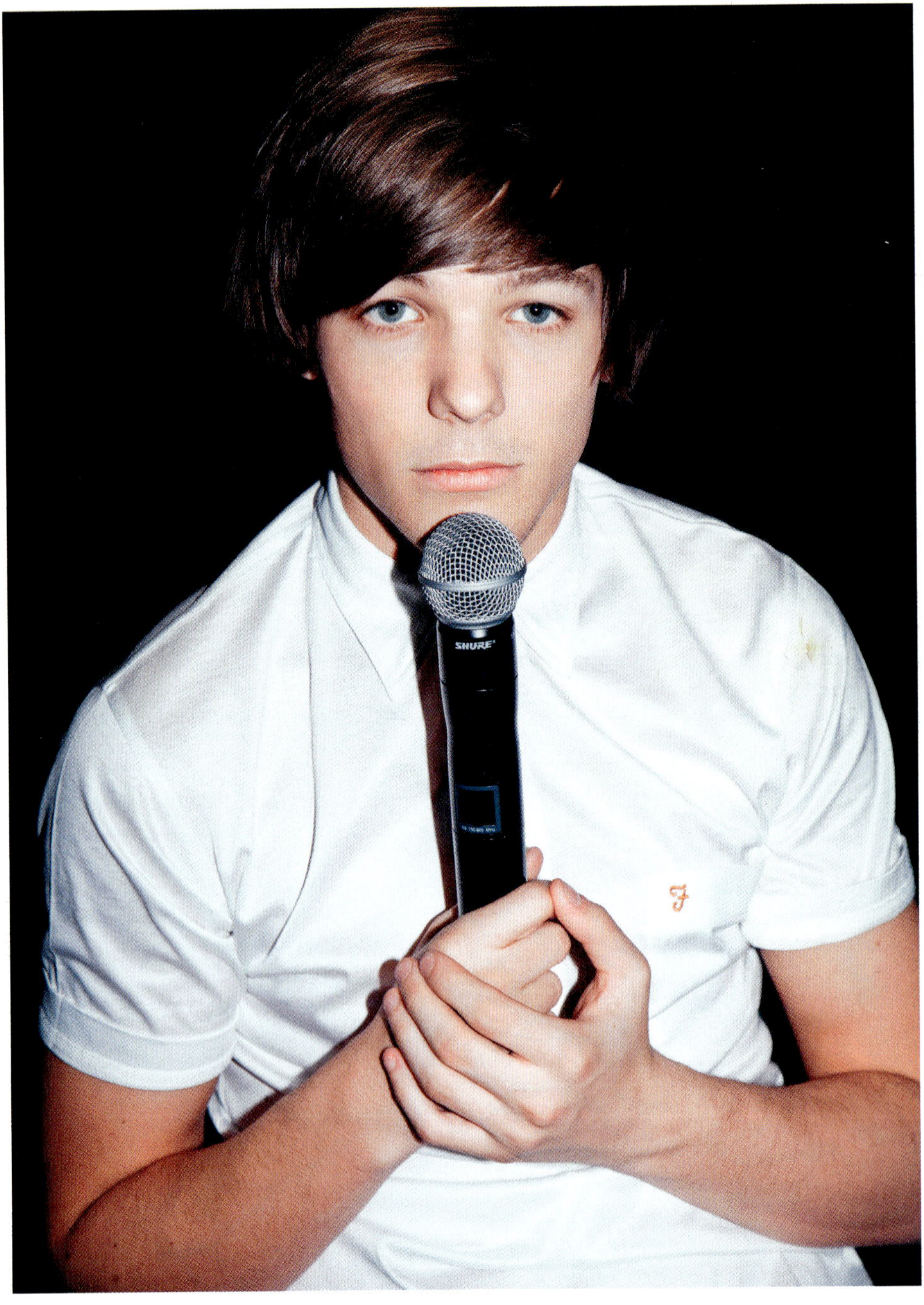
SHURE

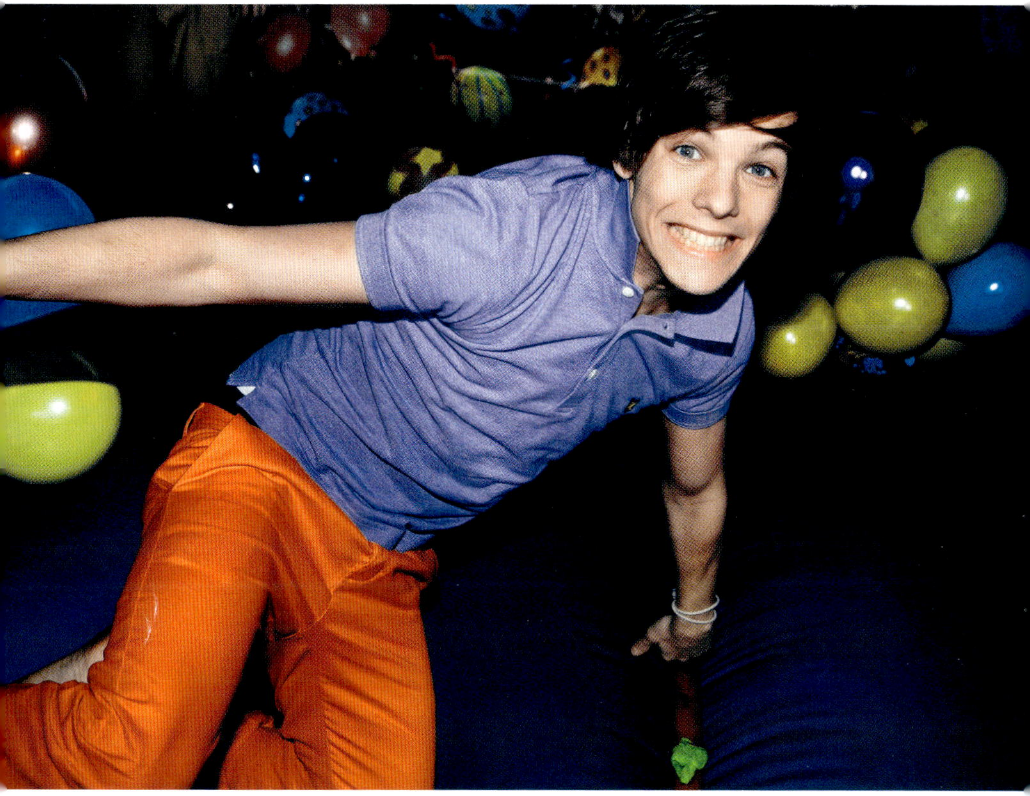

que recebi a notícia. Fiquei completamente transtornado, porque sabia que a escola não iria me deixar fazer as provas de novo. Todos os meus amigos haviam passado e eu sabia que eles não voltariam no ano seguinte, pois iriam para a faculdade, e eu tinha ficado para trás.

Acabei voltando para Hall Cross. Estudei psicologia, literatura inglesa, educação física e computação, mas depois larguei a literatura porque era muita coisa. Foi um golpe para mim, mas felizmente eu tinha 17 anos e fiquei feliz em fazer novos amigos. Eu me senti um pouco idiota porque era um ano mais velho do que todo mundo, mas logo me adaptei. Eu também era o único que podia dirigir, o que é uma ótima posição para se estar porque você pode levar todo mundo por aí.

Passei na minha prova de direção na primeira tentativa. Não passei na prova teórica da primeira vez porque não estudei, o que não foi muito sensato, mas passei da segunda vez e fiz 43 pontos – exatamente o necessário para passar. Era ótimo poder levar todo mundo para passear no meu Clio 1.2. Ele tinha rodas de liga leve e trio elétrico, era o meu tesouro. Na verdade, era o carro da minha avó, mas meio que acabou sendo meu porque ela nunca usava.

Um dos pontos altos do Ensino Médio foi quando consegui o papel principal em *Nos Tempos da Brilhantina*. Foi a primeira vez que fiz testes para um musical e aconteceu no mesmo dia da minha entrevista para o emprego temporário de Natal na loja de brinquedos. Minha mãe foi me buscar na entrevista para garantir que eu fosse ao teste, porque ela sabia que eu estava em dúvida. Felizmente, foi tudo bem e eu fiquei muito feliz quando me disseram que tinha ganho o papel do Danny. Ainda fico emocionado quando assisto ao vídeo, porque foi uma época muito especial para mim. Fiquei muito orgulhoso por conseguir o papel principal e dei tudo de mim. Queria aproveitar esse momento para agradecer a todos os envolvidos naquela produção. Foi um momento incrível na minha vida e nunca o esquecerei.

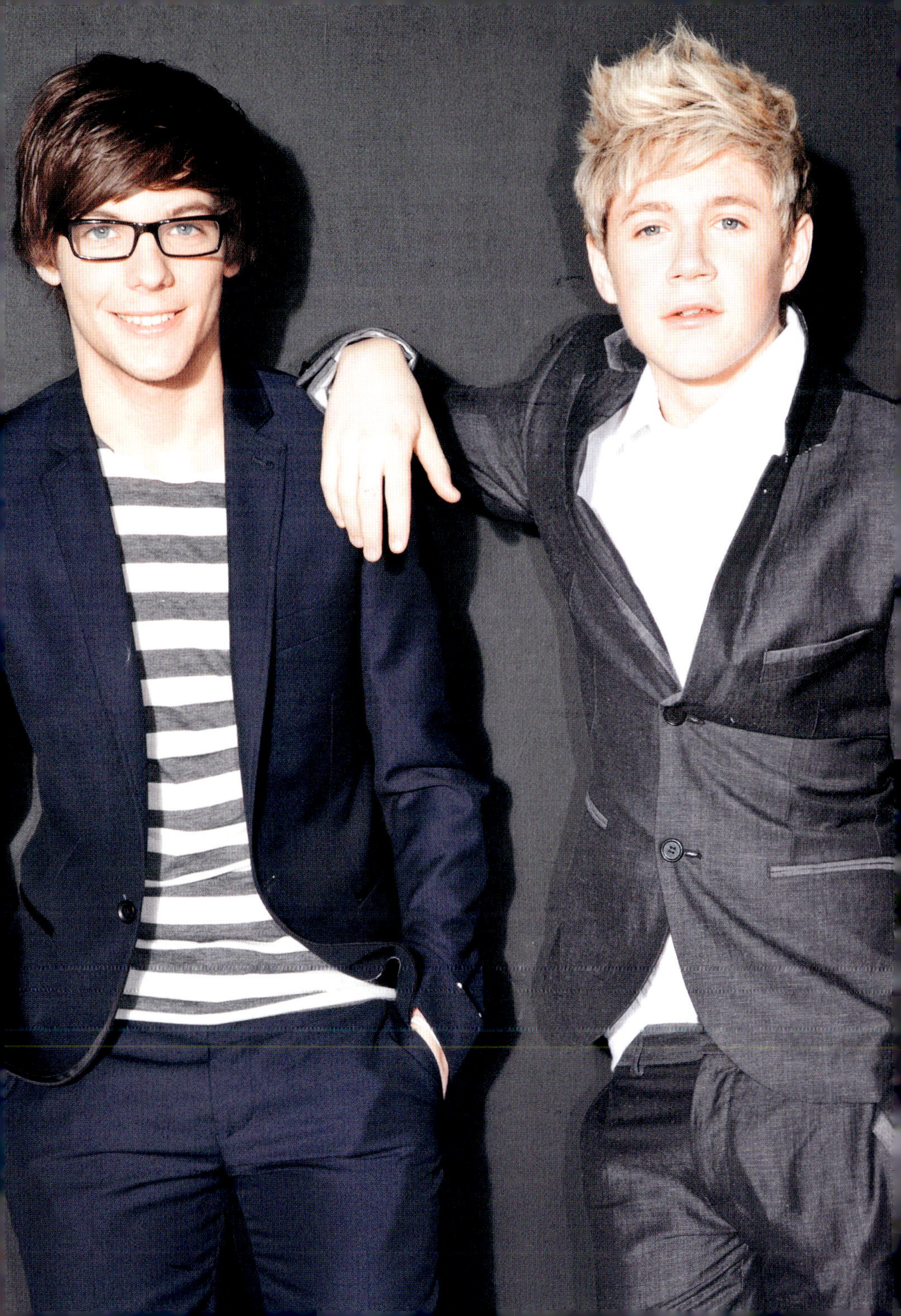

CORAGEM PARA SONHAR

Eu passei muito tempo fora de casa naquele ano e me diverti bastante. Foi o melhor verão que já tive. Fui para a França com o Stan, então para Jersey encontrar com a Stacey, uma garota que conheci nas férias, e para o Leeds Festival, o que foi uma experiência incrível. Lembro que houve muitas festas em casas e jardins. Também dei uma festa quando meus pais viajaram, e foi fenomenal.

Minha família inteira viajou por duas semanas, e eles não me permitiram ficar em casa e nem me deixaram com as chaves, porque achavam que eu daria uma festa. Mas eu tinha uma cópia nova, e depois de uma hora que eles saíram, voltei para nossa casa em Doncaster. Convidei todo mundo pelo Facebook e o Stan trouxe um amplificador enorme. Plugamos nossos iPods nele e colocamos a música no último volume – com as portas abertas para o jardim –, então era questão de tempo até a polícia chegar e pedir para a gente abaixar o som.

Queria que minha mãe ficasse sabendo da festa enquanto ainda estava de férias, para dar tempo de ela esfriar a cabeça, então coloquei as fotos no Facebook porque sabia que ela iria ver. Graças a Deus não quebraram nada e nós limpamos tudo, então não foi tão ruim assim e não me encrenquei muito.

Quando fiz 18 anos, comecei a sair ainda mais e ia a um bar *indie* chamado Priory. Lá ouvi novos tipos de músicas e comecei a escutar outros gêneros em casa. Tenho lembranças incríveis desse bar; toda semana eu ficava ansioso para ir lá.

Tenho muita sorte de ter sido abençoado com ótimos amigos, apesar do Stan ser meu melhor amigo nos últimos cinco anos. A quantidade de memórias hilárias que temos juntos é ridícula, mas, para contar algumas, certa vez gritamos "Tony" a plenos pulmões só porque esse era o nome do meu vizinho, fingimos que sabíamos as letras de todas as músicas *indie* que tocavam no Priory e só cantávamos besteira, e teve a vez em que dissemos uma coisa um pouco ofensiva para uma mulher na França porque achamos que ela fosse francesa, mas ela era inglesa, e a vez em que o Stan estava tão bêbado que tentou fazer xixi no quarto da minha irmã. Temos tantas lembranças engraçadas juntos, nem todo mundo tem o prazer de contar com um amigo tão próximo e sou muito agradecido por isso.

Sempre me dei bem com as meninas na escola e tive dois relacionamentos na sexta e na sétima séries. Depois, no final da sétima série, eu costumava ir à casa do meu amigo Dan e fiquei amigo de uma amiga dele, a Arianna. A gente acabou namorando por oito meses e ela foi a minha primeira namorada de verdade.

Não vou mentir, eu era meio paquerador na escola e sempre gostei da companhia das meninas. Eu gostava muito de uma menina chamada Beth e fomos amigos por uns seis meses, depois começamos a namorar e nos demos muito bem. Mas a coisa começou a ficar um pouco intensa demais para a idade, então terminamos. Daí fiquei solteiro por um ano e depois comecei a namorar a Hannah, com quem eu estava durante o programa.

Não tive um monte de namoradas, mas normalmente estava com alguém e sempre gostei de namorar. Nunca fui de namorar mais de uma ao mesmo tempo, e não me imagino fazendo isso agora.

OPORTUNIDADES

Em 2009, eu me candidatei ao X Factor, mas não passei da primeira fase. Pelo resto do ano, pensei em tentar de novo para, pelo menos, passar pela primeira fase. Da segunda vez, estava mais motivado do que nunca. Havia muito mais pressão porque eu estava desesperado para entrar. Não contei para muita gente o que estava acontecendo porque aquilo tinha mais a ver com provar para mim mesmo que conseguiria. Entrei na fila às duas da manhã e já havia cerca de cem

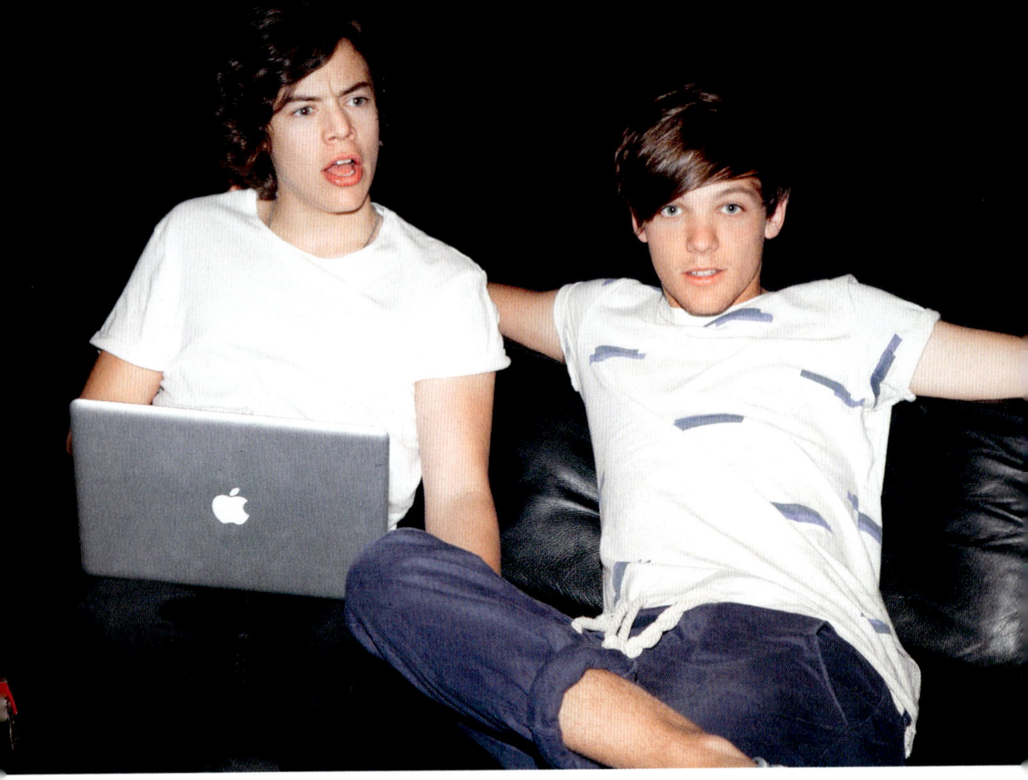

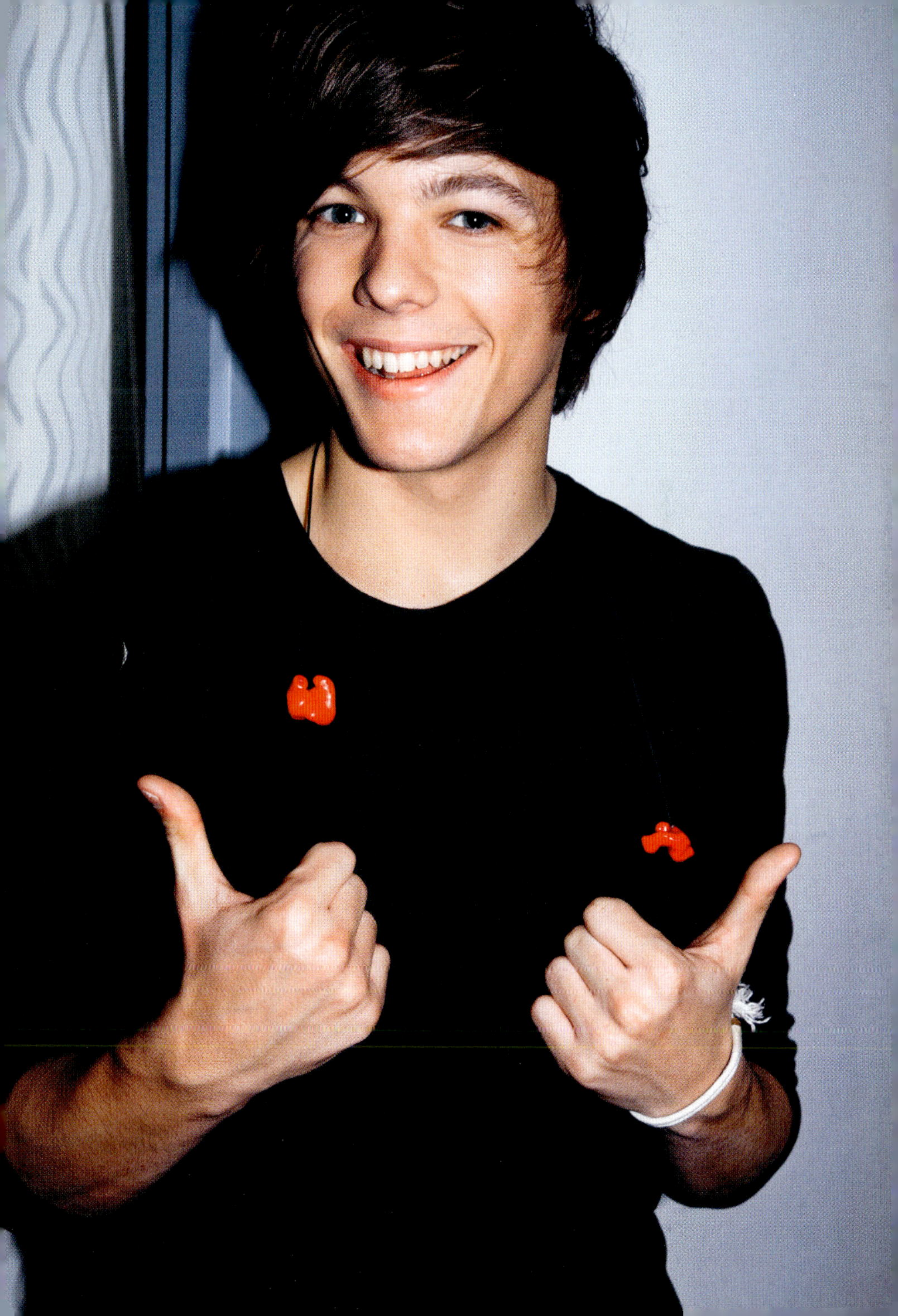

DA SEGUNDA VEZ, ESTAVA MAIS MOTIVADO DO QUE NUNCA.

LOUIS: OPORTUNIDADES

pessoas lá. Eu estava com o Stan e a gente literalmente dormiu em sacos de dormir na fila. Tiramos algumas sonecas e de vez em quando a gente tinha que sair do lugar.

O teste em si foi assustador, eu cantei "Elvis Ain't Dead" do Scouting for Girls e "Hey There Delilah" do Plain White T's. Foi um alívio ser finalmente escolhido. Era incrível pensar que eu iria para o Campo de Treinamento, especialmente porque antes disso eu só tinha ido a Londres duas vezes. Agora conheço a cidade como a palma da minha mão!

Na semana antes de ir para o Campo de Treinamento, meu avô meu levou para comprar algumas roupas novas e foi quando comprei meu primeiro par de sapatos Toms – pelos quais, muita gente já deve ter percebido, sou apaixonado! Agora provavelmente tenho uns onze pares de cores diferentes.

Quando cheguei ao Campo de Treinamento, dava pra ver que muita gente já estava dando duro, mas na verdade não lembro de muitos dos finalistas, a não ser do Zayn e do Aiden, porque fiquei amigo deles. Todo mundo já estava falando da Cher e apesar de eu não ter conversado muito com eles, lembro bem do Harry e do Liam, porque os vi e pensei "Esses caras vão passar". Tirei uma foto com o Harry porque sabia que ele ficaria famoso. Até dei um abraço nele e disse para não se preocupar porque eu sabia que ele iria se sair bem.

Foi por isso que fiquei tão chocado quando, depois de ter esperado o que pareciam séculos, os últimos solistas masculinos foram chamados e o Liam e o Harry não estavam na lista. Sinceramente, fiquei mais chocado com o fato de eles não terem sido escolhidos do que eu ter sido. Depois que cantei "Make You Feel My Love" no Campo de Treinamento, achei que não tinha feito o suficiente para passar e fiquei muito chateado. O Dermot veio falar comigo longe das câmeras e me deu um abraço, o que foi muito bacana, pois havia um monte de gente lá e ele não precisava

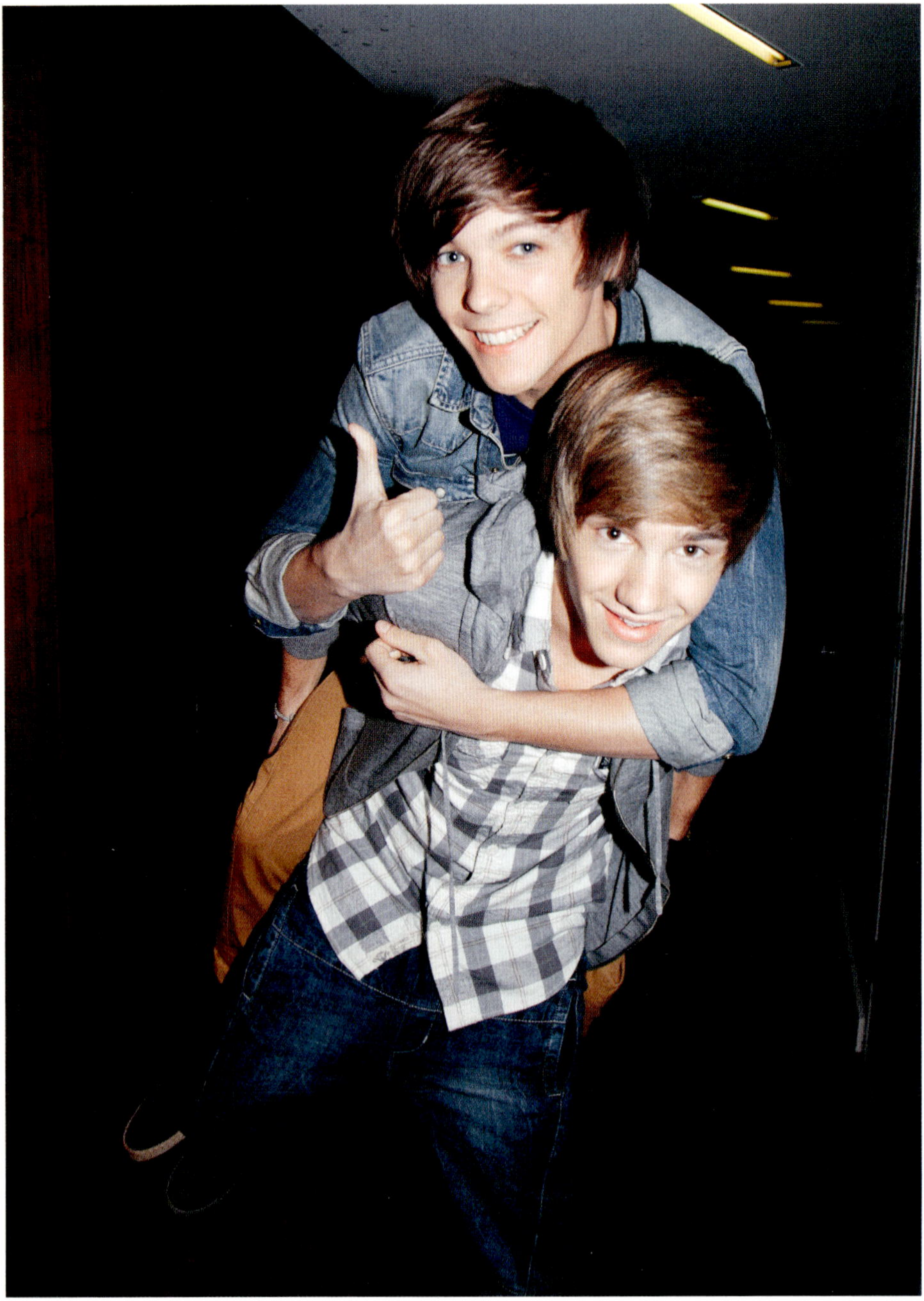

fazer isso. Ainda estava muito preocupado com o meu desempenho e àquela altura não esperava passar de jeito nenhum.

Depois que montamos o grupo, o Harry logo disse que o padrasto dele tinha uma casa em Cheshire onde podíamos ficar. Foi muito legal, porque ficamos nessa casa nos fundos do jardim; havia uma piscina e muito espaço para jogar futebol. Eu levava todo mundo de um lado para o outro de carro e era como a semana dos calouros da faculdade ou algo parecido, porque estávamos nos conhecendo.

A casa em si era muito agradável e havia colchões de ar por todos os lados, então a gente podia dormir em qualquer lugar. Todo mundo se deu bem e eles são caras ótimos, mas o Harry e eu fizemos amizade imediatamente e agora ele é o meu melhor amigo no grupo. Ele é um cara muito legal, bastante tranquilo e fácil de conversar. Sinto como se o conhecesse há muito tempo. Acho que está rolando um amor de irmãos.

Não houve nenhum momento de silêncio na casa e conversamos sobre tudo e todos, incluindo as nossas recordações do passado e o futuro. Toda as noites, a gente fazia uma fogueira e o Niall tocava violão e nós cantávamos. Foram momentos ótimos. Acho que é incrível pensar que tínhamos acabado de nos conhecer e depois de uma semana já nos sentíamos como melhores amigos. A coisa não foi nem um pouco forçada, aconteceu naturalmente.

Todas as músicas naquela semana foram cantadas em uníssono e experimentamos algumas harmonias incríveis, e é engraçado pensar sobre isso agora. Realmente não sabíamos o que estávamos fazendo, mas acho que foi muito importante ter aquele tempo juntos antes da Casa dos Jurados. Teria sido muito difícil ir para a Espanha como um grupo de cinco integrantes se a gente não se conhecesse e quase não tivéssemos nos apresentado juntos.

CORAGEM PARA SONHAR

Ir para Marbella foi outro momento ótimo para nós. Ficamos ainda mais próximos e era muito gostoso estar sob o sol. Nós nos divertimos, comemos muita pizza e como o Niall fala espanhol muito bem, ele traduzia tudo para a gente.

Apesar do Simon Cowell ser uma das pessoas mais famosas que existem, nunca me senti intimidado, porque ele faz você se sentir muito confortável.

O pior momento durante nossa estadia na Espanha foi quando fui espetado por um ouriço-do-mar. Meu pé inchou muito e fiquei com vergonha das pessoas me verem mancando, e a primeira vez em que apareci na tevê, meu pé estava enorme. Não foi uma boa hora para aquilo acontecer.

A sensação de passar para os shows ao vivo foi incrível, e nós estávamos muito empolgados no voo de volta para casa. Mas não comemoramos porque estávamos no mesmo avião com um monte de gente que não havia passado, além das que haviam, e a última coisa que queríamos fazer era nos exibir quando todo mundo tinha trabalhado tão duro.

Voltamos para casa por um tempinho antes de ir para a Casa dos Participantes, e meu avô me levou para comprar roupas de novo para que eu tivesse algumas peças novas para usar. Eu fiquei muito empolgado para ver onde a gente iria morar porque sabia que seria legal, e foi.

Não permanecemos tanto tempo na casa quanto gostaríamos porque estávamos muito ocupados, mas o tempo em que ficamos lá foi muito divertido e jogamos muito pingue-pongue.

Claro que houve momentos em que as coisas passaram um pouco dos limites. Quando você tem cinco garotos dividindo um quarto pequeno, imagine como deve ser. Tínhamos o menor quarto da casa, então, às vezes, quando estávamos cansados, podia ser um pouco estranho. Às vezes, eu sentia falta da minha

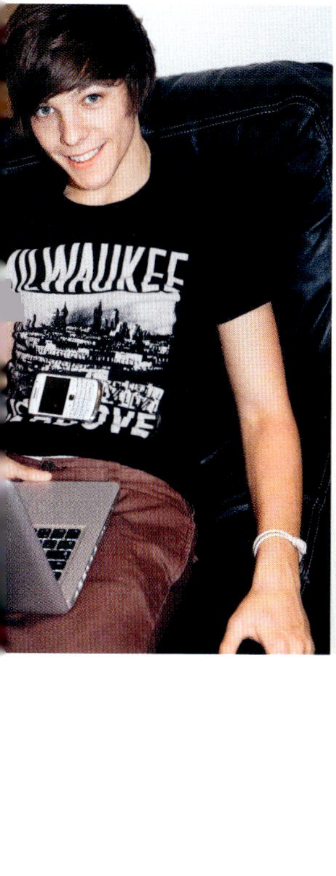
ILWAUKEE
ABOVE

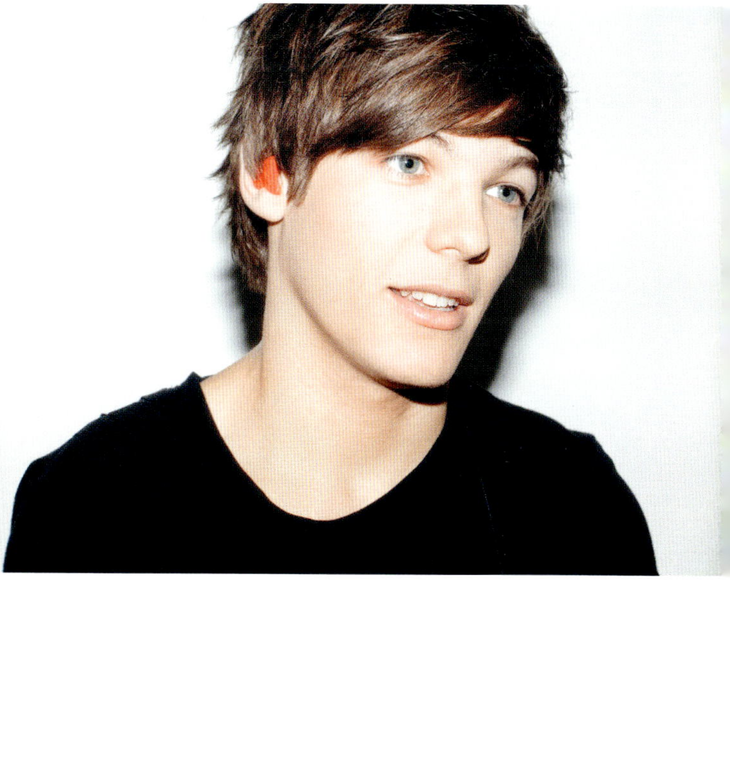

cama, e quando as coisas viraram uma loucura, senti falta da minha vida antiga e dos meus amigos. Mas eu não mudaria nada do que aconteceu.

Sou o típico filhinho da mamãe e me dou muito bem com ela, mas ficamos tão ocupados que não deu tempo de sentir muita falta de casa. Eu falava bastante com a minha família ao telefone, e conseguia vê-los uma vez por semana durante o programa, o que tornou as coisas mais fáceis.

Nunca vou esquecer da primeira semana do programa. Que experiência! A coisa toda foi incrível. "Torn" foi minha apresentação favorita e foi maravilhoso conhecer o Robbie Williams. Ele é um herói para mim – sou um grande fã – e era exatamente como eu esperava. O Michel Bublé também é um cara muito legal, e não foi ruim ficar perto da Cheryl Cole. Ela era muito querida com a gente. Sinceramente, não consigo pensar em nada de ruim sobre aquela experiência. E no final, é claro, assinamos o contrato para um disco. A gente pode não ter ganho a competição, mas temos orgulho do que fizemos.

É NATAAAAAAL!

Só tivemos quatro ou cinco dias livres na época do Natal, mas não nos importamos porque foi um período muito empolgante. Eu tinha um pouco de dinheiro para gastar com os presentes para a família, e foi legal poder esbanjar um pouco.

Faço aniversário na véspera do Natal, então recebemos algumas visitas da família durante o dia e saí para encontrar com os meus amigos à noite, mas não fiz nada excitante. Estava bastante cansado e queria tirar um tempo para relaxar.

O Natal não foi nada diferente dos outros anos pelo fato de eu ser um pouco conhecido, mas acho que gostei mais de estar em casa porque tinha ficado longe

LOUIS: É NATAAAAAL!

durante muito tempo. Ganhei roupas, um pouco de dinheiro, uma bolsa para laptop e um iPod. Foi ótimo! Mas ainda tive que ajudar a lavar louça e fazer outras coisas na casa, então nada mudou.

Não falamos muito sobre o programa. Penso que as mais velhas das minhas irmãs acharam estranho o fato de eu ter estado no programa e as amigas delas pedirem autógrafos, mas imagino que as gêmeas não entenderam direito o que estava acontecendo porque eram muito novas.

Estar de volta em casa me mostrou o quanto a minha vida havia mudado em tão pouco tempo. Tive muita sorte de entrar para o grupo porque não sei se teria conseguido passar de ano. Não tinha motivação para fazer as provas, mas sinto-me tão motivado com a banda que estou sempre trabalhando em alguma coisa ou tendo ideias. Estou muito empolgado. Até diria que fiquei mais organizado por causa da banda, e nunca foi organizado com nada na vida!

Troquei muitas mensagens de texto com os meninos durante o Natal, e Harry e eu falamos ao telefone algumas vezes. Eles também me ligaram para desejar feliz aniversário, o que foi legal. E nossas famílias também ficaram amigas agora, e a minha mãe e a do Harry se tornaram bem próximas. Durante a turnê, eles até vieram para nossa apresentação em Newcastle para participar do aniversário da minha mãe.

Quando voltei para Doncaster, fiquei sabendo que alguns caras que conheço estavam falando mal de mim e dizendo que eu não merecia estar onde estava. Claro que tive muita sorte, mas, no final das contas, trabalhei muito, então não importa se eles acham que sou bom o suficiente ou não, cheguei até aqui por um motivo.

Alguns fãs vieram até minha casa durante o Natal, e às vezes as pessoas iam até a casa dos meus avós e batiam na porta deles. Eu me sentia mal quando não

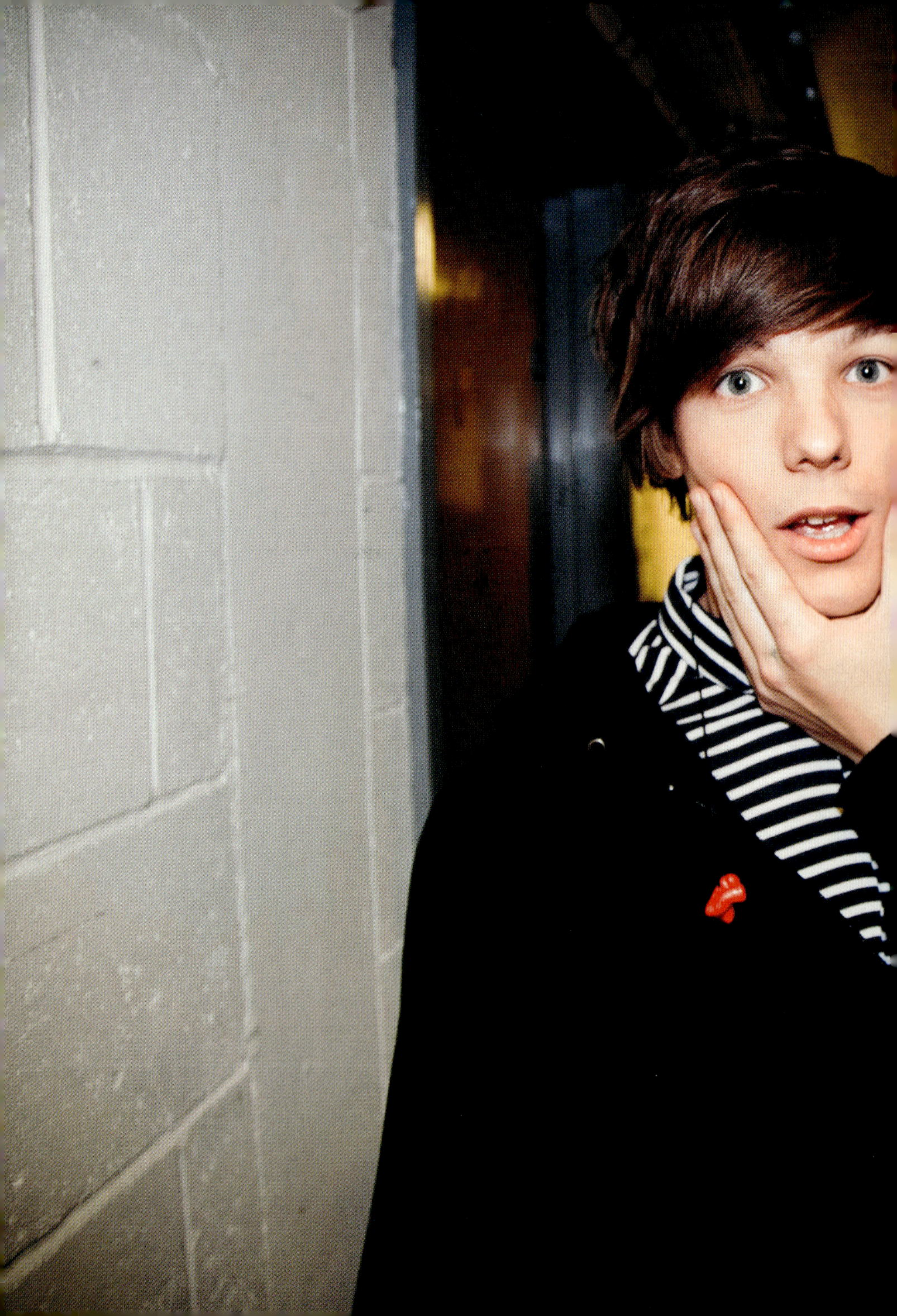

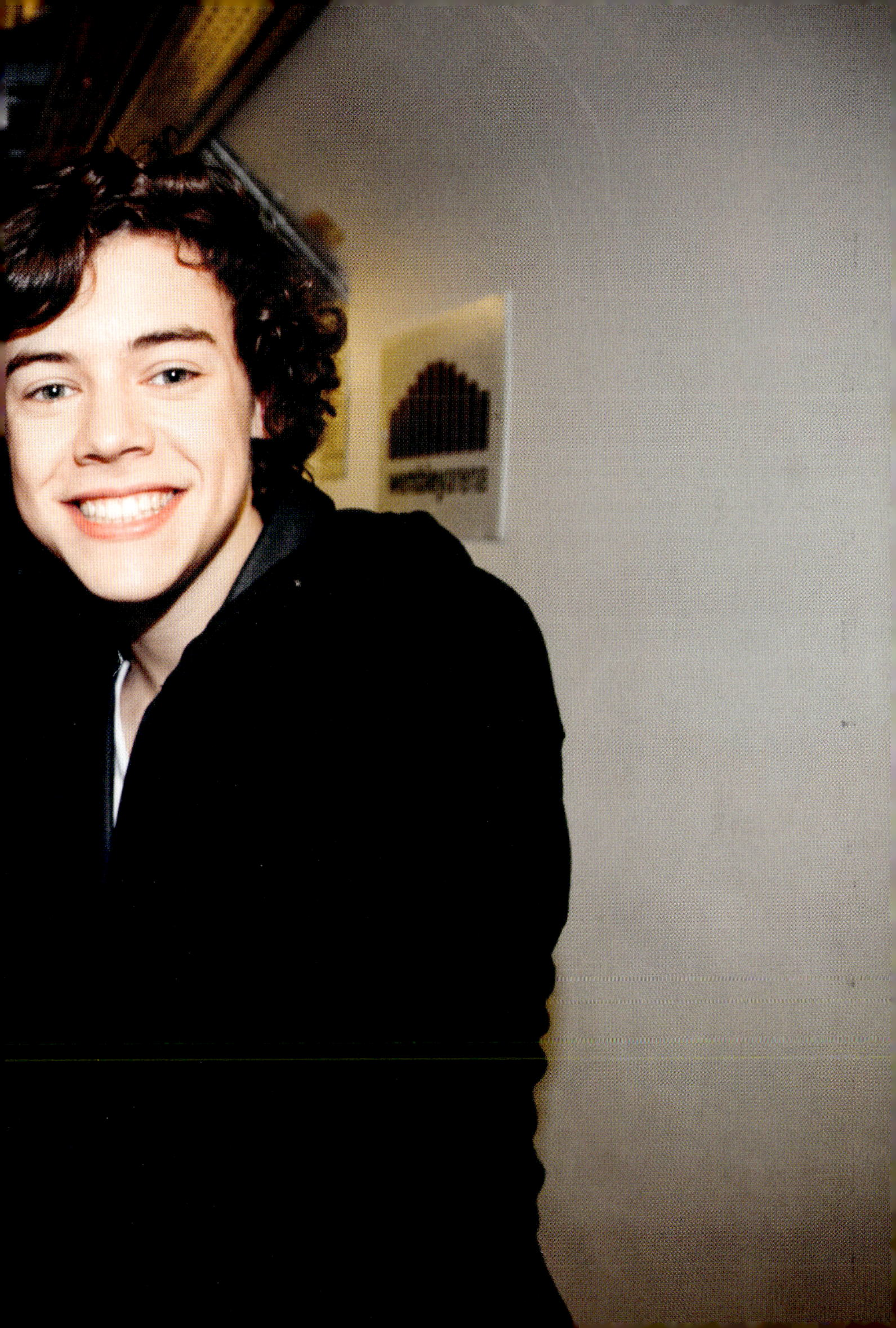

estava lá. Certa vez, algumas pessoas esperaram oito horas por mim, mas fiquei fora o dia todo e não consegui vê-las, e eu me senti muito mal.

Não sei se um dia vamos nos acostumar completamente com a atenção dos fãs. Agora isso já está acontecendo há algum tempo, então estamos ficando mais acostumados, e agradecemos muito pelo apoio. Ainda assim é fácil esquecer que as pessoas sabem quem você é. Mesmo se você aparecer numa loja às 11h30 da noite depois de um dia corrido, vai descobrir que as pessoas estão tirando fotos suas, e essa é uma sensação muito estranha.

Agora preciso pensar duas vezes antes de fazer coisas que antes eram normais. Mesmo as coisas mais simples, como ir à farmácia. Basicamente, a gente só precisa ser cuidadoso se for a algum lugar muito cheio, porque as coisas podem estar calmas em um minuto, e depois ficarem um pouco malucas.

Passei o ano-novo com os meus amigos e foi muito divertido. A maioria deles não me trata de modo diferente agora, e isso é muito importante para mim. Eles significam muito para mim e iria odiar se nossa amizade mudasse.

Adoramos ter algum tempo livre, mas sabíamos que tínhamos assinado um contrato para gravar um disco, então estávamos empolgados para voltar a trabalhar e ver o que viria em seguida.

ANO-NOVO, NOVOS DESAFIOS

Quando voltamos a trabalhar, sabíamos que o mês de janeiro seria agitado, e estávamos preparados. Eu tinha descansado bastante, mas sentia falta de me apresentar ao vivo e estava me coçando para voltar ao palco. Iríamos fazer algumas apresentações, então estava ansioso por voltar e ver todos os fãs.

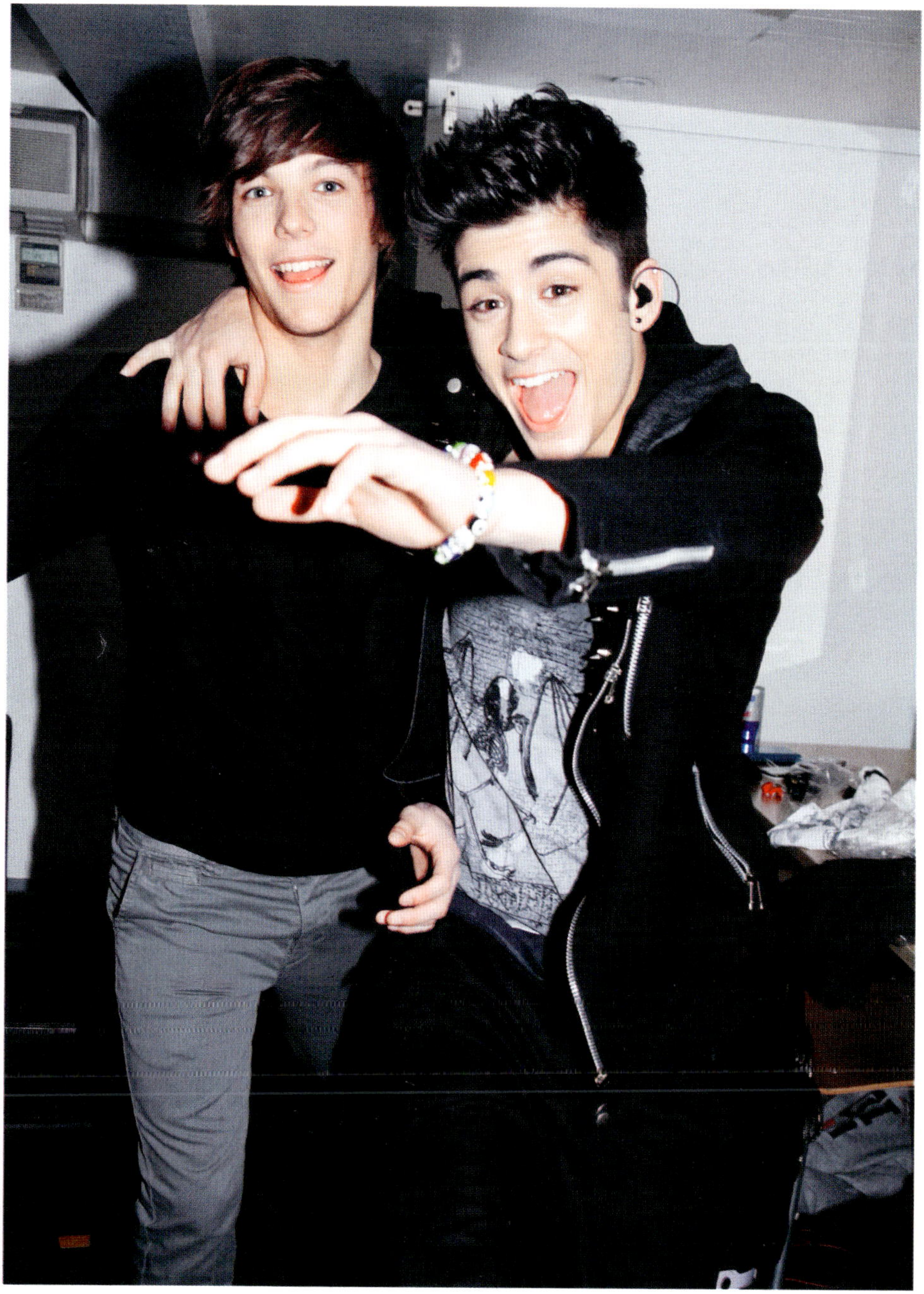

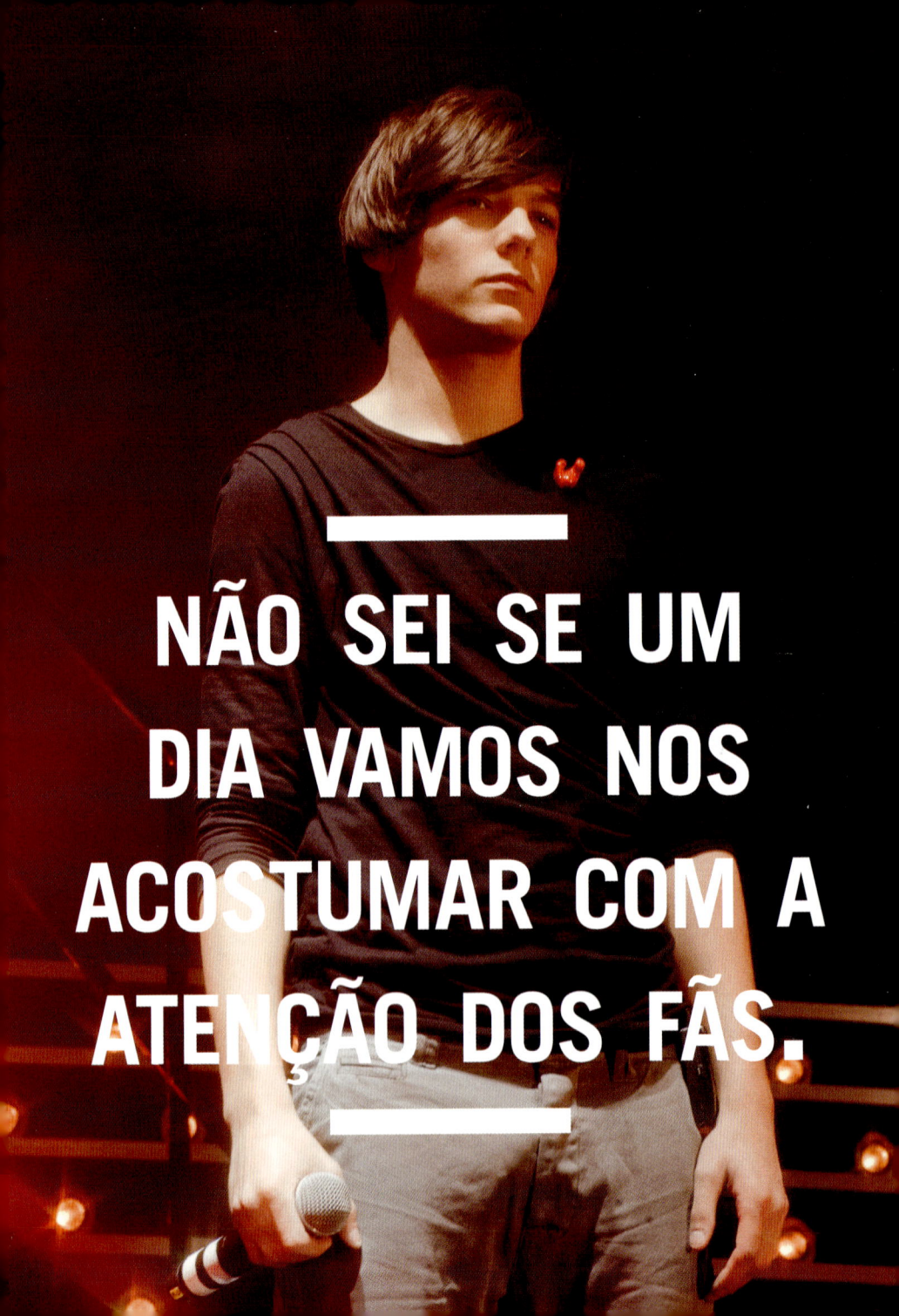

NÃO SEI SE UM DIA VAMOS NOS ACOSTUMAR COM A ATENÇÃO DOS FÃS.

LOUIS: ANO-NOVO, NOVOS DESAFIOS

Também passamos o mês de janeiro falando sobre os planos para o futuro, e estávamos prontos para começar a trabalhar no disco, então sempre que tínhamos um tempo de sobra, trocávamos ideias sobre como gostaríamos que ele fosse e que tipo de influências queríamos. Todos nós sabíamos que desejávamos nos envolver o máximo possível. Isso quer dizer que escrevemos muitas músicas para podermos trocar ideias.

Na época do X Factor, simplesmente adorávamos estar em um estúdio de gravação, então nos sentíamos empolgados para voltar para lá. É ótimo estar no estúdio porque passamos tempo juntos e sempre podemos pedir boa comida. Como todo mundo que nos conhece deve saber, adoramos comida. Então ficamos sabendo que iríamos trabalhar em LA, o que foi uma surpresa enorme, mas incrível. Uma das primeiras coisas em que pensamos, devo admitir, foi nas compras que poderíamos fazer lá. Adoro comprar roupas, então já estava fazendo planos sobre o que iria escolher.

Permanecemos fora cinco dias, dois dos quais viajando, então ficamos bem cansados, mas os dias ensolarados fizeram com que eu me sentisse muito mais energizado e aproveitamos ao máximo o tempo em que estivemos lá. Quando finalmente fomos às compras, na verdade fiquei um pouco decepcionado. Comprei algumas coisas, mas posso conseguir meus Toms na Inglaterra e essa é a coisa mais importante!

Enquanto estávamos lá, fomos jantar com um grande produtor chamado Max Martin, o que foi um pouco assustador. Ele parecia um cara bem normal de jeans e camiseta, mas ainda assim ficamos bem intimidados. Também gravamos uma faixa com a equipe do RedOne e é muito legal poder dizer que fomos para Los Angeles gravar.

Quando voltamos, tivemos um dos nossos melhores momentos com os fãs. Havia centenas deles nos esperando no aeroporto. Precisamos correr para tentar chegar

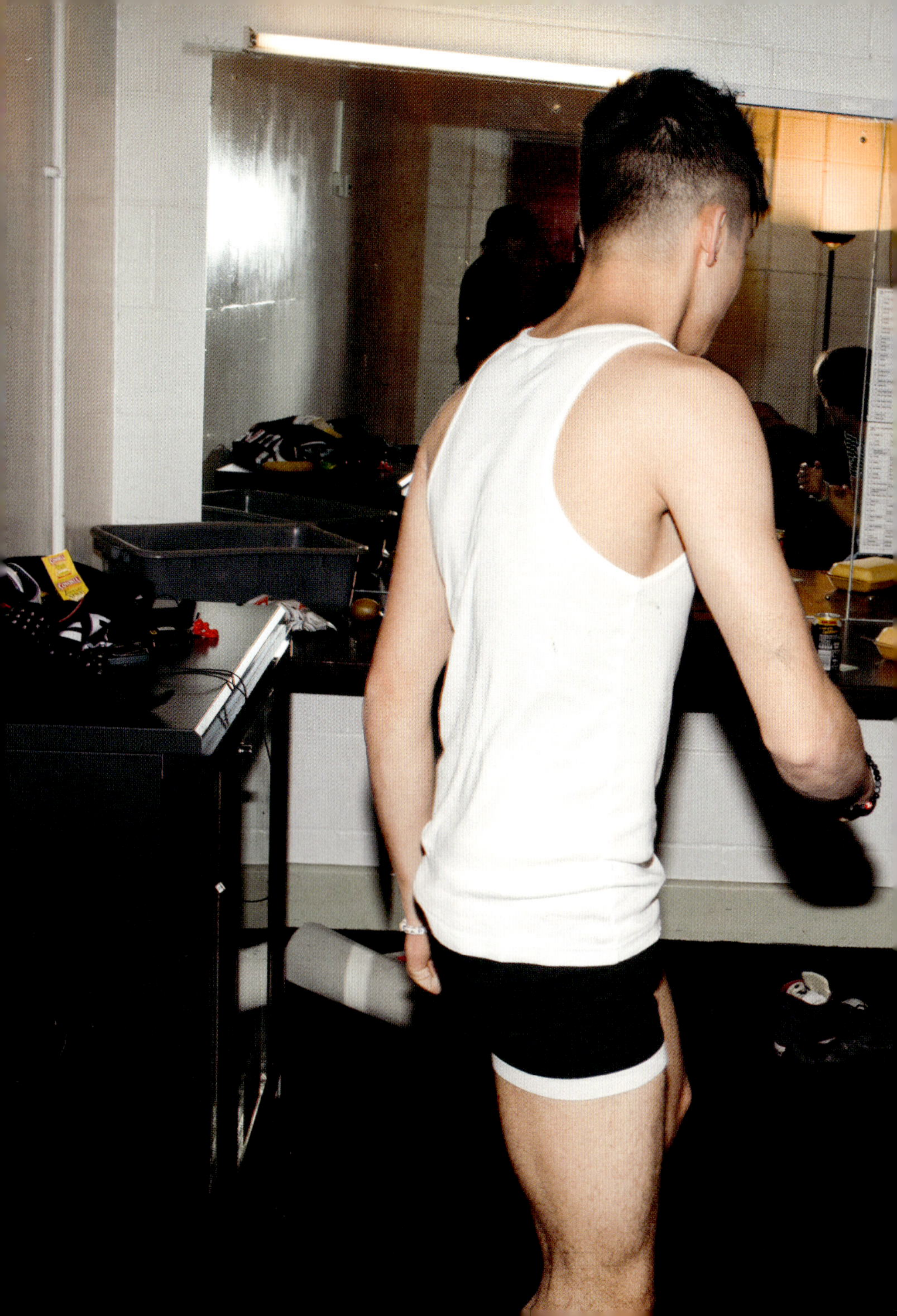

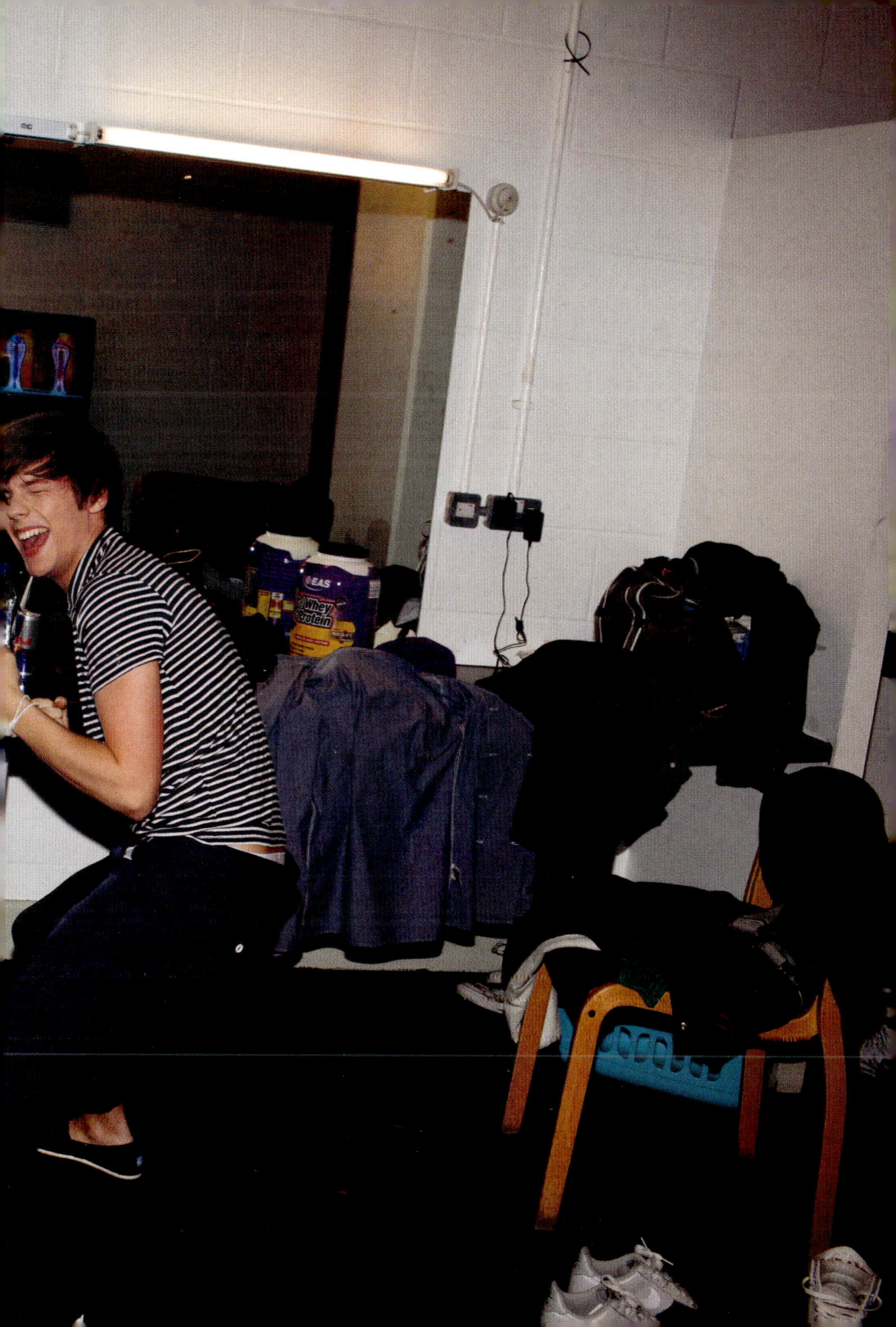
EAS
Whey
Protein

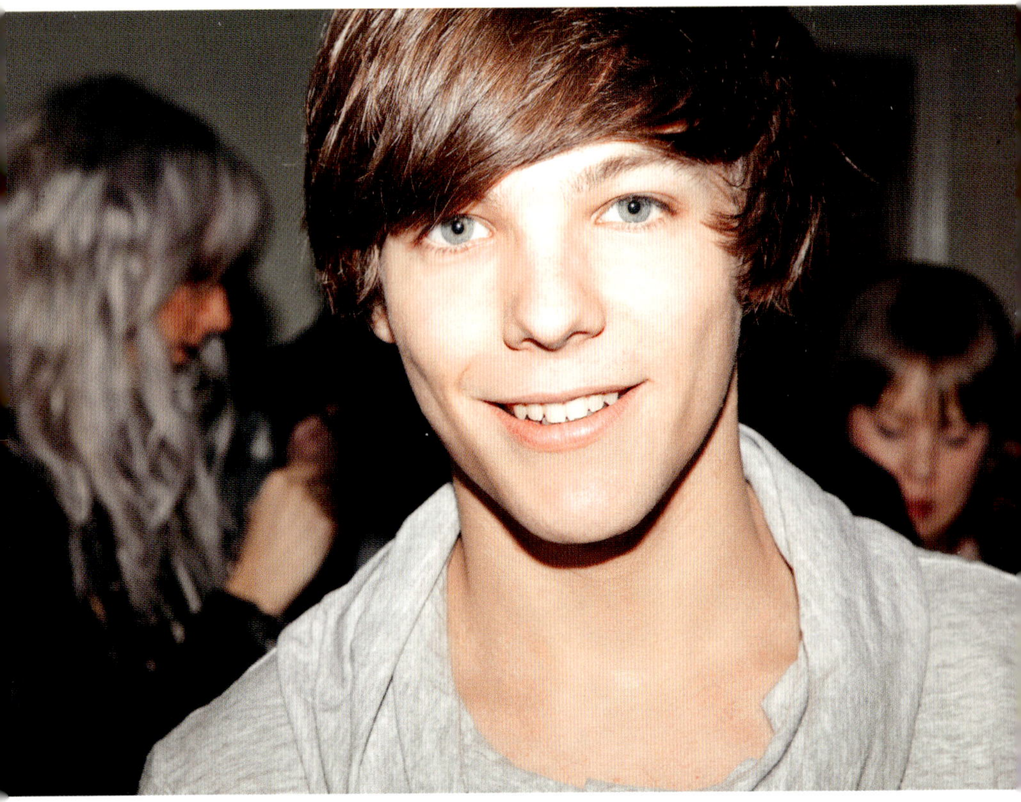

LOUIS: ANO-NOVO, NOVOS DESAFIOS

ao nosso carro, mas não havia como escapar. O terminal só tem uma saída e todo mundo estava esperando lá. E, por mais que quiséssemos ver os fãs, teria sido uma loucura tentar sair e dar autógrafos.

Fiquei tonto com aquela loucura, mas o Niall ficou apavorado. Para mim, era como estar em uma montanha-russa ou algo parecido, eu só segui o fluxo. É uma sensação incrível quando tudo acontece ao mesmo tempo e você não sabe para onde virar ou ir – e sabe que todos estão lá por sua causa.

No final, saímos por uma porta lateral, mas todo mundo viu a gente e fomos completamente cercados. Eu estava usando um blusão com capuz e ele foi rasgado ao meio. Mais tarde, quando fomos autografar o primeiro livro do One Direction, *Forever Young*, uma garota trouxe a manga para me mostrar – e ainda pediu para eu assinar. Achei hilário.

Os ensaios para a turnê também foram muito importantes para nós no começo do ano. Eles foram bem intensos, e quando começamos a ensaiar "Only Girl in the World", percebemos que precisávamos de mais movimentos ou energia ali do que quando apresentamos a música no X Factor. Não foi tão difícil assim, mas tivemos de aprender muitas coisas e repetir tudo umas vinte vezes. A gente estava louco para seguir adiante e aprender novas músicas, então às vezes ficávamos frustrados. Mas experimentamos de tudo e dava pra ver que melhorávamos a cada dia, e isso nos motivava.

Olhando agora para o quanto crescemos, acho definitivamente que valeu a pena ensaiar tanto. Quando assisto às nossas apresentações no X Factor, qualquer coisa que exige um pouco mais de movimento ou energia – como "Only Girl in the World" – é muito diferente do que fazemos agora. Acho que todos nós aprendemos a ter um pouco mais de presença de palco e estamos muito seguros. Harry sempre foi o que se sentiu mais confortável no palco, mas acho que agora estamos no mesmo nível que ele. Ir para o X Factor e tocar em estádios no começo da carreira é um dos melhores treinamentos do mundo.

CORAGEM PARA SONHAR

Uma das melhores coisas da turnê foi poder passar tempo com as outras pessoas do programa. O Matt é um cara muito legal e nos divertimos tirando sarro da cara dele, dizendo coisas como "Olha, eu sou o Matt, acho que estou doente porque ganhei o X Factor." Também foi ótimo passar um tempo com o Aiden – era uma pessoa com quem se podia conversar fora da banda.

Todas as noites depois do show, alugavam uma parte do bar ou um quarto para relaxarmos. Eu ia lá de vez em quando, para não me estressar. Acho que só o Niall descia todas as noites – ele adora falar. Ele sempre estava conversando com os bailarinos. Mesmo quando a gente descia, ele não sentava com a gente; ele procurava gente nova com quem conversar.

De vez em quando a gente sentia vontade de fazer alguma loucura. Quando estávamos em Sheffield, bagunçamos o camarim. Tudo começou quando tentei jogar o miolo de uma maçã no lixo e errei, e de algum jeito isso fez com que todo mundo pegasse maçãs e as jogasse na parede o mais forte possível. Dividíamos o camarim com outros artistas e começamos a pegar todas as frutas que encontrávamos, então havia laranjas pelo chão e pedaços de pera sobre as mesas. Aqueles cinco minutos foram muito divertidos. A gente sabia que não deveria fazer aquilo, mas foi uma coisa de momento.

Depois da guerra de frutas, saí para ir ao banheiro e quando voltei, a Vicky, a assistente do gerente da turnê, tinha acabado de entrar e de ver a bagunça. Dei uma de joão sem braço e perguntei "O que aconteceu aqui? Vicky, não faço a menor ideia de como isso aconteceu, não estava aqui. Deixa eu te ajudar a arrumar isso". Comecei a ajudá-la, mas não conseguia parar de olhar para o Zayn e sorrir. Enquanto isso, a Vicky não parava de me agradecer, então acabei me livrando dessa.

Fizemos a mesma coisa em Liverpool e dessa vez achamos que conseguiríamos nos safar porque jogamos as frutas no chuveiro e fechamos as cortinas. Fomos embora depois do show e ninguém tinha dito nada, então a gerente da turnê, a

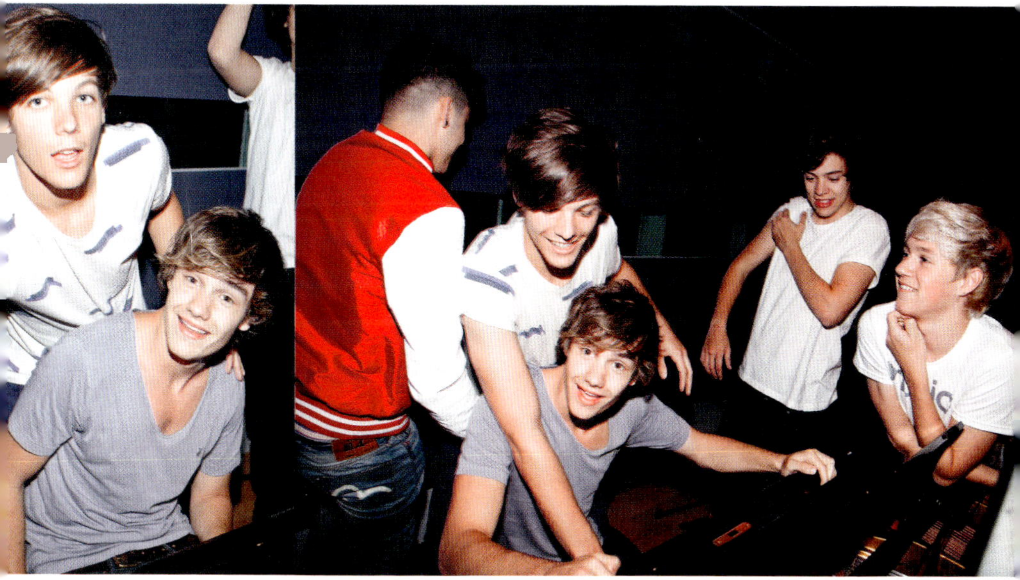

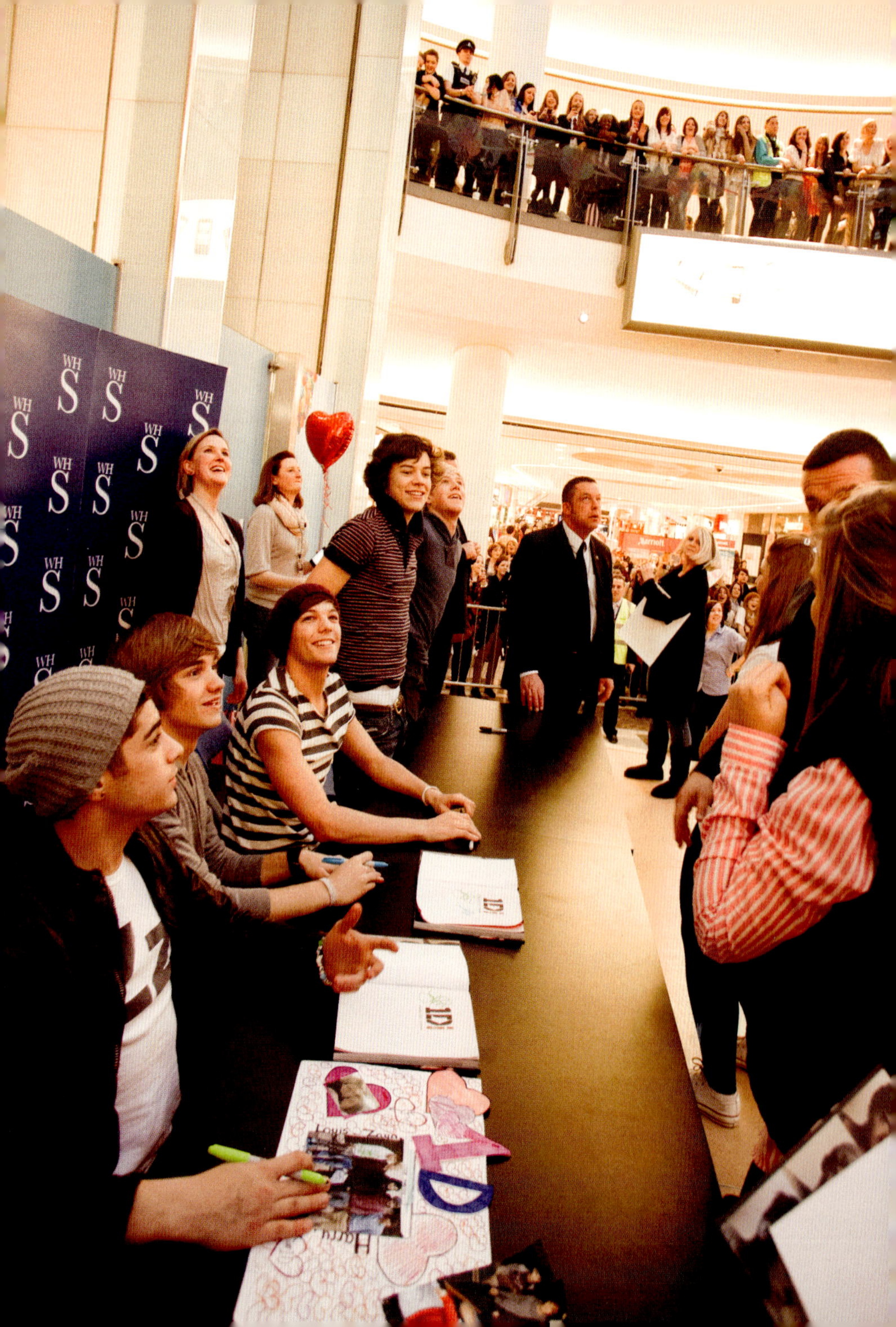

LOUIS: ANO-NOVO, NOVOS DESAFIOS

Cara, nos confrontou com duas fotos do camarim mostrando o estado do chuveiro. Ela olhou pra gente e disse "O que é isso?" O Zayn ficou muito nervoso. Ele não conseguia olhar para ela e disse "Não sei, não sei". No final, negamos tudo. Acho que no fundo ela achou tudo isso muito engraçado.

Recebemos muitas cenouras durante a turnê. Isso aconteceu porque na segunda semana do X Factor, perguntaram pra gente do que gostávamos em uma menina e achei que seria engraçado dizer que eu gostava de garotas que gostavam de cenouras. Desde então, os fãs veem nos ver com cenouras desenhadas em cartazes ou camisetas, e um monte de cenouras de verdade.

Certa noite, duas garotas vestidas de cenoura dançaram embaixo do palco. Um amigo me deu uma fantasia de cenoura e eu a usei em um show. Foi incrível e adoro isso tudo. Eu devia ganhar um desconto dos agricultores, porque tenho certeza de que as vendas de cenouras aumentaram.

Adorei a festa de encerramento da turnê. Foi uma oportunidade para refletir sobre tudo o que fizemos; de certo modo, foi quase um alívio saber que tinha acabado e que teríamos um descanso.

Tivemos momentos incríveis durante a turnê, mas ao mesmo tempo também trabalhamos muito. Nós nos apresentamos algumas noites na última semana e foi ótimo saber que não precisávamos acordar cedo depois da festa. Só fui para a cama às 5 horas da manhã e então minha mãe me levou para Doncaster, o que demorou três horas. Fiquei tão feliz de dormir na minha cama!

Senti falta de todo mundo depois que a turnê acabou. Na verdade, sinto falta da maioria das coisas. As pessoas reclamam de viajar, e pode ser cansativo, às vezes, mas ficamos em lugares legais e vimos muita coisa bacana, então não havia do que reclamar. Não vejo a hora de fazer isso de novo – não vejo a hora de fazer a nossa turnê. Adoramos ver todo mundo e não existe nada melhor do que a sensação de estar no palco.

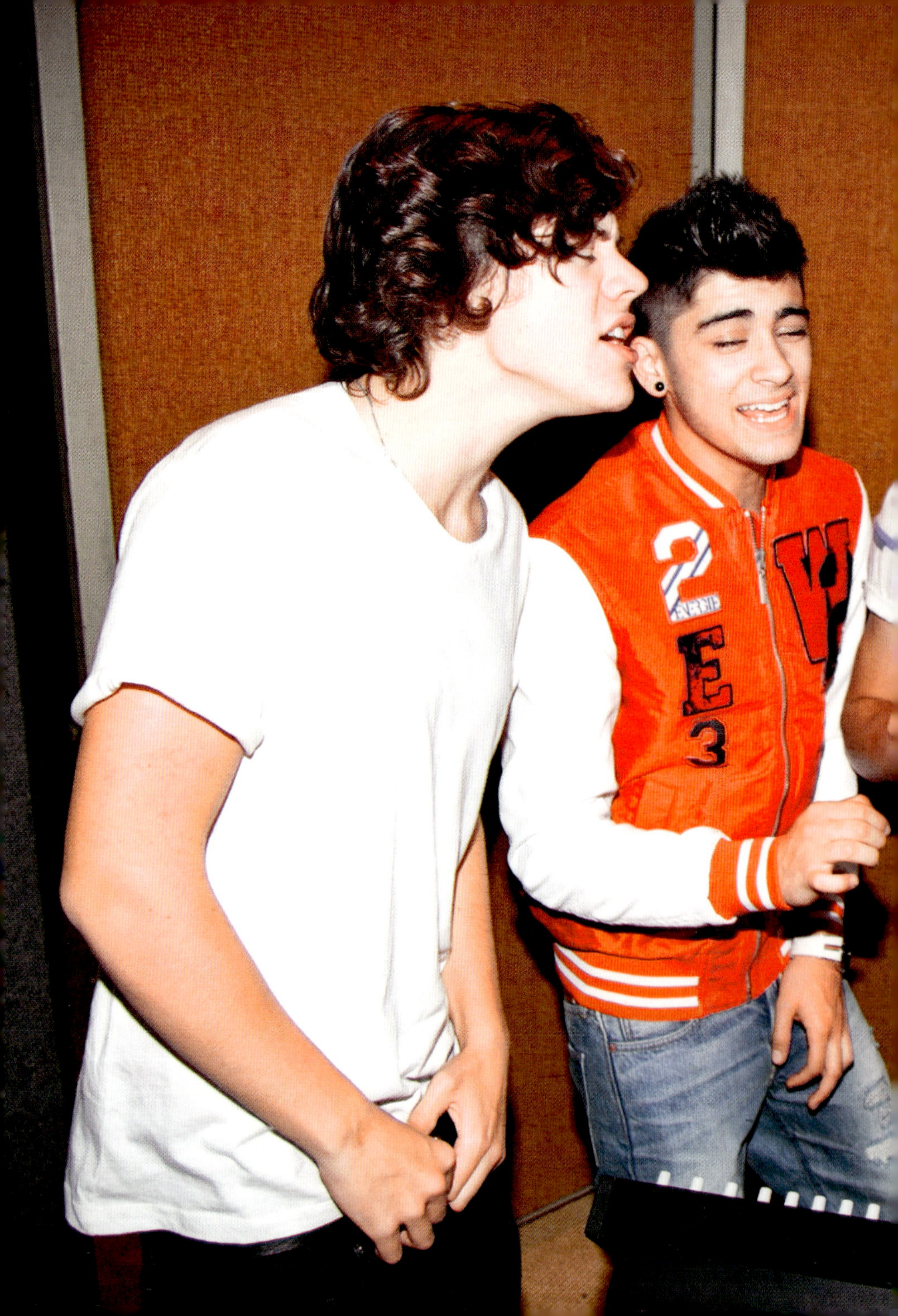
2
E
3

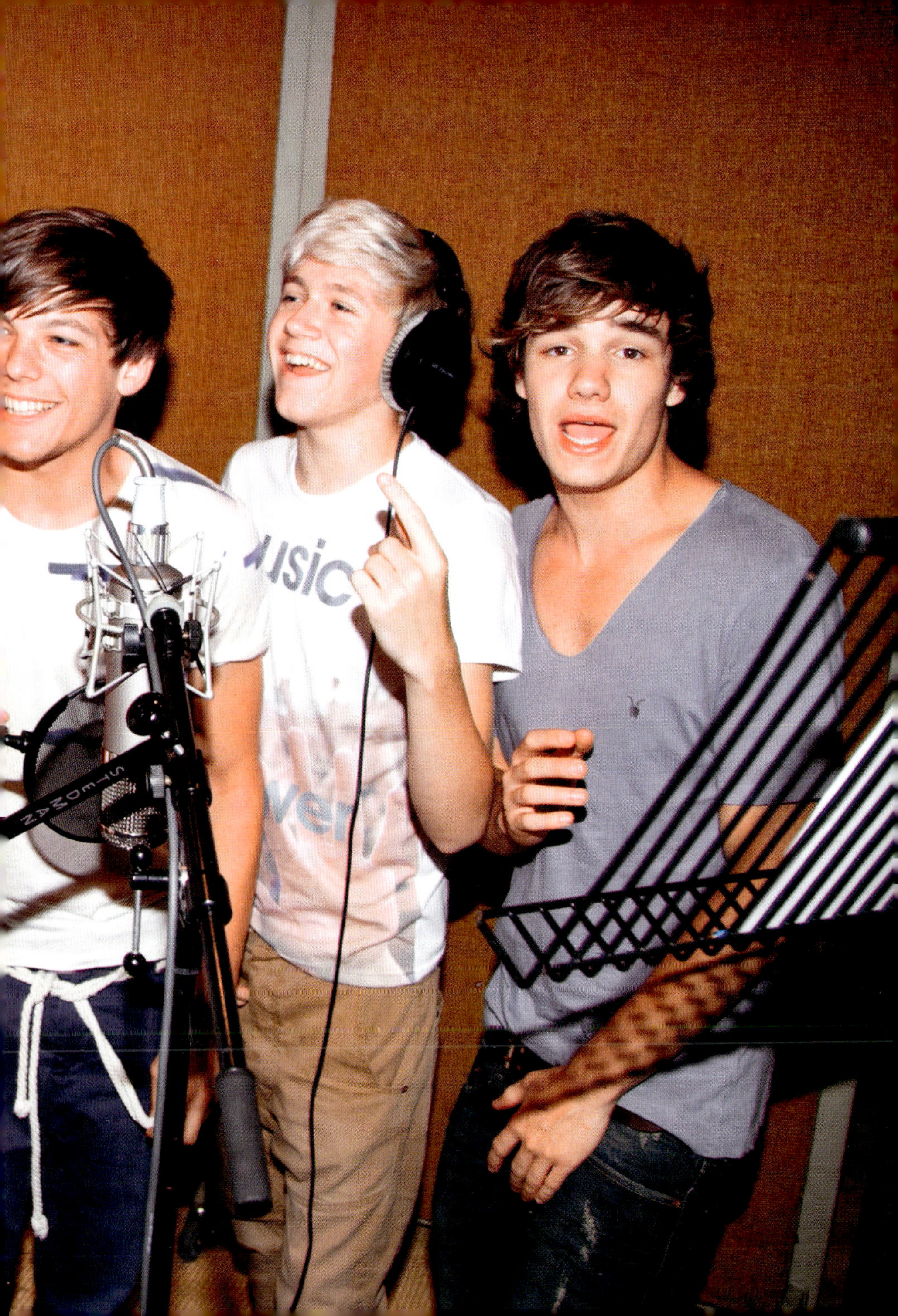

CORAGEM PARA SONHAR

Durante a turnê, gravamos uma propaganda para o DS Pokemon e cada um de nós ganhou um de presente, o que foi incrível para mim, o Liam e o Zayn, porque somos completamente viciados nesse jogo. Foi muito legal filmar em um quarto de hotel. Nós simplesmente fomos naturais uns com os outros e fizemos bagunça, e parecia uma loucura pensar que estávamos gravando um comercial para a tevê. Foi muito legal.

Durante toda a turnê do X Factor, estávamos cada vez mais animados com a ideia de fazer uma turnê do One Direction depois. Seria uma boa oportunidade para mostrarmos o que podemos fazer. Planejamos o ano todo e sempre que nos reuníamos, falávamos sobre coisas diferentes que poderíamos experimentar. A gente estava animado em apresentar o disco ao vivo para todo mundo.

Depois que a turnê acabou, o Harry e eu fomos esquiar com nossos amigos Stan e Johnny em Courchevel, na França. Foi muito divertido. Eu nunca tinha esquiado antes, mas no final já estava andando razoavelmente bem. Fomos reconhecidos várias vezes, mas todo mundo foi muito gentil e simpático.

Quando soubemos que nosso primeiro livro, *Forever Young*, estava em primeiro lugar, ficamos chocados. Tivemos a oportunidade de encontrar muitos fãs nas sessões de autógrafos, o que foi incrível. Não conseguíamos acreditar na quantidade de gente que se reunia, especialmente em uma sessão no shopping de Lakeside. Juntando os fãs que tinham ido nos ver e as outras pessoas que tinham ido fazer compras lá, o lugar parecia lotado. Foi ótimo poder agradecer a todos que nos apoiaram.

Gravar o álbum foi um pouco frustrante às vezes, porque estávamos desesperados para encontrar o *single* certo, mas, quando o achamos, foi incrível. No disco, temos algumas músicas ótimas que mostram a nossa voz. Trabalhamos com algumas pessoas incrivelmente talentosas, como o Steve Robson e o Wayne Hector. O Steve já trabalhou com o Busted, o James Morrison e muitos outros, e o Wayne escreveu "Flying without Wings" para o Westlife. Em Los Angeles, trabalhamos

FOI ÓTIMO PODER AGRADECER A TODOS QUE NOS APOIARAM.

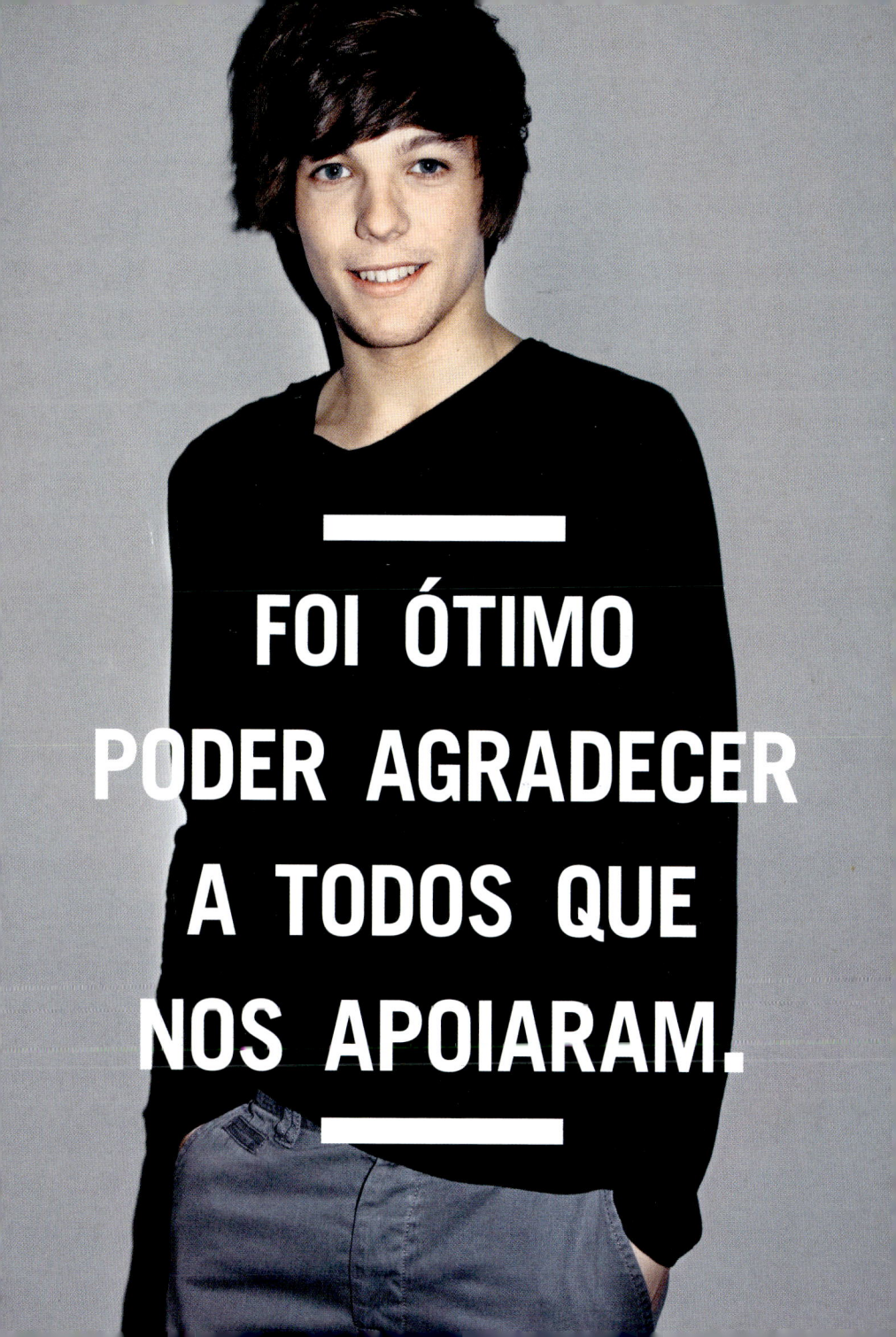

A GENTE TIRA FOTOS SEMPRE QUE POSSÍVEL.

com o incrível RedOne. Todos nós os admiramos, então você pode imaginar como ficamos empolgados com isso. Adoramos voltar a Los Angeles e parecia que já conhecíamos um pouco a cidade. Também curtimos ir para a Suécia, onde achamos as pessoas muito descoladas.

Nesse ano, temos ido a muitos programas de tevê e também estamos filmando um documentário. Queremos dar aos fãs uma visão de como é nossa vida nos bastidores, e também a chance de as pessoas que talvez ainda não sejam nossas fãs de nos conhecerem melhor. O X Factor foi tão intenso, com câmeras em cima da gente o tempo todo, que nem percebemos mais quando os fãs estão por perto, então o documentário será realmente muito revelador.

PARA O ALTO E AVANTE

Eu não sei se um dia vou me acostumar com a fama. Nós nos acostumamos mais com situações como ir a um hotel e encontrar pessoas esperando por nós, mas coisas surpreendentes acontecem o tempo todo e você nunca sabe exatamente o que esperar – é isso que deixa tudo emocionante. A coisa que mais me surpreende é que todo mundo pensa que nos conhece muito bem porque nos viu no programa e acompanhou a nossa transformação. Além disso, como as pessoas votaram na gente, acho que às vezes elas acham que investiram em nós, e de certo modo acho que foi isso mesmo. As pessoas sempre dizem "Podemos tirar uma foto? Votamos tantas vezes em vocês no programa e gastamos tanto dinheiro!" Mas tiramos a foto com prazer, tenham elas votado na gente ou não!

As pessoas sempre pensam que os paparazzi são realmente horríveis, mas todo mundo tem sido bacana com a gente e até fizemos amizade com alguns. A gente tira fotos sempre que possível e quando é seguro. Acontece a mesma coisa com a imprensa. Sentimos prazer em falar, apesar de já terem escrito algumas coisas engraçadas sobre a gente. Um jornal disse que Mary e Wagner estavam cheios da gente porque tínhamos pego os ursinhos da Cher e colocado-os em volta do

CORAGEM PARA SONHAR

Wagner durante a turnê, quando ele estava adormecido. Aparentemente, a gente estava fazendo terrorismo com ele! Mas nem tudo era verdade, foi tudo uma brincadeira. Não fazemos ideia de como os jornais ficam sabendo das histórias, mas algumas delas são ridículas e incríveis ao mesmo tempo.

O que espero do futuro? Dominar o mundo. O ideal seria a gente conseguir que nosso disco ficasse em primeiro lugar, gostaria de ir para Los Angeles de novo e também ser indicado para um BRIT Award. Você tem que pensar grande!

BATE-BOLA

DATA DE NASCIMENTO: 24/12/1991
SIGNO: Capricórnio

Preferências...

LIVRO: A autobiografia do Beckham – ou a metade que li antes do meu cachorro comer o livro (juro que isso aconteceu de verdade)
FILME: Nos Tempos da Brilhantina
PARTE DO CORPO: Minha boca, porque sem ela eu não teria um emprego!
COMIDA: Massa e pizza, e uma sobremesa da Pizza Hut chamada "Cookie Dough"
DISCO: *21* da Adele e *How to Save a Life* da banda The Fray
AMIGO: Stan
CELEBRIDADE FEMININA: Cheryl Cole ou Diana Vickers
LOJA: Topman
BEBIDA: Milkshake
COR: Vermelho
PROGRAMA DE TEVÊ: *Lances da Vida* e *Skins*
LOÇÃO PÓS-BARBA: Não tenho. Acho que se um cara tem um cheiro muito forte de loção, parece que ele está tentando se exibir.

LOUIS: BATE-BOLA

PERFUME PREDILETO: Não tenho um em especial, apenas gosto que a menina tenha um cheiro bom

JOGO DE COMPUTADOR: Fifa

APLICATIVO DE CELULAR: Twitter

MELHOR JEITO DE PASSAR O DOMINGO: Na cama, com cereais de canela, depois um sanduíche de bacon, ovo frito e queijo com um pouco de molho. Eu jogaria Fifa e convidaria o Stan para passar o domingo jogando games no computador e depois ir bater uma bolinha no parque

ONDE TER UM ENCONTRO: Cinema (simples, mas eficiente)

PAÍS: França

RESTAURANTE: Pizza Hut, por causa da sobremesa

COMO RELAXA: Passando o tempo com os meus amigos

MEIO DE TRANSPORTE: Carro

DIVERSÃO NOTURNA: Uma boa festa em casa

BANDA: The Fray

QUAL A COR DO SEU EDREDOM? Creme

QUE TIPO DE CUECA USA? Samba-canção de todas as cores

PRIMEIRO ANIMAL DE ESTIMAÇÃO: Um cão chamado Ted

VOCÊ PREFERE FICAR SOZINHO OU TER A COMPANHIA DOS OUTROS? A companhia dos outros. Adoro as pessoas

ÚLTIMO LIVRO QUE LEU: Só li a biografia do David Beckham que o meu cachorro comeu. Não leio muito, porque ele devora os livros

AS CINCO ÚLTIMAS COISAS QUE COMPROU: Torrei uma grana na Topman e comprei um monte de coisas

QUAL É O SEU TIPO DE GAROTA? Não tenho nenhum visual específico, mas gosto de garotas espontâneas, animadas e com bom senso de humor. E de alguém que seja falante como eu.

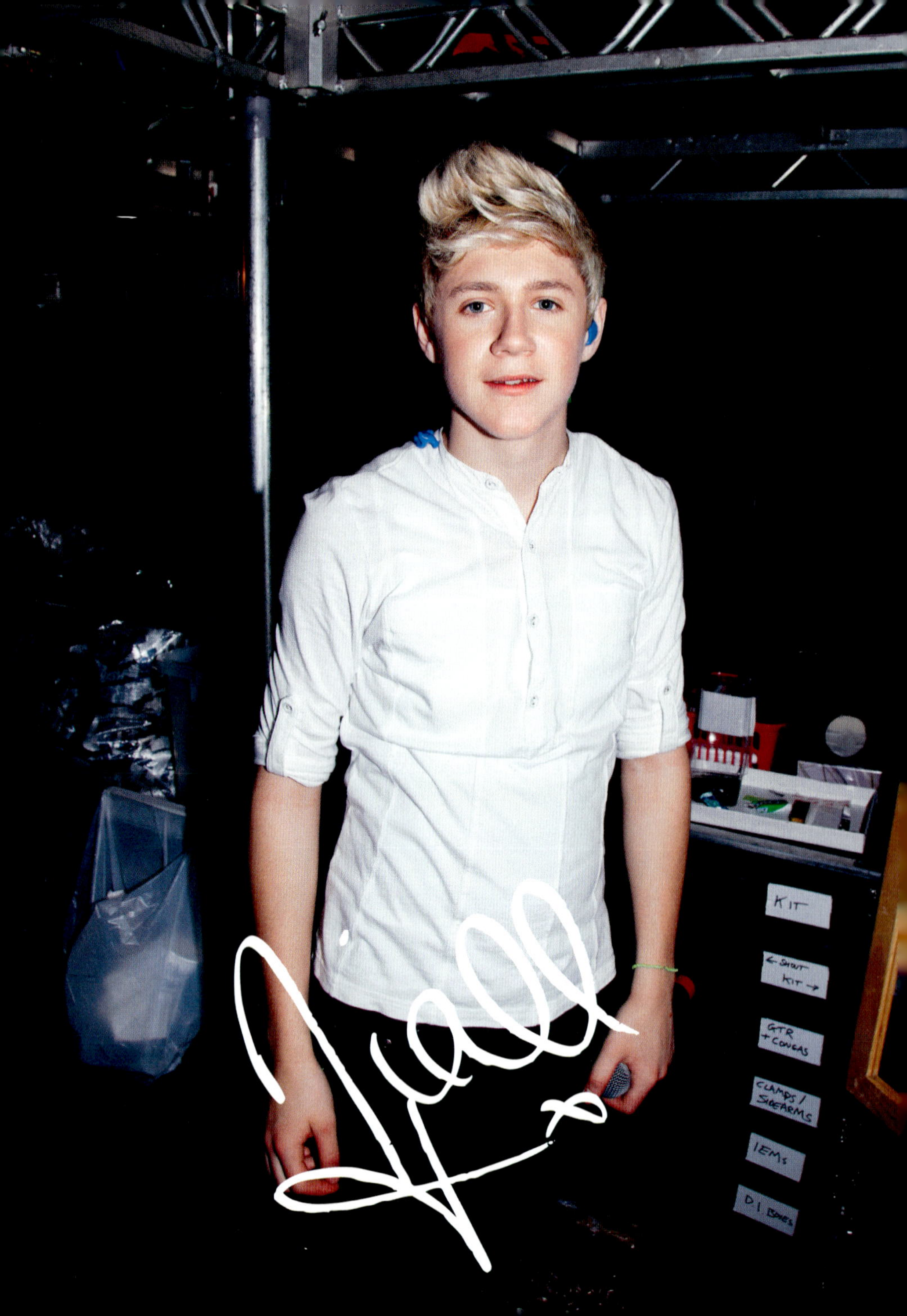
KIT
← SHOUT KIT →
GTR + CONGAS
CLAMPS / SIDEARMS
IEMs
D.I. BOXES

NIALL HORAN

MENINO DO INTERIOR

Cresci em uma cidadezinha no interior da Irlanda chamada Mullingar que tem cerca de 35 mil habitantes. Eu morava em uma rua no centro da cidade e quando tinha uns quatro anos mudei para uma parte mais distante da cidade. Acho que a memória mais antiga que tenho é das férias que passamos em Nova York para visitar minha tia, mais ou menos nessa época. Também lembro de ficar andando pela rua com um trator de brinquedo – não havia muitas crianças da minha idade, então éramos só eu, meu irmão e os amigos dele. Teve uma vez que abri a cabeça do meu irmão com uma raquete de pingue-pongue!

Meus pais se separaram quando eu tinha cinco anos e meu irmão e eu ficamos com a minha mãe por um tempo. Depois vivemos entre duas casas por dois anos. Então acabei indo viver com o meu pai porque ele morava na cidade e eu tinha mais amigos lá, e era mais fácil para ir à escola e essas coisas. Sempre fui pequeno para a minha idade – e provavelmente ainda sou –, mas ainda bem que nunca fui perseguido na escola, pois tentava ser simpático com todo mundo. Estava sempre a fim de rir e fazer bagunça, então me dava muito bem com as outras crianças.

Toda a minha família lembra de que eu estava sempre cantando alguma coisa.

NIALL: MENINO DO INTERIOR

Eu odiei meu primeiro dia na escola. Minha mãe me deixou naquele lugar e eu comecei a chorar quando ela foi embora porque não queria ficar lá. Eu só tinha cinco anos e nenhum dos meus amigos estava naquela escola, então fiquei com medo por estar sozinho. Mas logo me adaptei e comecei a adorar a escola. A partir daí, gostei dela até o fim – fora a parte da lição de casa, que eu odiava fazer, e de estudar, o que eu não fazia muito.

Comecei a gostar de música quando era muito pequeno. A gente tocava flauta doce na escola, assim comecei quando tinha cinco ou seis anos, e a partir de então não parei mais. Sempre cantei no coral de Natal da escola primária, e quando tinha oito anos minha professora de canto, a Sra. Caulfield, disse que eu deveria tentar entrar no coral da cidade.

Toda a minha família lembra de que eu estava sempre cantando alguma coisa. Minha tia vinha dos Estados Unidos todos os verões e viajávamos para Galway, no oeste da Irlanda, para passar férias. Uma vez estávamos no carro, eu cantei Garth Brooks sentado no banco de trás e ela disse que achou que o rádio estava ligado. Aconteceu a mesma coisa com o Michael Bublé e o pai dele. Uma vez ele cantou "White Christmas" no banco de trás do carro, e foi assim que o pai dele descobriu que ele sabia cantar. Ele é meu herói, então gosto de saber que temos uma história parecida. Minha tia diz que a partir daquele dia ela sempre soube que eu iria ser famoso, e ela sempre dizia isso enquanto eu estava crescendo, mas nunca dei muita bola.

Comecei a tocar violão quando tinha uns 12 anos. Um ano depois participei de um show de talentos na escola e cantei "The Man Who Can't Be Moved". Meu amigo Kieron me acompanhou ao violão, e apesar de não ser um concurso, saí no jornal local porque alguém havia tirado fotos. Aquilo me deu um pouco de segurança para fazer mais, então depois eu participei de um pequeno concurso na cidade, de novo com o meu amigo Kieron, e cantei "With You" do Chris Brown. Ganhei o concurso, o que foi incrível, e aquilo me fez pensar que talvez eu cantasse bem.

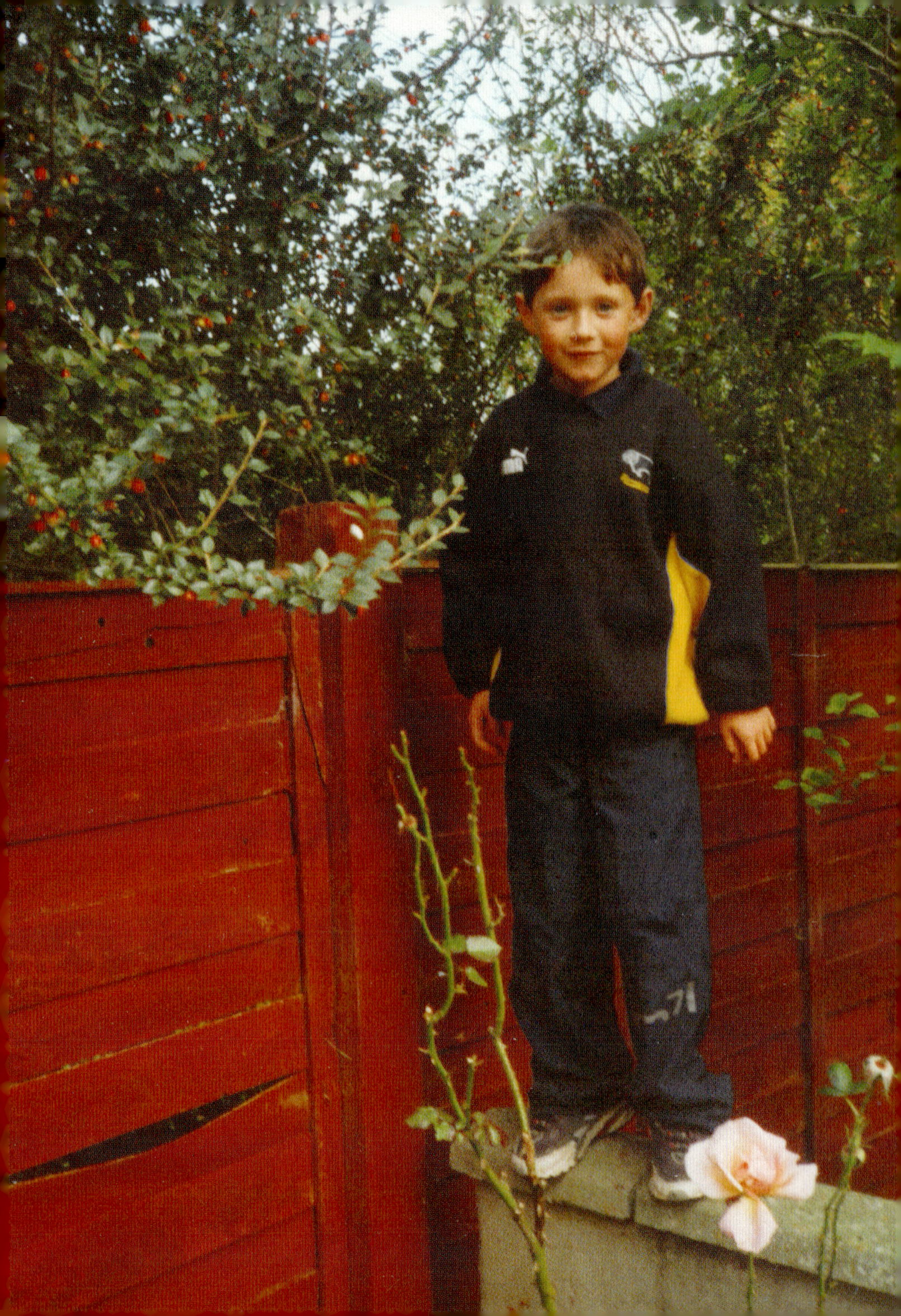

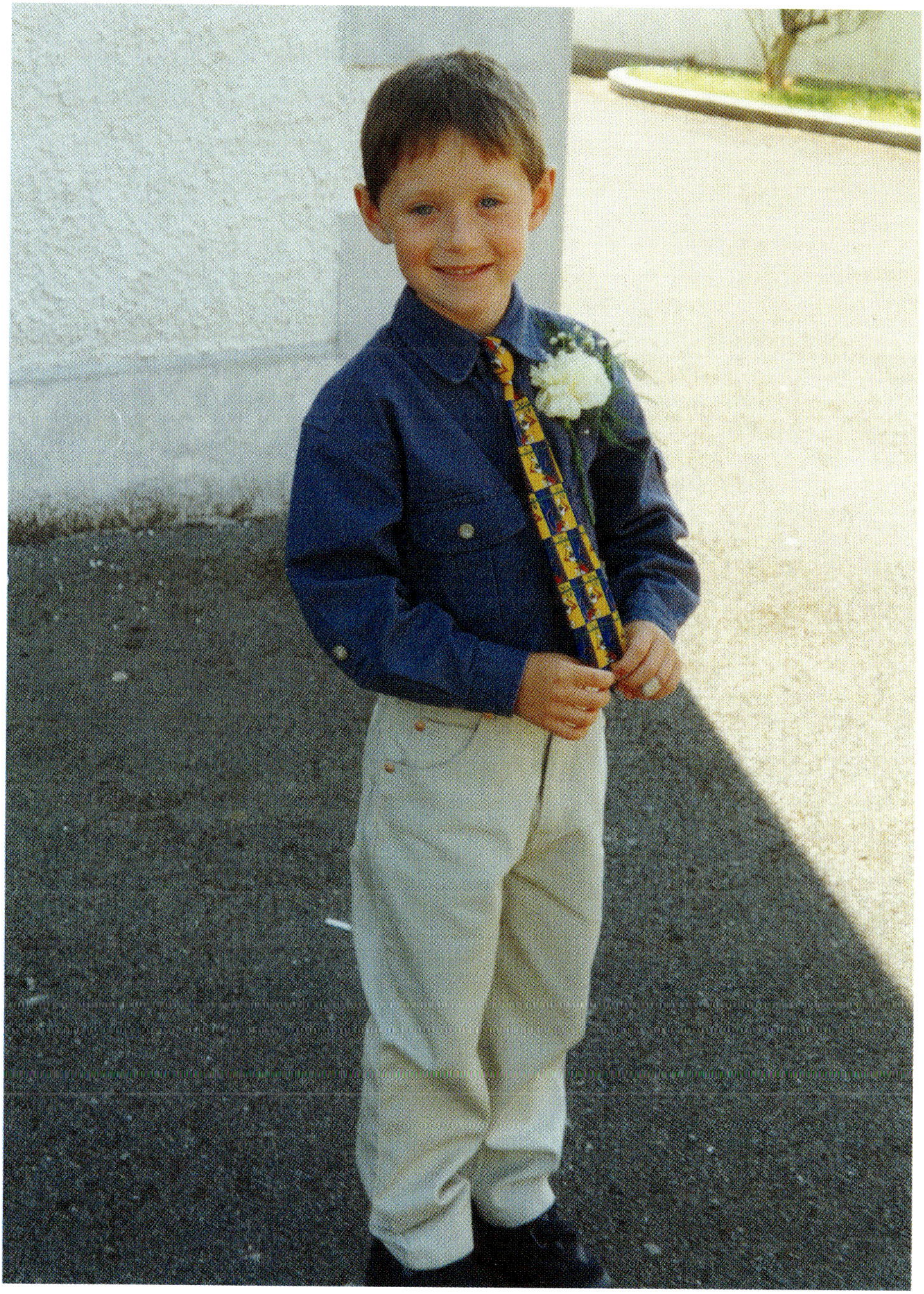

CORAGEM PARA SONHAR

Assisti a um show do Lloyd Daniels – que participou do X Factor em 2009 – em uma pequena casa de shows chamada The Academy. Disse para ele que também iria participar, mas ele não pareceu muito convencido. Um dia, ele veio assistir a um dos shows ao vivo e nos encontramos. Ele lembrou de mim e disse "Viu? Disse para você tentar". Mas ele não tinha dito nada!

No mês de novembro, antes de eu tentar entrar para o X Factor, participei de um show local chamado *Stars in Their Eyes*. Cantei "I'm Yours" do Jason Mraz, que era uma música bem preguiçosa, como diz o Simon Cowell, e foi ótimo. Eu mandei muito bem e saí de novo na imprensa, e tudo isso foi um bom exercício para o futuro.

Na escola, eu era péssimo em matemática, mas bom em francês. A gente tinha um campo enorme, então eu sempre praticava esportes, e isso ocupava grande parte do meu tempo. Apesar de não ser muito estudioso, acho que era inteligente, mas a verdade é que eu passava muito tempo bagunçando. Eu achava que ir à escola era me divertir e bancar o bobo.

Lembro de uma aula de geografia na sexta série. Todos os meus amigos haviam sido colocados em salas diferentes, então achei que tinha voltado à estaca zero e não conhecia ninguém. Então o cara atrás de mim, o Nicky, soltou um pum e eu comecei a rir, e nós ficamos amigos. (Ha, ha, ha – ele vai adorar isso!) Viramos melhores amigos, eu sentava no fundo da sala e cantava músicas irlandesas tradicionais, junto com outro amigo também chamado Niall, e os professores nos davam bronca. A gente sempre fazia coisas para os outros rirem. Mas nunca me meti em uma encrenca séria, a não ser quando faltamos à aula um dia e fomos pegos. A gente recebeu a maior bronca!

Eu sempre tirava novas razoáveis, e meus professores me diziam que eu tinha muito potencial. Mas eu estava muito ocupado fazendo bagunça ou jogando futebol com os meus amigos e não tinha tempo para estudar de verdade. Um dos meus professores disse para a minha mãe que eu sempre estava num mundo paralelo durante as aulas.

NIALL: MENINO DO INTERIOR

Quando eu tinha uns 11 ou 12 anos, raspei um V na parte de trás da cabeça e deixei o cabelo comprido dos lados. Vi algumas fotos outro dia e preciso admitir que eu estava horrível! Acho que todo mundo tem essas fotos constrangedoras de erros que cometem quando são novos, mas algumas das minhas são realmente ruins. Adoraria ver as roupas e os penteados embaraçosos dos outros.

Eu gostava de música pop desde pequeno. Curtia muito o Westlife e assisti a alguns shows, então foi incrível poder encontrar, conversar e dar risada com eles no X Factor. Eles são caras muito legais e exatamente como eu tinha imaginado. São tranquilos e têm os pés no chão. Deve ser coisa de irlandeses!

Nunca tive uma namorada de verdade na escola, pois eu não via o porquê de namorar quando tinha uns dez anos. E de qualquer jeito, sempre fui tímido para essas coisas. Beijei a primeira vez quando tinha 11 anos, mas acho que bloqueei isso da minha cabeça, porque foi muito ruim. Nem sei se aquilo contou como beijo.

Quando eu tinha uns 13 anos, arrumei uma namorada, mas não ficamos juntos por muito tempo e não namorei muitas meninas desde então. Ainda não tive uma namorada séria, mas ficaria feliz se a garota certa aparecesse.

Só tenho um irmão, o Greg. Ele tem 24 anos e trabalha em uma loja perto da minha casa. Quando estávamos crescendo, a gente se odiava. Sempre lembro dele como o irmão mais velho irritante, e ele acha que eu era o irmão mais novo irritante. Eu odiava até que ele olhasse pra mim e a gente brigava o tempo todo, o que não era muito bom porque ele é bem mais velho e maior do que eu.

Eu tentava bancar o mais velho e andar com os amigos dele, e ele odiava isso. Quando eu tinha uns 13 anos, ele saiu da escola e arranjou um emprego. Nós dois amadurecemos muito e foi quando começamos a nos dar bem. Agora a gente se adora e somos amigos, além de irmãos.

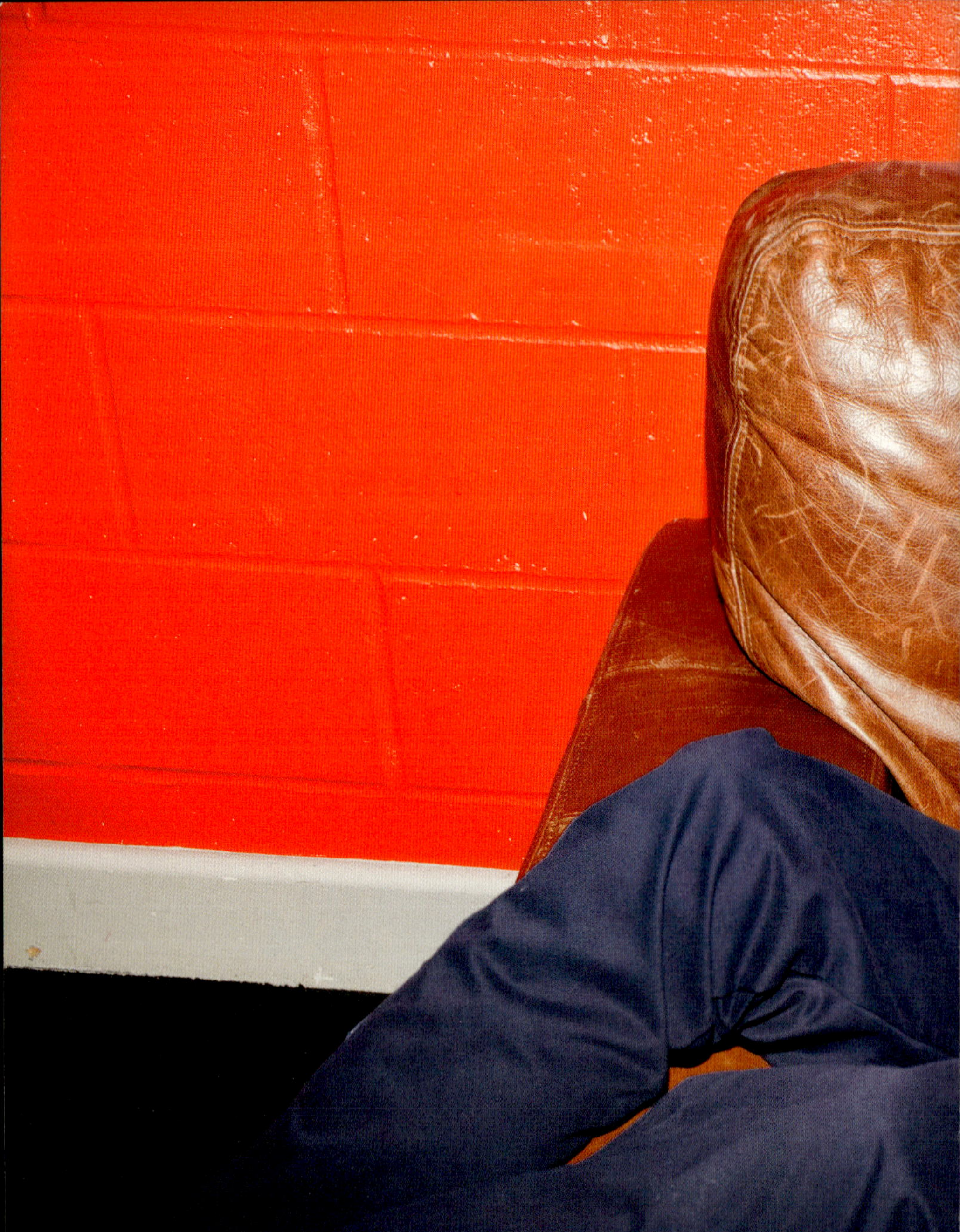

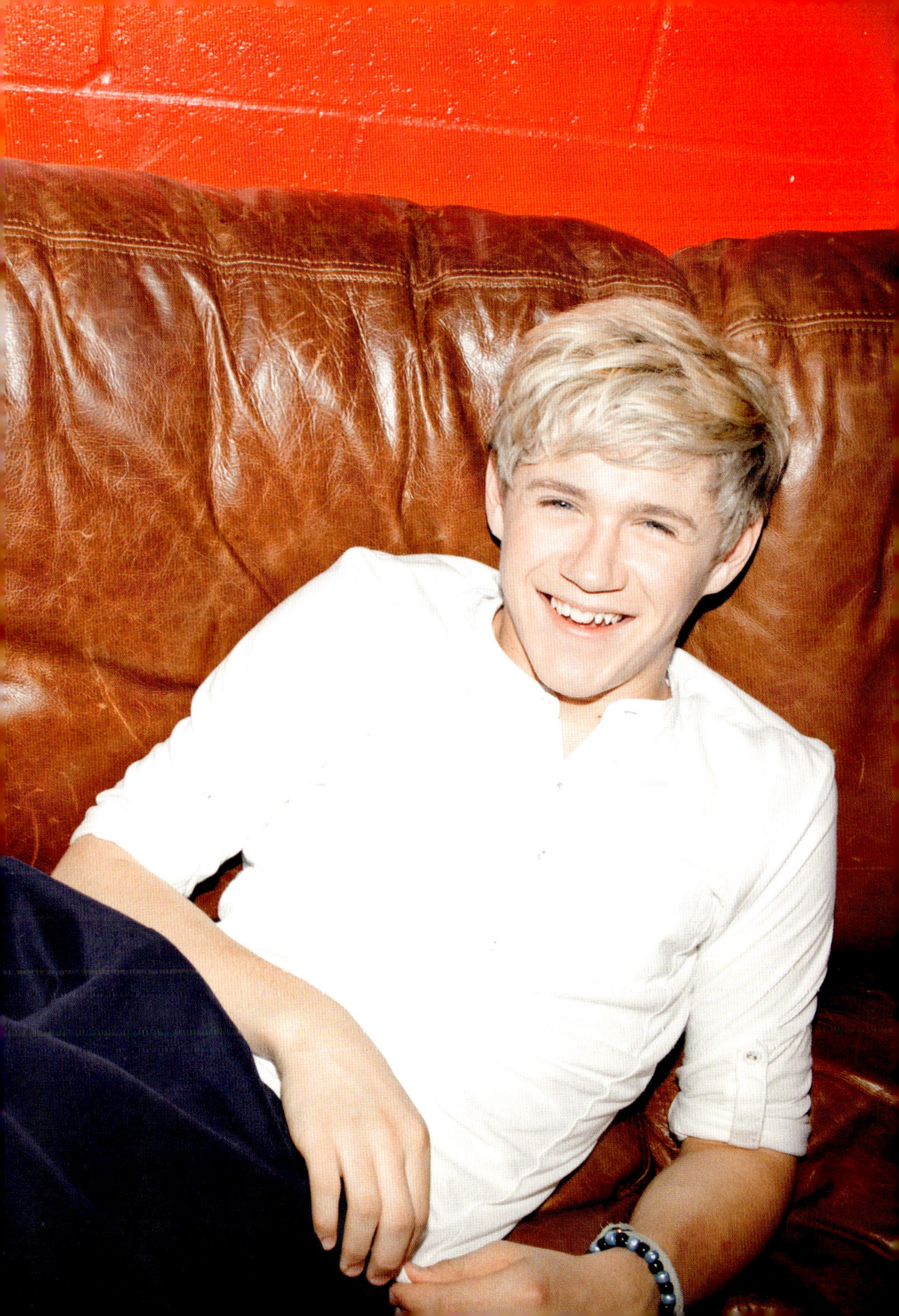

EU TENTAVA BANCAR O MAIS VELHO E ANDAR COM OS AMIGOS DELE, E ELE ODIAVA ISSO.

RECOMEÇO

Quando me inscrevi no X Factor estudava na St. Mary CBS e tinha acabado de começar a fazer minhas provas finais. O plano era ir para a faculdade e estudar engenharia de som, mas claro que tudo mudou quando passei para as finais ao vivo. Naquele momento, dei uma pausa em tudo, mas não me importei nem um pouco.

Sempre soube que queria tentar entrar no X Factor – assim como todo mundo que gosta de cantar no país, acho. Sonhava ser artista e respeitado pela minha música. Já fui comparado ao Justin Bieber algumas vezes, do que não posso reclamar.

Era verão e estávamos em um hotel com duzentas pessoas, e era hilário. E claro que o ponto alto foi no final, quando nós cinco fomos reunidos em uma banda.

Ficamos realmente empolgados e trocamos números de telefone antes de voltar para casa. Decidimos que precisávamos começar a ensaiar juntos e a nos conhecer melhor antes de irmos para a Casa dos Jurados, senão ficaríamos completamente perdidos.

Combinamos de nos encontrar na casa do padrasto do Harry, e ficamos em uma casa no jardim. Era bem pequena para nós cinco, porque só havia um quarto, mas tinha sido reformada, então era muito agradável, e a gente dormia nos sofás ou nos colchões de ar. Foi uma fase muito boa e para mim ainda foi uma das melhores experiências que tivemos como grupo até agora, porque foi ali que tudo começou. A gente jogava futebol no jardim e fazia bagunça. A gente vivia dizendo que ia acordar às nove da manhã no dia seguinte e começar a ensaiar, mas, em vez disso, acordava ao meio-dia e começava a ver tevê. Mas isso ainda funcionou, porque tivemos a oportunidade de nos acostumar uns com os outros antes de começarmos a trabalhar juntos de verdade. No final das contas, tudo aconteceu de maneira muito natural – a gente se deu bem e de cara nos tornamos grandes amigos.

A gente se divertia muito, o tempo todo. Fomos a *pubs*, almoçamos fora e tomamos sorvete de uma fazenda. Também andávamos quilômetros; era tudo muito tranquilo.

Certa noite, estávamos sentados em volta de uma fogueira no jardim e ouvimos um grito vindo do campo. Estava muito escuro e não conseguíamos ver nada, mas de repente o Liam virou o Super-Homem. Zayn foi até a casa, pegou um cabo de madeira e amarrou um pano em volta para fazer uma tocha – como no *Coração Valente*! – e então eles foram tentar encontrar a pessoa que estava gritando para nós. Só quando o nosso herói pulou a cerca e vimos aquele cavalo enorme correndo na direção dele é que percebemos que o Liam não era tão corajoso quanto pensávamos! Ele voltou correndo e pulou a cerca de novo o mais rápido possível – a gente ficou com dor de barriga de tanto rir.

Mas, honestamente, ensaiamos um pouco. Liam e eu estávamos com os nossos violões e escolhemos algumas canções aleatórias como "Crawl" do Chris Brown, "She's the One" do Robbie Williams e "Fix You" do Coldplay e as cantamos juntos da melhor maneira possível com o pouco conhecimento de grupo que tínhamos na época.

Não tínhamos ideia do que estávamos fazendo, então simplesmente fomos para Marbella esperando o melhor, mas sem saber como a gente se sairia. A Espanha nos deu mais tempo para nos conhecermos e ver como as pessoas são em diferentes situações. Levamos tudo muito a sério, mas também lembramos de nos divertir. Queríamos aproveitar ao máximo. Provavelmente éramos a banda mais barulhenta lá – todo mundo vivia dizendo para a gente fazer silêncio!

No dia em que iríamos ficar sabendo se tínhamos passado ou não para as finais ao vivo, todo mundo acordou bem cedo para tomar café e o clima estava incrivelmente tenso. Só ficamos sabendo o nosso destino no final da tarde e passamos o dia analisando nosso desempenho, mas também tentamos rir um pouco para nos distrair.

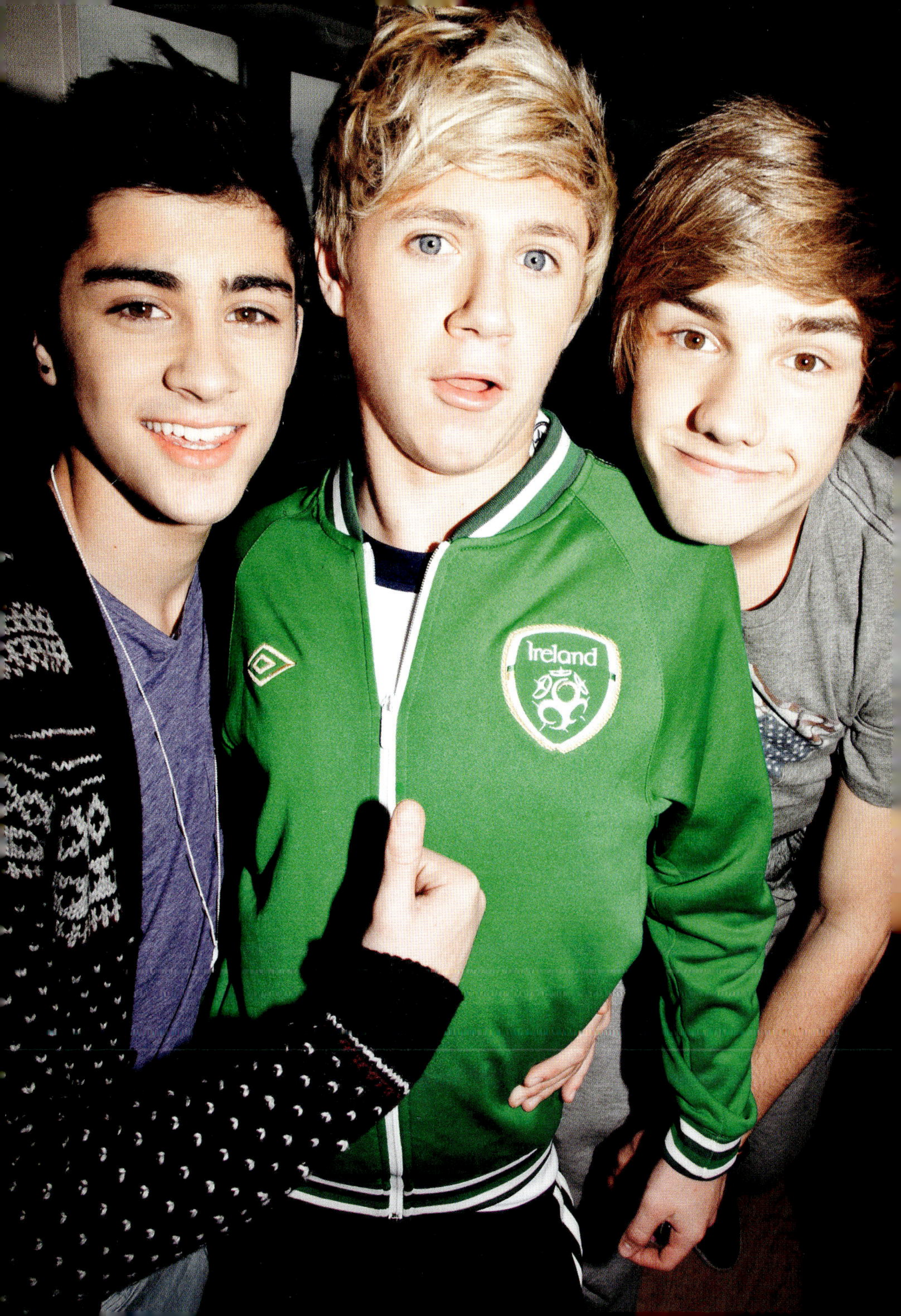
Ireland

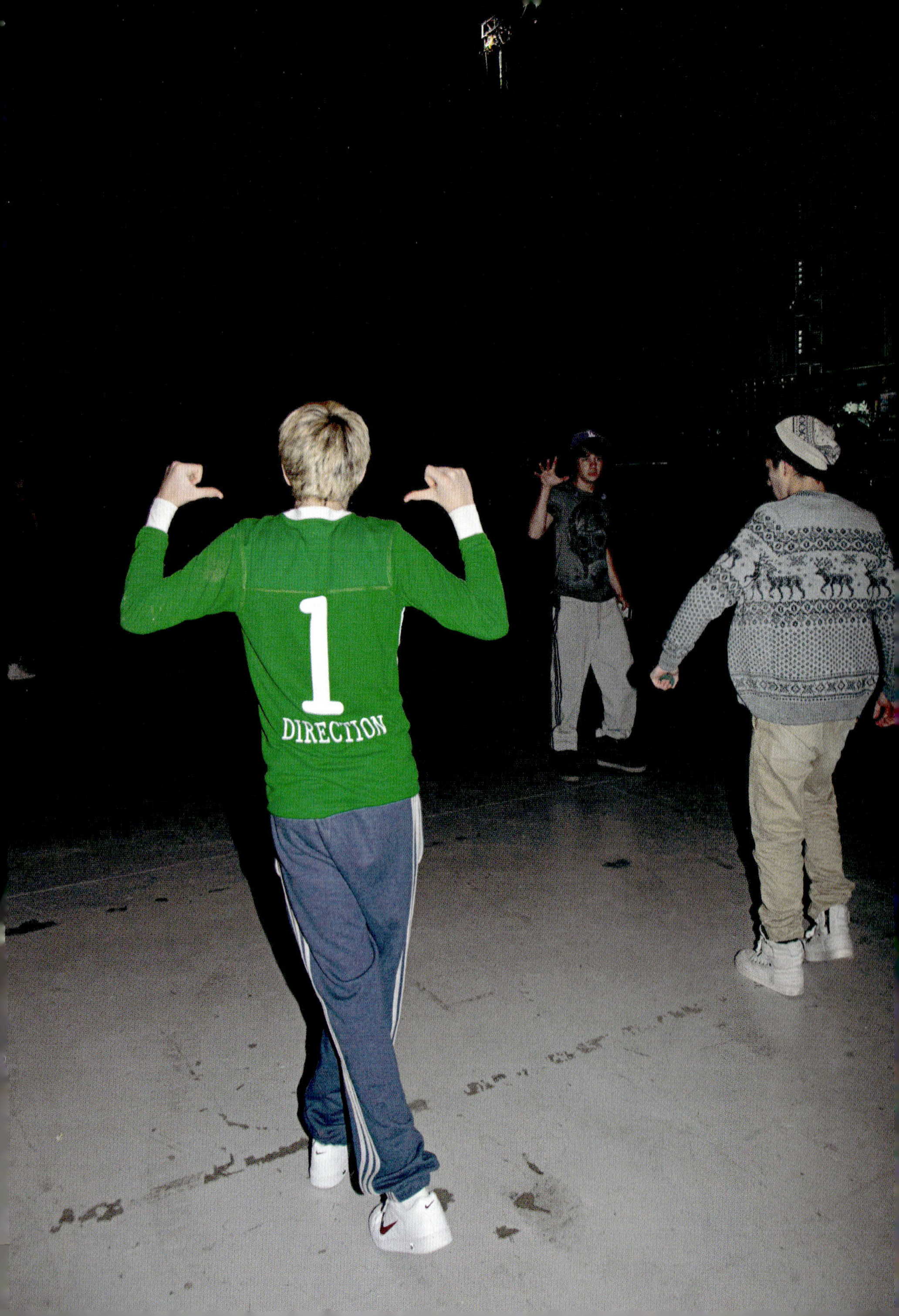
1
DIRECTION

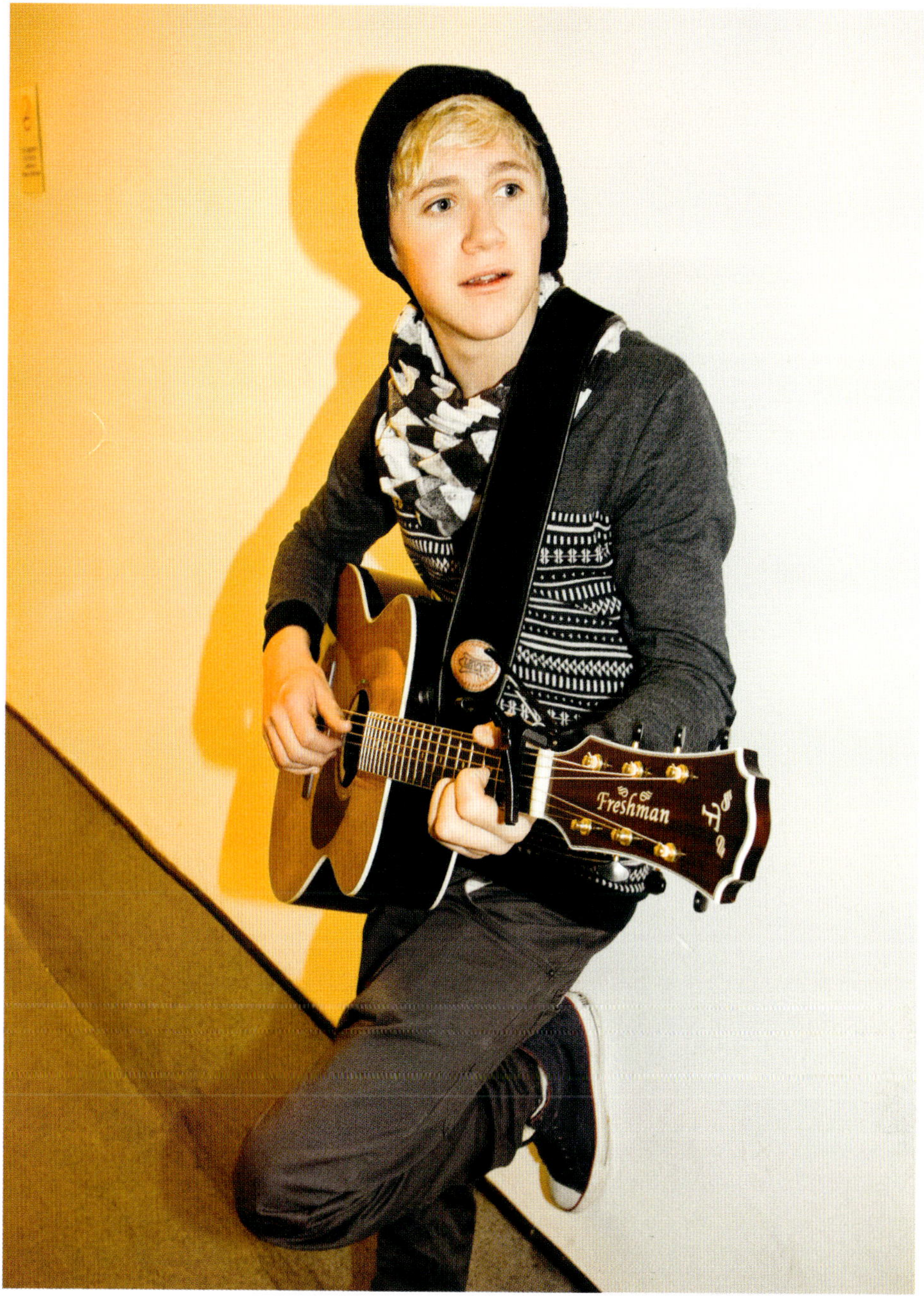
Freshman

CORAGEM PARA SONHAR

Quando fomos colocados no grupo, o Simon nos disse que estava nos dando uma segunda chance e que esperava muito em troca, então não estávamos fazendo aquilo apenas por nós mesmos, mas sentíamos que lhe devíamos isso. Ele tinha nos dado outra chance e precisávamos provar que ele tinha tomado a decisão certa e que éramos um risco que valia a pena assumir. (Esperamos ter provado isso até agora!)

Ficar de pé esperando pelo veredicto foi um dos momentos mais longos da minha vida. Ouvir um "sim" mudaria as coisas para sempre, e eu não parava de lembrar da apresentação – repassando-a na minha cabeça e imaginando se poderíamos ter feito melhor. É muito difícil decifrar o rosto do Simon, ele poderia dar qualquer resposta, e quando disse que tínhamos passado, quis pular uns três metros no ar.

A primeira coisa que fizemos depois que passamos, além de nos abraçar, foi ligar para os nossos pais. Estávamos empolgadíssimos, mas ficamos quietos durante a viagem de volta, porque todo mundo estava no mesmo avião, incluindo aqueles que não tinham passado.

Voei para Londres e depois para Dublin. Podíamos contar a novidade para a família, mas para mais ninguém. De algum modo, porém, a notícia tinha se espalhado pela internet, então as pessoas ficavam me perguntando a respeito e eu vivia dizendo "Você precisa esperar e assistir ao programa".

Fiquei duas ou três semanas em casa antes de a gente se mudar para a Casa dos Participantes, e foi estranho fazer as malas e ir embora, mas não via a hora de chegar em Londres. Eu não sabia por quanto tempo ficaria longe, então levei todas as minhas coisas comigo! Quando fui embora, meu quarto estava literalmente vazio.

Quando chegamos em Londres, ficamos em hotéis durante alguns dias enquanto eles terminavam de arrumar a casa. Então nos mudamos e quando vimos nosso quarto, fiquei tentando imaginar como a gente caberia lá dentro. Sou muito

―

EU NÃO SABIA POR QUANTO TEMPO FICARIA LONGE, ENTÃO LEVEI TODAS AS MINHAS COISAS COMIGO!

―

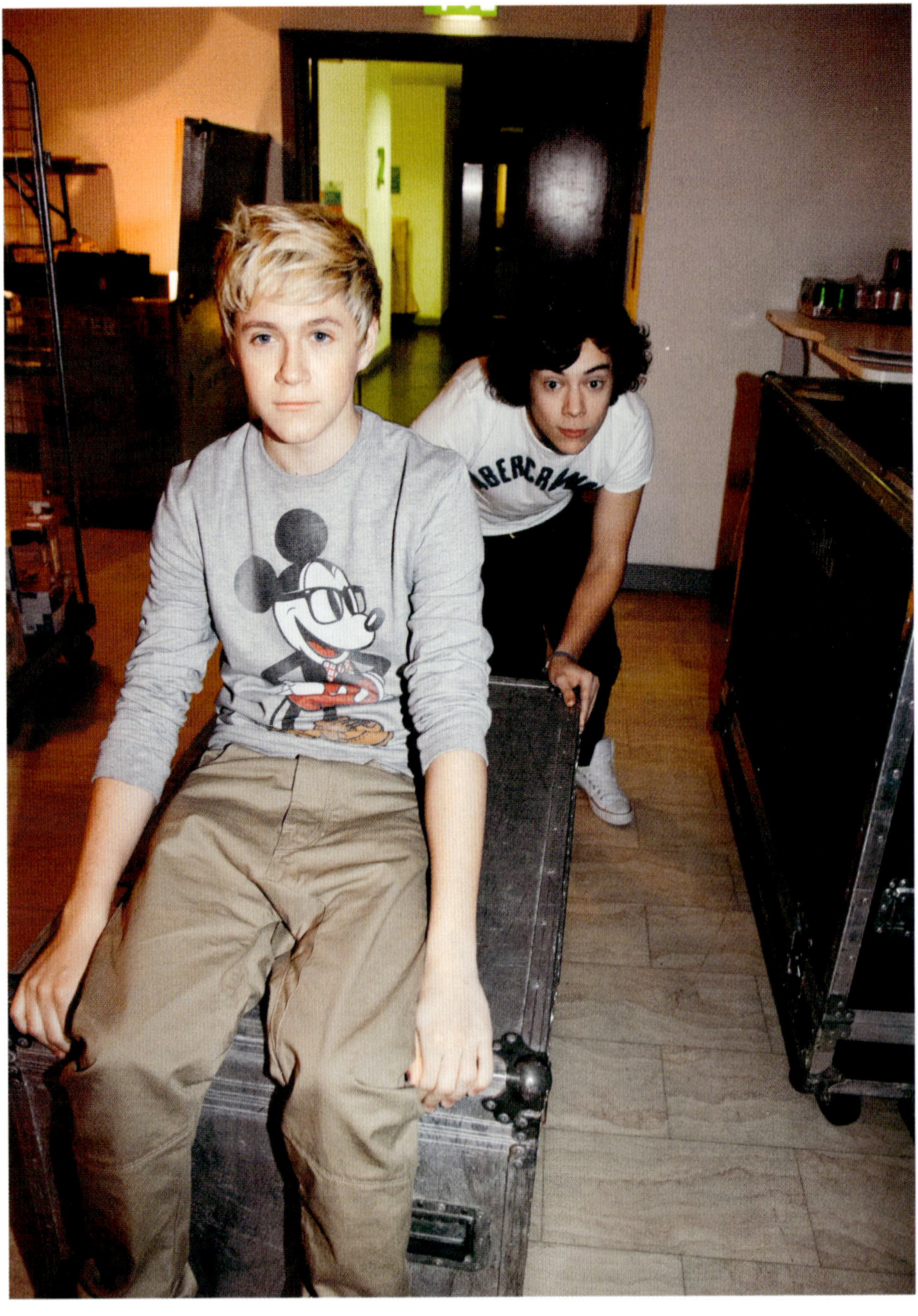

organizado e não gosto de bagunça ou das minhas coisas fora do lugar, mas o Louis é a pessoa mais bagunceira que já conheci. Ele simplesmente deixava tudo no chão e eu arrumava. (Pensando bem, não sei por que eu fazia aquilo!)

Nosso quarto estava tão ruim que um dia, quando fomos trabalhar, a Esther do Belle Amie o limpou para a gente, porque ela o achou terrível. Ficou bem limpinho quando ela terminou, mas não permaneceu muito tempo daquele jeito.

Sem dúvida, o Michael Bublé foi a melhor celebridade que conheci no programa. Sou um grande fã, e até apareci no seu documentário, então sempre terei essa lembrança. Ele é genial, e quando ficou sabendo que eu era um grande fã, ele veio até a mim e se apresentou. Eu pirei. Às vezes, as pessoas dizem que não é bom conhecer os seus ídolos, mas não no meu caso – ele é tão legal!

Ele foi tão normal e acessível que me peguei dizendo a ele "Gastei 200 libras para assistir ao seu show em Dublin e tive de abrir mão do ingresso por causa do X Factor". E ele respondeu "Ah, cara, sempre que você quiser entradas para os meus shows, me avise que eu consigo pra você". Mas eu respondi "Não, Michael, só quero minhas 200 libras de volta". E ele morreu de rir e consegui assistir à passagem de som dele, então acho que ele não ficou muito ofendido.

A Katy Perry também se lembrou do meu teste, o que foi bacana. E durante toda a competição, rimos muito com a Cheryl. O Louis estava sempre tirando sarro da Cheryl e ela adorava. Ela entrava na brincadeira e também tirava sarro dele. Ela é muito natural. É como uma garota normal do seu bairro, só que cem vezes mais bonita.

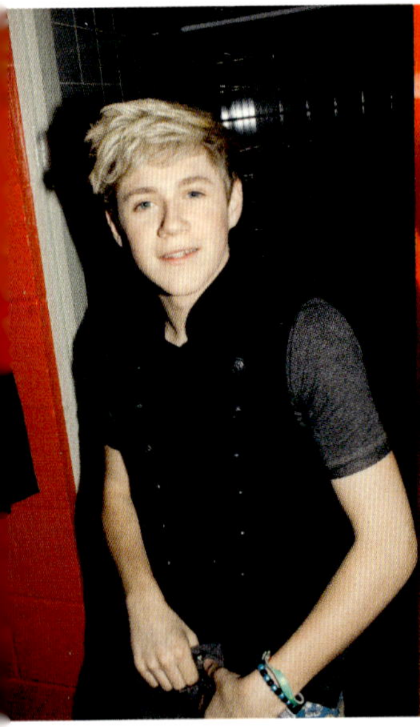

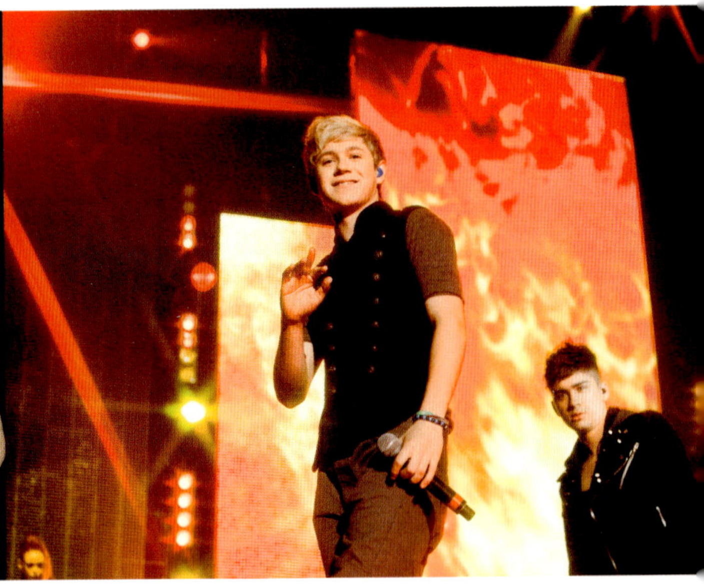

LOUCURA DE NATAL

Saímos da casa do X Factor na manhã seguinte à final e o clima estava estranho. Nosso quarto estava tão bagunçado e havia coisas espalhadas por todos os lados, e basicamente tivemos de fazer as malas com roupas para três meses em uma hora. Havia algumas vans esperando pela gente do lado de fora, e eu pensei "Isso é que é vida! Acho que consigo me acostumar com isso".

Fomos para West London, nos hospedamos em um hotel e tivemos uma reunião com a nossa empresa de agenciamento para saber o que iria acontecer no futuro. Ouvimos alguns planos incríveis e não víamos a hora de começar. Naquela noite, tivemos a festa de despedida e ela foi muito divertida, mas a gente tinha de acordar às 5 horas da manhã, então não podíamos exagerar.

Fizemos algumas apresentações e quatro dias antes do Natal eu fui para casa ver a minha família. E dormir muito. Relaxei completamente em casa, mas como eu não tinha tido tempo de fazer as compras de Natal, precisei sair e fazer isso antes. As pessoas me paravam na rua para dar parabéns e em todos os lugares havia pôsteres com a minha foto dizendo "Boa sorte, Niall" e "Boa sorte, One Direction." Foi surreal.

De certo modo, foi um Natal esquisito. Quase não parecia Natal porque senti que tinha perdido os preparativos por estar tão ocupado. No dia de Natal, eu estava tão cansado que fiquei na cama até as 11 horas da manhã, o que nunca faço. Sempre sou o primeiro a levantar. Meus amigos e familiares não me trataram de modo diferente. Ganhei os mesmos presentes de sempre, mas me sentia feliz em casa, porque as coisas estavam ficando um pouco loucas demais.

Eu moro com o meu pai na cidade, porque meus pais são separados, então primeiro fui almoçar na casa da minha mãe no campo. Voltei pra casa para jantar e toda a minha família se reuniu. Essa não foi a melhor das ideias porque estava tão frio que o encanamento congelou e a gente não conseguia nem dar a descarga (ha, ha, ha, tempos péssimos!). No final das contas, tivemos de ir para a casa do meu primo do outro lado da rua e continuar a festa lá.

O engraçado é que o X Factor fez minha família se aproximar. Minha mãe casou de novo e me dou muito bem com o marido dela, o Chris, mas meu pai não o conhecia muito bem. Como eles se falaram durante todo o tempo em que estive no programa e todos viajavam juntos para Londres para me ver, eles começaram a se dar muito bem. Lembro do meu padrasto estar na minha casa, colocando a chaleira no fogo e conversando com o meu pai, e eu disse para o meu irmão Greg "Isso está acontecendo mesmo?" Na verdade, meu pai e meu irmão nem sempre se deram bem, mas eles estão muito melhor agora, então o programa meio que fez todo mundo se aproximar. Meu pai e o pai do Matt também viraram grandes amigos, e todos os pais da banda trocam mensagens de texto e conversam ao telefone. É a família 1D!

Fiquei em contato com os garotos durante o Natal e lembrei de ligar para o Louis no aniversário dele, na véspera de Natal. Achei que ele estaria em alguma festa, mas as coisas pareciam bem calmas. Acho que ele estava tão cansado que queria relaxar, assim como todos nós.

Eu saí com os meus amigos no ano-novo e fui muito reconhecido, mas conheço quase todo mundo na minha cidade, então ninguém me incomodou de um jeito ruim – eles só queriam conversar.

DE VOLTA À LABUTA

Depois do ano-novo, fizemos várias apresentações em lugares como Edinburgh, Leeds, Oxford, Hatfield, além de vários *barmitzvah* e uma festa de debutantes. E, claro, fomos para Los Angeles.

QUATRO DIAS ANTES DO NATAL EU FUI PARA CASA VER A MINHA FAMÍLIA. E DORMIR MUITO.

Ir para lá foi uma loucura. Até deixaram a gente esperar na sala VIP, e o Liam, o Harry e eu fizemos massagens enquanto o Louis e o Zayn jogavam sinuca. A coisa toda foi inacreditável. Foi um ótimo jeito de começar a viagem.

Muitos fãs apareceram para nos ver, mas eles tinham ido para o terminal 5 e saímos pelo terminal 3, então não conseguimos vê-los, o que foi chato. Mas conseguimos ver muitos deles na volta, e tenho certeza de que vocês ouviram falar disso.

Foi um voo de 11 horas, mas não dormi nada porque estava muito agitado. Assisti a um monte de filmes. Fomos direto para o hotel depois que aterrissamos e só então fomos para o estúdio do Jim Henson. Ele foi o criador dos Muppets, então havia bonecos do Caco (o sapo) por todos os lados. O estúdio parecia uma enorme cabana de madeira.

Encontramos com o RedOne, a equipe de produção que trabalha com a Lady GaGa e muitos outros grandes artistas, e todos eram pessoas normais. Também conhecemos o Randy Jackson, e ele foi muito bacana. Até descobrimos que a Cher também estava trabalhando lá. Foi ótimo vê-la.

Eu já tinha ido para Nova York e Boston, mas nunca tinha visto nada como Los Angeles. Todo mundo parece ser bem-sucedido – é como se toda pessoa que passa por você fosse uma celebridade! Além disso, todo mundo é bem relaxado, o que combina muito comigo.

Trabalhamos um pouco enquanto estávamos lá, mas também tivemos tempo de sair para jantar e fazer algumas compras. Àquela altura, a gente já se conhecia muito melhor, então nos sentíamos bastante à vontade uns com os outros e foi como viajar com meus melhores amigos.

Ficamos tristes de ir embora de Los Angeles, mas estávamos prontos para voltar para casa, porém não nos achávamos preparados para o que enfrentamos quando aterrissamos no aeroporto. Havia muitos fãs lá e nós só estávamos com o Paul, nosso gerente de turnê. A segurança do aeroporto veio nos ajudar, mas também havia muitos paparazzi, então foi uma loucura. Sou muito claustrofóbico, então entrei um pouco em pânico quando tivemos de correr entre todo mundo e nos esconder no balcão do estacionamento. Fiquei muito aliviado quando a van da polícia chegou para nos pegar. Ainda não acredito que aquilo aconteceu – parece que tudo não passou de um sonho maluco. Foi muito estimulante.

Ensaiamos para a turnê em Londres e Wakefield. Em Londres, o ensaio foi com uma banda ao vivo e também aprendemos movimentos de dança novos e como nos mover no palco. Trabalhamos com uma coreógrafa incrível chamada Beth, e apesar de ter sido um pouco difícil pra gente no começo, acho que todos nós acabamos nos saindo bem, no final das contas. Eu nem sempre entendia as coisas de primeira, mas depois me acostumei e peguei o jeito de certos movimentos. Acho que me saí bem. A dança do Zayn ficou muito melhor e ele é ótimo. Tem tudo a ver com confiança, né? E a dele só aumenta.

O Light Structures em Wakefield é um depósito no qual foi construído o cenário que usaríamos na nossa turnê, e lá ensaiamos nossa apresentação milhões de vezes sem público. Era bem estranho se apresentar assim, mas foi maravilho porque nos acostumamos com o modo como as coisas seriam na noite de abertura. Também pudemos conhecer alguns membros da equipe com quem iríamos viajar. Felizmente todos eram legais e nos divertimos bastante. Sou bom com nomes, então me lembro de todos, e na verdade passava tempo com muitos deles durante a turnê. Um oi para os motoristas de caminhão! E aí, Fred e Bobby!

Chegamos em Birmingham dois dia antes de a turnê começar, e fizemos um ensaio com as roupas. Então de repente já era a primeira noite e eu estava apavorado. Havia 12 mil pessoas no estádio e eu nunca tinha tocado para mais de mil pessoas na minha vida. O lugar estava lotado e a pressão era enorme – era nossa chance de mostrar a que viemos. Todos nós estávamos ansiosos por aquilo, mas, ao mesmo tempo, muito

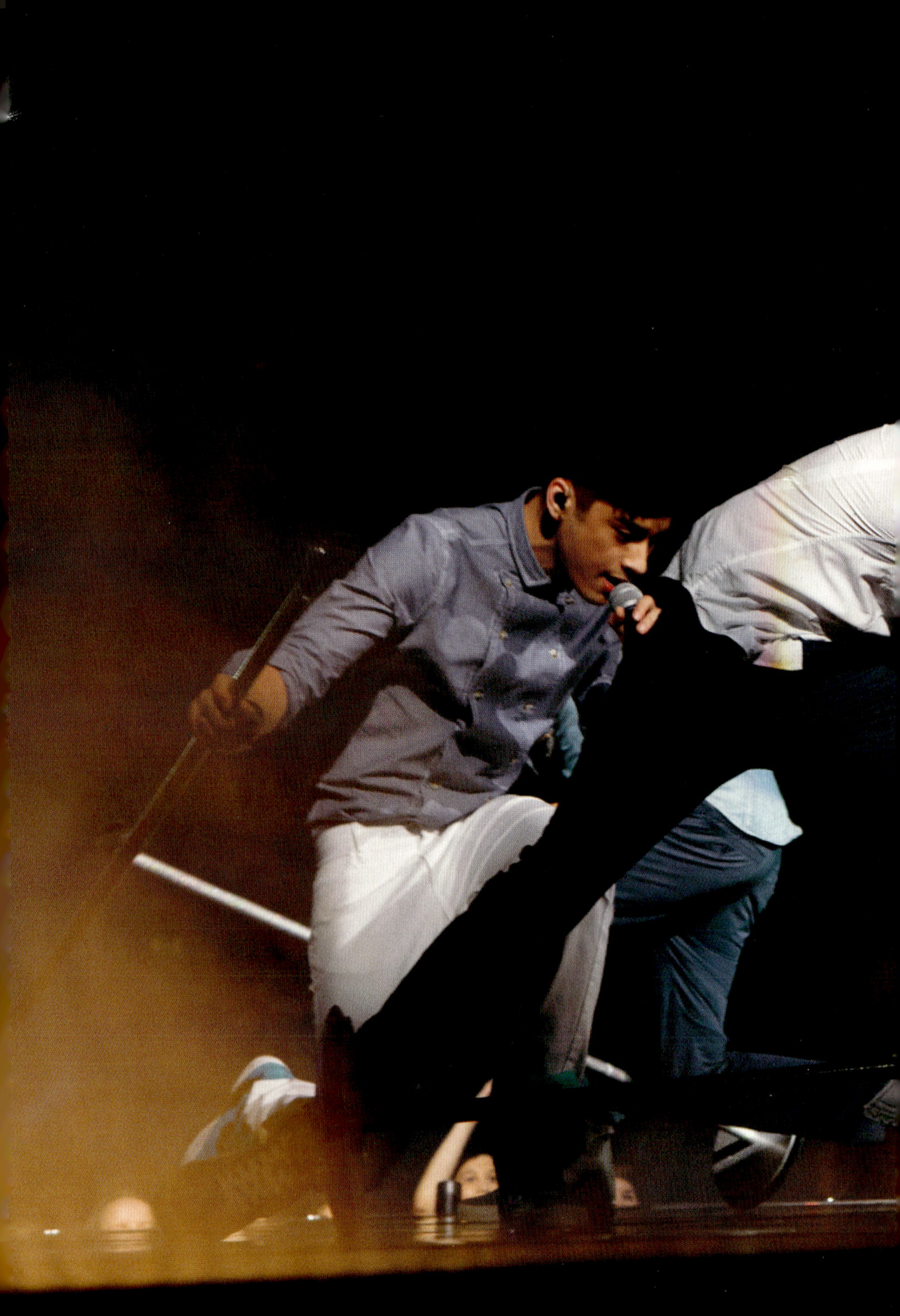

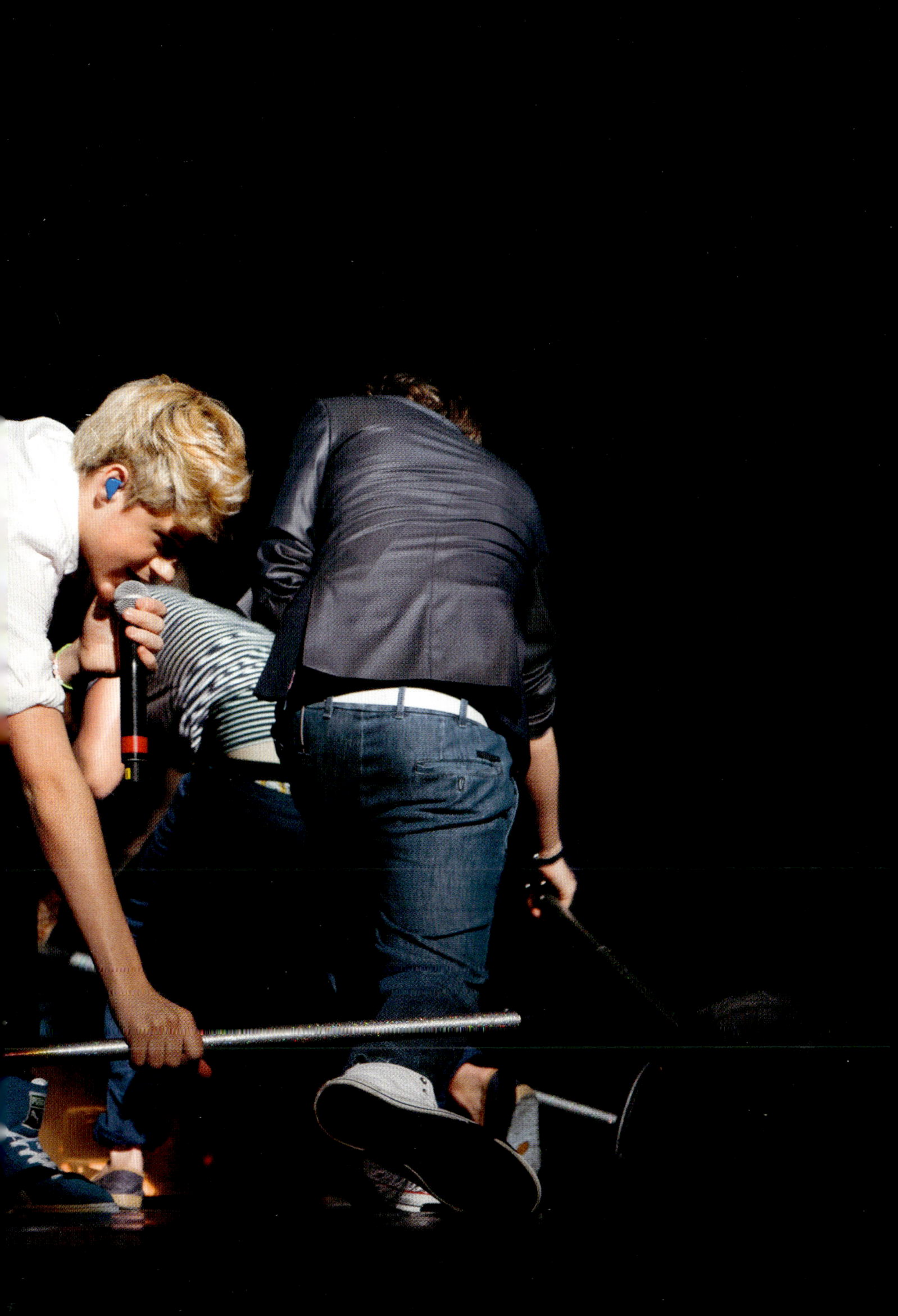

nervosos. Queríamos fazer uma apresentação incrível para os fãs, porque muitos deles iriam nos ver pela primeira vez.

No fim, foi incrível. Fiquei um pouco chocado quando vi o público e as luzes pela primeira vez, mas depois não conseguia parar de sorrir. Nenhum de nós conseguia. Depois, levou um tempão para a gente se acalmar porque ficamos completamente eletrizados.

É incrível, mas não nos metemos em nenhum problema sério durante a turnê, apesar das nossas famosas guerras de frutas.

A comida foi uma parte importante da turnê para a gente. As refeições servidas nos camarins eram muito boas, e toda noite, antes de a gente ir para o bar ou para o quarto, a gente saía para buscar comida, então comemos muita comida chinesa e muita comida do Nando's. Às vezes, se tínhamos algumas horas de folga, a gente saía para fazer compras ou buscava alguma coisa para comer antes do show. Foi ótimo poder ver tantos lugares! Vimos muitos Nando's diferentes.

De todos os lugares a que fomos, Dublin provavelmente foi o meu preferido, e não só porque sou de lá de perto. A multidão foi simplesmente incrível. Eles faziam muito barulho e quando saímos do estádio, parecia que eu havia estado em um avião por sete horas – meus ouvidos estouraram. Fizemos cinco shows em Dublin e cada um foi mais barulhento do que o outro. Minha família foi nos assistir, eles se sentaram em lugares muito bons e depois foram para o nosso hotel para descansar.

Depois de Dublin, fomos para Belfast, onde ficamos em um hotel muito bom, e novamente a multidão foi incrível. Para ser sincero, o público foi maravilhoso em todos os lugares pelos quais passamos. Não acreditava em quanto apoio recebíamos. Alguns dos cartazes eram hilários, e conhecemos muitos fãs. Vários se hospedaram no mesmo hotel que nós, ou esperavam do lado de fora para falar conosco, e apesar de a segurança ser grande, passamos com eles o máximo de tempo que conseguimos.

Warning
Noise level of
85dB(A) or above
Ear protectors
must be worn

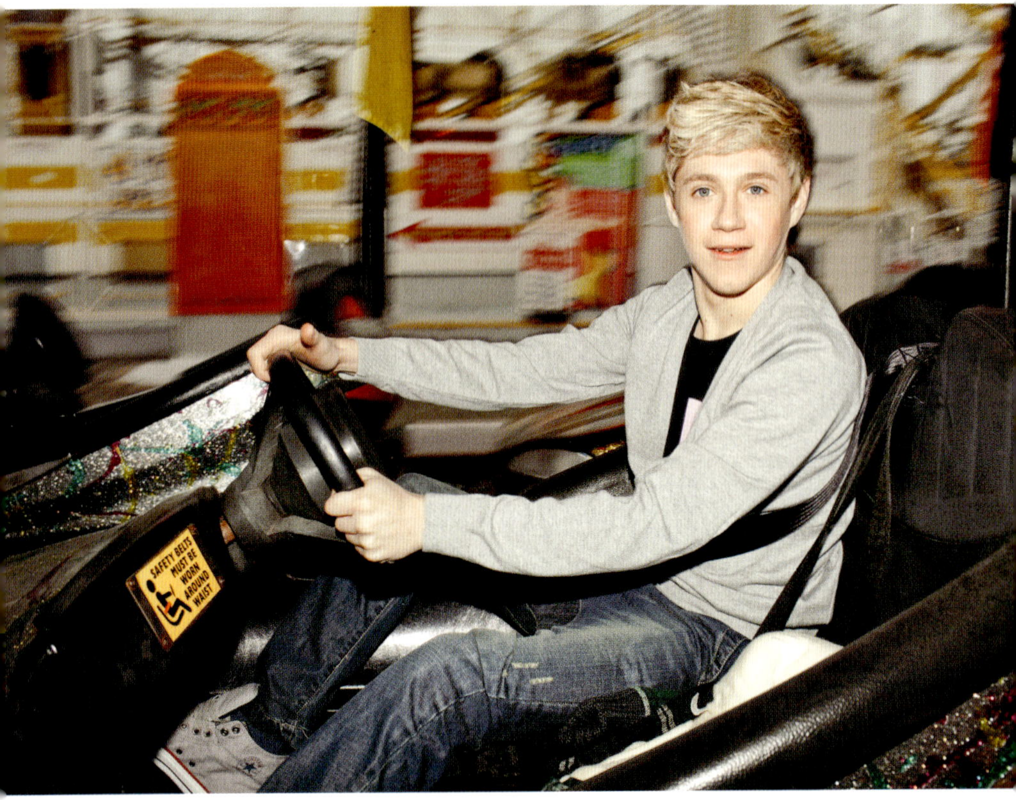
SAFETY BELTS
MUST BE
WORN
AROUND
WAIST

NIALL: DE VOLTA À LABUTA

Estávamos sempre muito ocupados. De vez em quando tínhamos um tempinho para fazer compras ou outra coisa, mas demos muitas entrevistas, fomos a vários programas de tevê e participamos de um monte de reuniões. É inacreditável como a nossa vida ficou insana em tão pouco tempo! Eu sabia que seria corrido, mas não sei se tinha imaginado que ficaria assim tão rápido. Mas não reclamamos. Sempre nos lembramos da sorte que temos por estar nessa posição. É o que sempre sonhamos fazer, então, vale a pena acordar cedo e trabalhar até tarde. Estamos literalmente vivendo os melhores momentos de nossas vidas.

Eu ia ao bar do hotel quase todas as noites durante a turnê, mas não fizemos muita festa; a gente só ficava lá conversando. Quando você sai do palco, ainda está tonto, e acho difícil ir direto para a cama, então esse é o meu jeito de esvaziar a cabeça depois de um show. Alguns dos outros preferiam ir para o quarto e ver tevê, mas eles também desciam de vez em quando, e então a gente conversava sobre o show e dava risada.

Também passamos muito tempo com os outros artistas da turnê. Havia muita pressão na época do X Factor, mas durante a turnê todo mundo estava relaxado. Era uma pressão diferente, então a gente ficava mais tranquilo.

A gente também se divertia no ônibus. Às vezes, cantávamos juntos e fazíamos muita bagunça. Na maior parte do tempo, a gente dormia ou cantava.

O Wagner foi uma das estrelas absolutas da turnê. Ele contava muitas piadas, mesmo que às vezes repetisse a mesma piada sete vezes ao dia. O Paige era bastante quieto no programa, mas na turnê ele realmente se abriu e era como se fosse uma outra pessoa. Ele é muito engraçado. Acho que todo mundo se divertiu pra valer.

Tivemos algumas festas durante a turnê e a festa de despedida foi muito engraçada. Alguns empresários e pessoas das gravadoras vieram, além dos nossos amigos

Dublin foi a melhor parte da turnê, e não só porque eu sou de lá de perto.

NIALL: DE VOLTA À LABUTA

e familiares, então o grupo era grande. Fiquei na festa até as quatro da manhã e eu precisava sair do hotel às cinco, ir para o aeroporto e voar pra casa, então não dormi nada. Você pode imaginar como eu estava cansado no dia seguinte.

Não foi uma festança. A gente só ficou sentado conversando e dizendo o quanto íamos sentir falta uns dos outros. E realmente sentimos saudades. Mantemos contato com um monte de gente da turnê pelo celular e pelo Twitter, porque éramos um grupo unido e nunca passaremos por aquela experiência de novo.

Depois, fui para a Espanha com o meu pai e o meu melhor amigo, o Sean. Conhecemos algumas pessoas de lá e fomos encontrá-las, então foi divertido. O Sean logo ia fazer as provas finais e decidiu que precisava dar um tempo, então paguei a viagem e ele adorou. Também foi ótimo passar todo aquele tempo com o meu pai, porque não o vi muito durante a turnê. Íamos muito à praia e ficávamos de bobeira na piscina, e também encontramos um *pub* irlandês para comer. Foi ótimo. Toda vez que vou para casa, adoro descansar com a minha família ou sair com os meus amigos na cidade.

Tivemos uma experiência muito engraçada algumas semanas depois da turnê. O Zayn, o Liam e eu estávamos em um supermercado em algum lugar – nem me lembro onde porque estávamos indo para algum lugar e simplesmente paramos – e tinha um cara na fila na nossa frente com um chapéu parecido com o do Matt Cardle. Ficamos brincando que o Matt estava na fila e de repente o cara vira, e era ele! Foi uma coincidência. Qual a possibilidade de acontecer uma coisa dessas?

Depois da turnê, continuamos a nos dedicar ao disco, e gravar sob a orientação de produtores de renome mundial que trabalharam com alguns dos melhores artistas do mundo foi uma experiência maravilhosa. Ir à Suécia foi incrível e claro que viajar para Los Angeles de novo era o que mais queríamos. Tivemos algumas reuniões com pessoas importantes e continuamos a trabalhar em algumas músicas que tínhamos começado da primeira vez em que estivemos lá.

Nosso objetivo com o disco foi o de reinventar o som de uma *boy band*, fazer algo que ninguém estivesse fazendo no momento e, claro, curtir o processo de gravação. A gente não queria sentar em banquinhos e cantar músicas lentas. Queríamos músicas que surpreendessem as pessoas. A coautoria funcionou assim, a gente sentava junto e começava a ter ideias. Queríamos participar do processo de composição, porque é claro que você pode entrar em um estúdio e gravar uma música, mas talvez não saiba do que ela fala. Faz uma diferença enorme ser capaz de cantar algo que você ajudou a criar. Desde o começo dissemos que queríamos estar completamente envolvidos, e temos sorte de ter tido essa oportunidade.

Fazer as sessões de autógrafos para o livro *Forever Young* foi inacreditável. Muitas pessoas vieram a elas e era tão barulhento que eu saía com dor de cabeça. Não havia um único momento de silêncio. O apoio demonstrado pelos fãs foi incrível. Ganhei sete óculos de plástico enormes em forma de trevo.

Adoramos ir aos lugares e conhecer os fãs, e também gostamos de fazer as coisas com a imprensa, como sessões de fotos e entrevistas. Fomos a todo tipo de programa de tevê, e quanto mais fazemos, mais sentimos que estamos ficando fortes como grupo.

O FUTURO É LUMINOSO

Eu não fazia ideia de quantos fãs nós tínhamos até sair em turnê. Eles estavam literalmente por toda parte e assim que descobriam onde nos encontrávamos, lá estavam eles. Às vezes, havia seiscentos fãs esperando do lado de fora quando saíamos para o show. Quando estivemos em Dublin, foi preciso fechar a rua inteira,

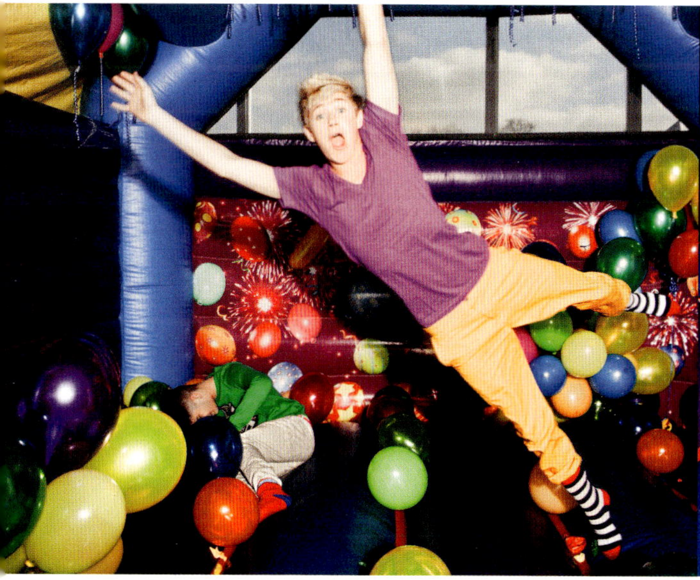
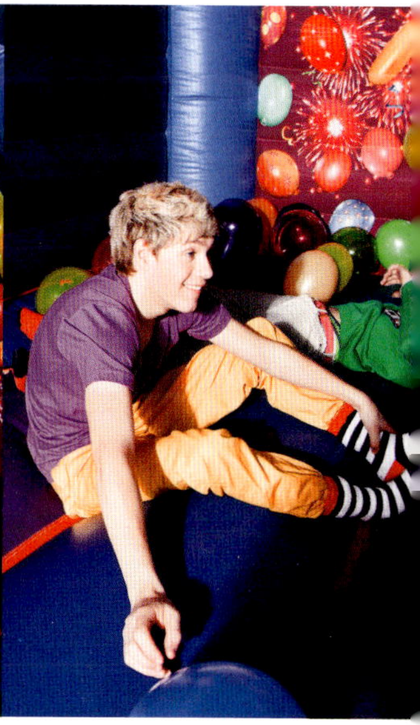

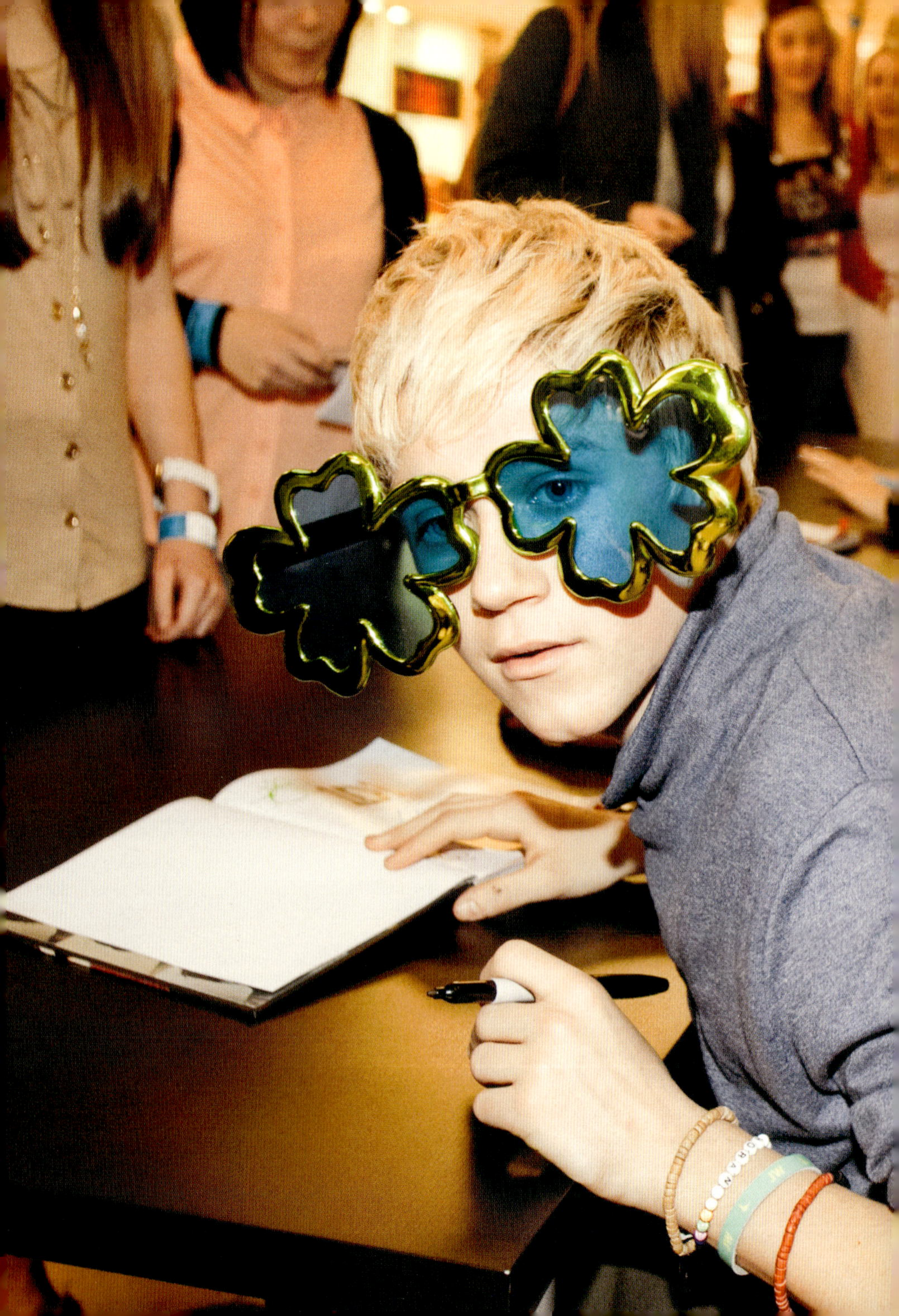

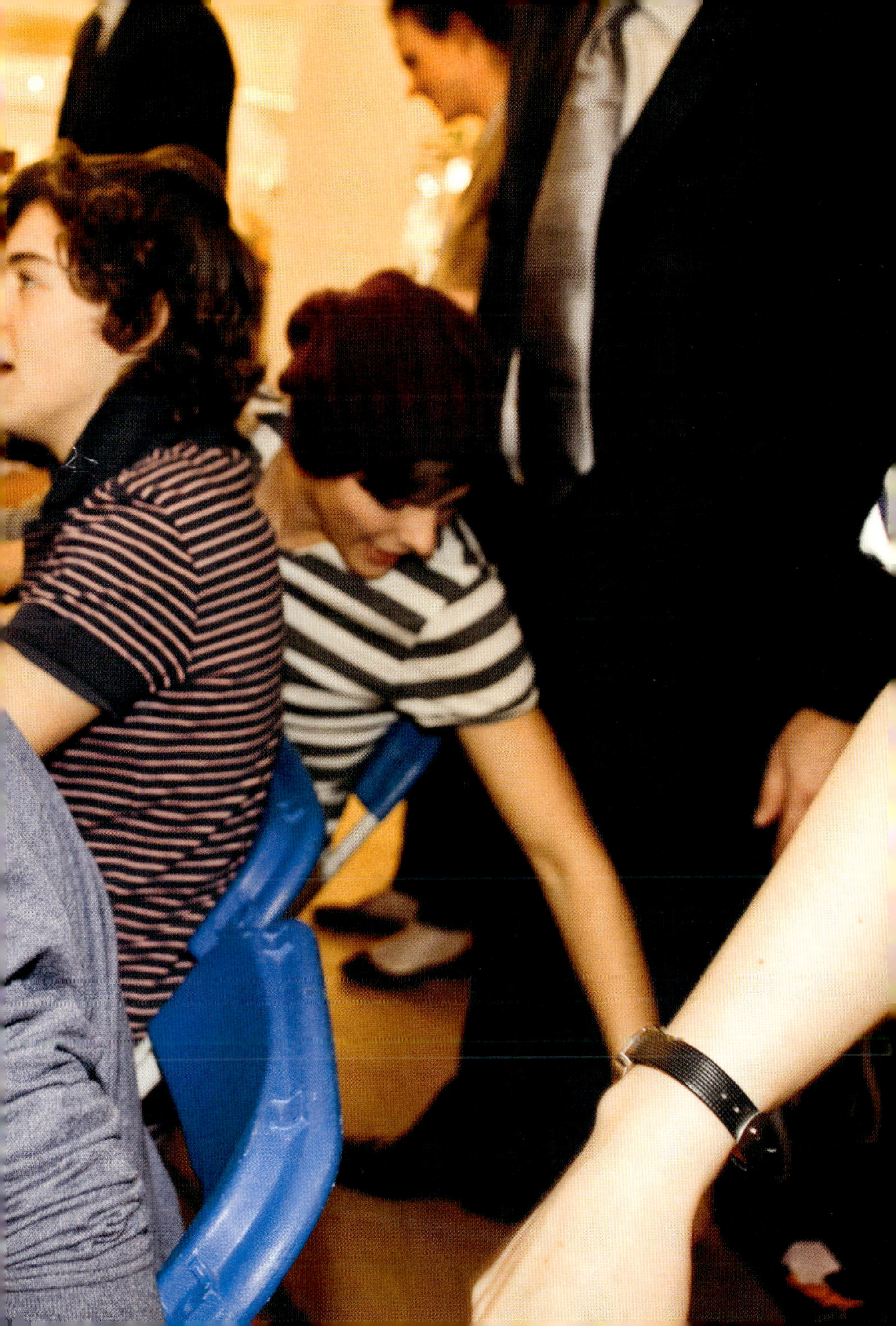

e todos os fãs estavam cantando "Forever Young" bem alto. Foi incrível! Harry gravou um vídeo e ficamos surpresos quando vimos as imagens novamente. Eu assisti a shows como The Script e Westlife em Dublin, mas nunca tinha visto algo parecido.

Temos fãs inacreditáveis. Quando ficamos em um hotel em Richmond, havia meninas do lado de fora dormindo em sacos de dormir ou que reservaram quartos no nosso andar. E todo dia, depois da aula, havia cerca de quatrocentos ou quinhentos fãs do lado de fora. É incrível como a notícia sobre onde estamos se espalha.

Sinceramente acho que nenhum de nós mudou até agora e penso que não mudaremos. Se você passar um dia com a gente, vai ver que somos caras normais se divertindo. Claro que o nosso dia a dia mudou, mas sinceramente não consigo ver nenhum de nós ficando metido ou pensando que é especial – a gente tira muito sarro um do outro para isso acontecer! Temos de ser mais cuidadosos com as coisas, como fazer compras, porque mesmo se a gente só der um pulinho em uma loja para comprar algo, pode acontecer das pessoas nos reconhecerem e tudo ficar meio maluco, então compramos muitas coisas pela internet agora.

Ainda estou chocado com o ritmo das mudanças. Quando vamos a um programa de rádio ou nos pedem autógrafos, ainda temos de nos beliscar. E estamos empolgados com o que ainda vai acontecer. Temos muitas ideias sobre o que queremos fazer, e mesmo quando estávamos em turnê, o que adoramos, ficávamos loucos para voltar ao estúdio e gravar o disco. Estamos muito ansiosos para que ele seja lançado, mas também sabemos que é importante não apressar as coisas e fazer tudo direitinho. Queremos sucessos! Também gostaríamos muito de ir ao BRIT Awards – e quem sabe ser indicados no ano que vem.

Estamos animados com o documentário porque ele vai mostrar um lado nosso diferente. Primeiro, era engraçado ter câmeras ao nosso redor, como acontecia no X Factor, mas logo nos acostumamos e nem percebíamos mais. Então, imagina o que ele não vai revelar.

NIALL: BATE BOLA

É a mesma coisa com a turnê. Também há muitos planos para ela, e teremos mais ideias até o último minuto. Queremos que seja o melhor show que nossos fãs já viram.

Em 2012, quero que a gente continue a fazer o que estamos fazendo e que a gente cresça, fique melhor e mais forte. Quero ir para todos os lugares e fazer de tudo! E queremos que vocês acompanhem a gente nesse caminho.

BATE-BOLA

DATA DE NASCIMENTO: 13/9/1993
SIGNO: Virgem

Preferências...

FILME: *Nos Tempos da Brilhantina* e *Os Bons Companheiros*
PARTE DO CORPO: Meus olhos
COMIDA: Pizza, Nando's
DISCO: *Crazy Love* do Michael Bublé
AMIGO: Meus amigos Sean, Scott, Dillan e Brad
CELEBRIDADE FEMININA: Cheryl Cole
LOJA: Topman
BEBIDA: Água ou Coca-Cola
COR: Azul
PROGRAMA DE TEVÊ: *Two and a Half Men*
LOÇÃO PÓS-BARBA: Armani Mania (é a loção mais antiga da Armani, mas acho que é a melhor)
PERFUME: Chanel Blue, Victoria's Secret
JOGO DE COMPUTADOR: Fifa

CORAGEM PARA SONHAR

APLICATIVO DE CELULAR: Flick Kick Football, Sky Mobile
MELHOR JEITO DE PASSAR O DOMINGO: Dormindo o máximo possível
ONDE TER UM ENCONTRO: Nando's
PAÍS: Irlanda
RESTAURANTE: Nando's
COMO RELAXA: Tocando violão
MEIO DE TRANSPORTE: Avião
DIVERSÃO NOTURNA: Em Mulingar, dando risada com os meus amigos
BANDAS: The Script, The Coronas, The Eagles, The Kooks, The Doors, Thin Lizzy, Take That e Westlife
QUAL A COR DO SEU EDREDOM? Branco com estampa preta
QUE TIPO DE CUECA VOCÊ USA? Samba-canção da Calvin Klein (hoje estou usando uma dos Simpsons)
PRIMEIRO ANIMAL DE ESTIMAÇÃO: Dois peixinhos dourados chamados Tom e Jerry que meu irmão matou dando comida demais
VOCÊ PREFERE FICAR SOZINHO OU TER A COMPANHIA DOS OUTROS? Gosto das duas coisas. Gosto de estar com os meus amigos, mas às vezes preciso de um tempo sozinho
ÚLTIMO LIVRO QUE LEU: *Forever Young* do One Direction
ÚLTIMAS CINCO COISAS QUE COMPROU: Uma pizza, um jeans, água, um tênis e um Macbook Pro
QUAL O SEU TIPO DE GAROTA? Gosto de meninas que aguentem um pouco de brincadeira, que gostem de se divertir e das mesmas coisas que eu – se você vai me namorar, tem de gostar de ir a um jogo de futebol. Sempre torci para o Derby County. Gosto de meninas com um visual natural.

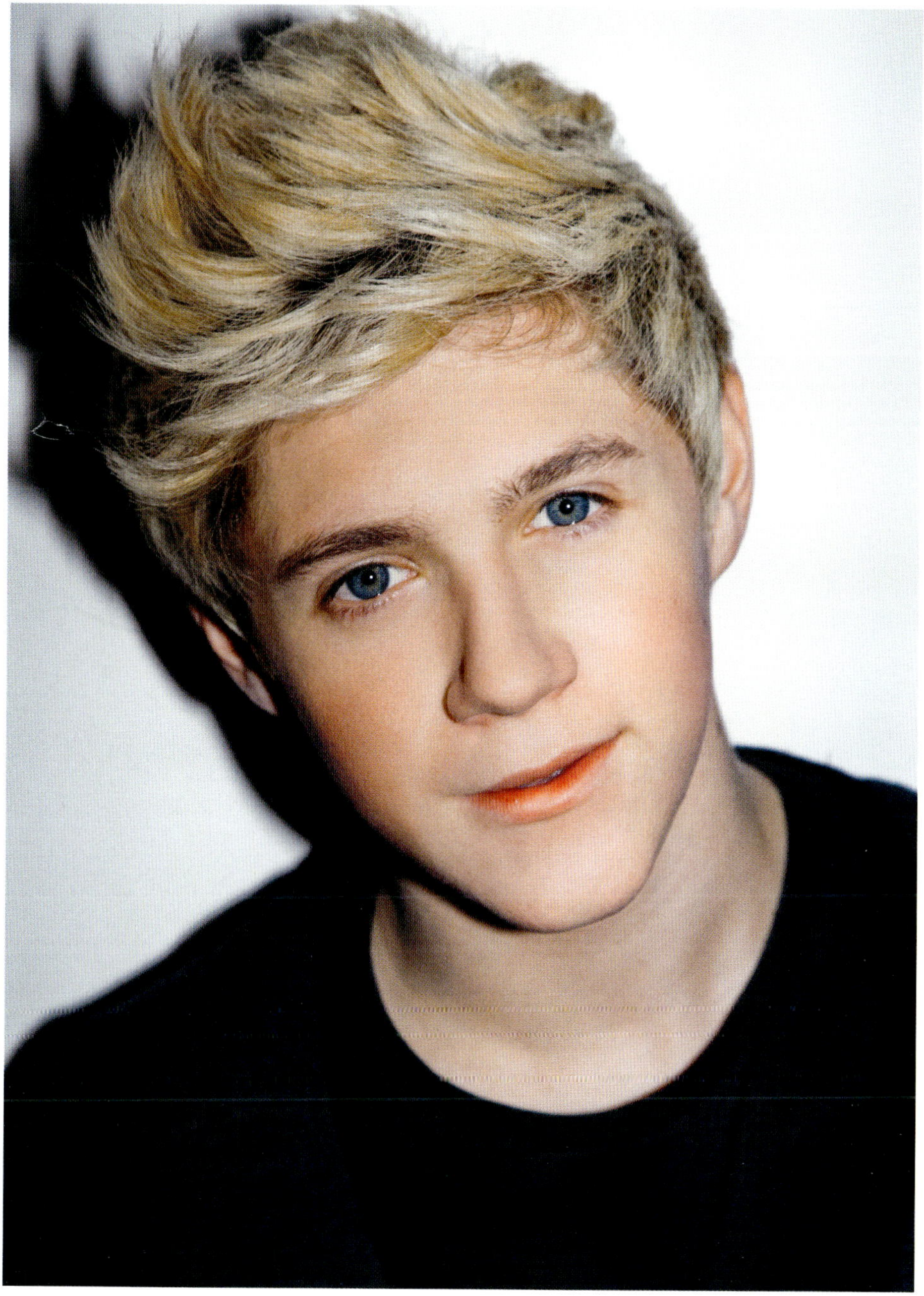

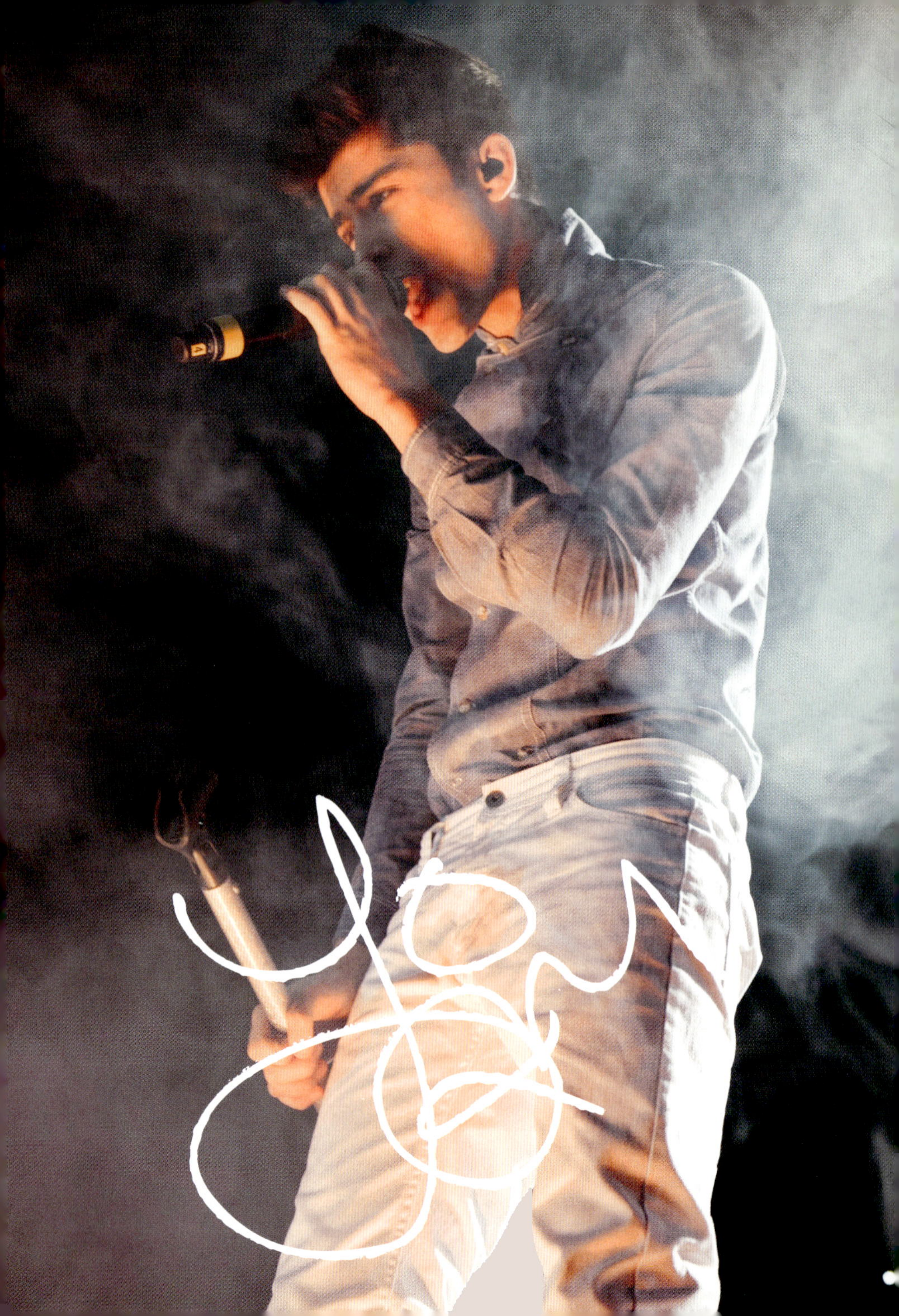

ZAYN MALIK

INFÂNCIA

Eu cresci em uma família muito grande, tenho cinco tias e dois tios do lado paterno. Todos eles se casaram e tiveram filhos, então tenho um monte de primos. Não sei o número exato, mas certamente são mais de vinte. São todos primos em primeiro grau, então somos muito próximos – considero-os como irmãos.

Também tenho três irmãs e sou o único menino. Não há muitos meninos na minha família – talvez seis ou sete na família inteira –, então cresci com uma forte influência feminina. Isso definitivamente influiu na minha personalidade e eu era muito mais sensível durante minha adolescência porque passava tempo demais entre as mulheres. Acho que isso também fez com que eu entendesse mais as mulheres do que a maioria dos homens, para ser sincero. Estava do lado da minha mãe o das minhas irmãs quando elas tiveram altos e baixos, então houve momentos em que precisei me trancar no meu quarto para escapar, e ainda hoje consigo perceber essas coisas.

Sou o segundo mais velho na família. Primeiro veio a Doniya, depois eu, e então a Waliyha, e dez anos depois, a minha irmã mais nova, a Safaa. Waliyah é como a

CORAGEM PARA SONHAR

Megan do programa *Drake and Josh*. É uma garota muito, muito inteligente, E, se um dia encontrá-la, ela vai te passar a perna.

Gosto de pensar que sou um bom irmão mais velho. Cuido das minhas irmãs, mas também sou bastante firme e falo com elas se precisarem arrumar o quarto ou coisa parecida, e elas me ouvem. Acho que também sou bacana com elas. Sempre que tenho um pouco de dinheiro, compro presentes, e sempre penso no bem delas.

Minha memória mais antiga é a de ir a um parque de diversões com a minha avó e a minha mãe quando tinha uns três anos de idade. Tudo parecia enorme e lembro das luzes brilhantes e da emoção de andar no carrossel.

Eu dava um pouco de trabalho quando criança porque era hiperativo. Se comesse um pouquinho de açúcar já estava pulando até o teto e correndo pela casa. Mesmo dentro de casa, a minha mãe me deixava no carrinho e me fazia ficar lá porque eu não parava um minuto. Tinha muita energia. Mas, ao mesmo tempo, era bastante reservado e, se alguma coisa me incomodava, guardava pra mim. Acho que por ser o único menino, queria me preservar, então passava muito tempo sozinho quando era pequeno. Eu tinha um quarto só para mim, então brincava sozinho. Era muito independente e de alguma maneira ainda sou.

Não fui à pré-escola porque eu era bem próximo do meu pai e ele gostava de me ter por perto, então só entrei na escola no pré. Na noite anterior, eu não dormi nada e estava muito empolgado para usar meu uniforme novo.

No pré, a gente só fazia bagunça e brincava no tanque de areia. Fora isso, só me lembro das cadeiras serem baixinhas e de sentar no chão de vez em quando para ouvir histórias.

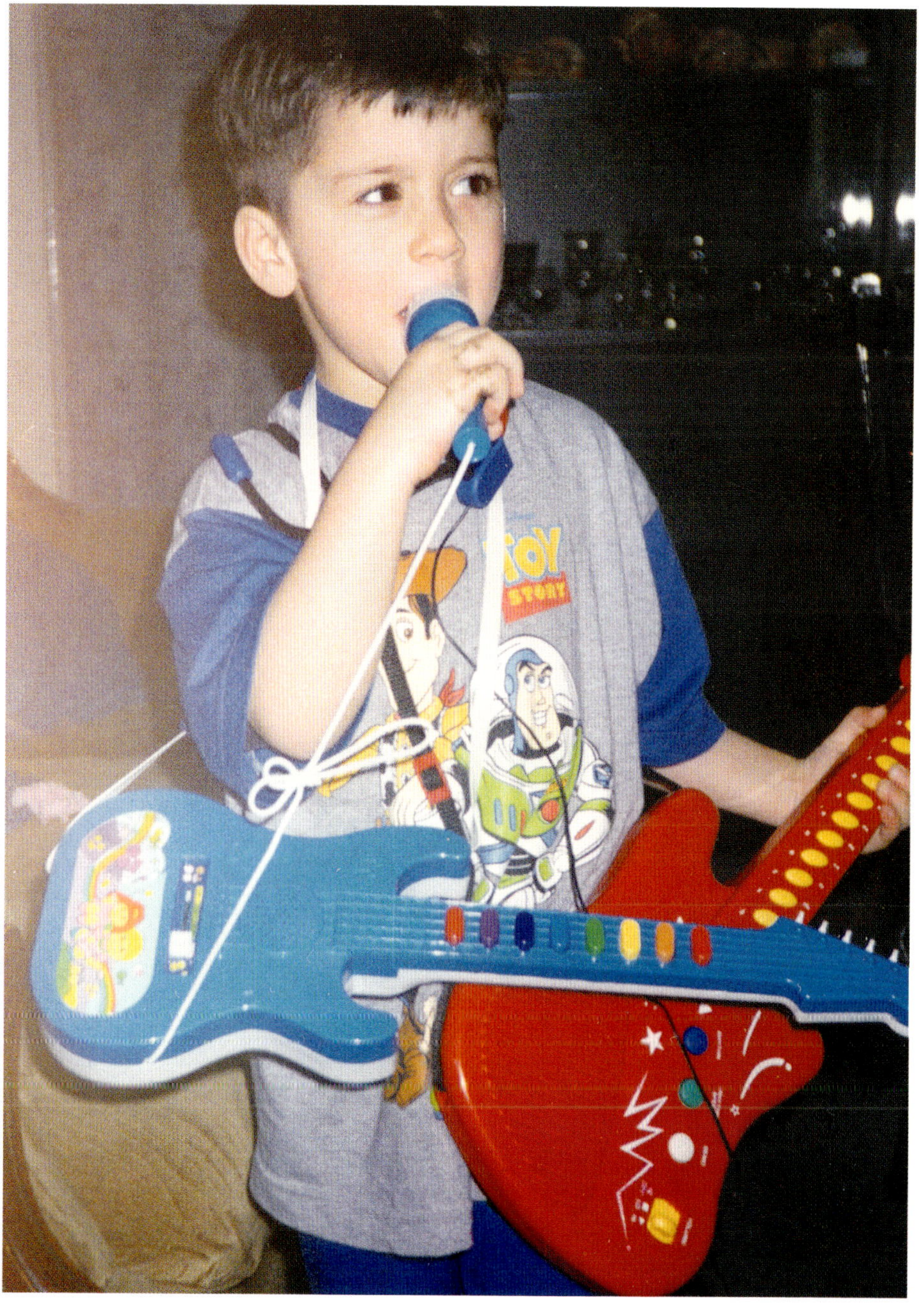
TOY
STORY

CORAGEM PARA SONHAR

Desde pequeno eu era muito bom em inglês e na leitura. Aos oito anos, eu já lia como uma pessoa de 18. Meu avô vivia me fazendo ler coisas porque ele tinha muito orgulho daquilo.

Conclui o curso de inglês quase com a nota máxima um ano antes de terminar a escola. Queria fazer a prova final de novo e tirar a maior nota, mas não me deixaram. Fui obrigado a estudar mais matemática, o que nunca fez sentido para mim porque eu odiava essa matéria. Também sempre fiz aulas de arte e acho que tinha um pouco de talento. Meu pai é um artista incrível, então herdei isso dele, e ainda adoro pintar e desenhar. Estou pensando em fazer novos quadros e colocá-los no nosso site, então fique de olho.

Eu não tinha muitos amigos na primeira escola que frequentei, porque gostava de fazer as coisas sozinho. Então, depois de dois anos, mudei para outra escola, e lá eu conheci um cara chamado Sam. Nós nos demos muito bem e ele foi o meu melhor amigo até eu sair daquela escola. Sempre fui o tipo de pessoa que tem apenas um bom amigo, e ainda sou assim. Claro que sou próximo de todos os garotos, mas nunca fui o tipo de pessoa que precisa de um monte de gente em volta.

Mesmo hoje em dia, leva um tempo para eu conhecer as pessoas e ser espontâneo. Não as deixo chegar muito perto. Por mais que eu ame conhecer pessoas, gosto que isso aconteça bem antes de enxergá-las como minhas amigas de verdade.

Sentia que não iria me adaptar nas minhas duas primeiras escolas, pois eu era a única criança com várias origens. Meu avô Mohammed nasceu no Paquistão e meu pai, na Inglaterra. O pai da minha mãe era irlandês e a mãe, inglesa, então eu sou irlandês/inglês/asiático, o que é uma baita mistura.

Meu avô tem pele clara e olhos verdes, e todo aquele lado da família saiu com olhos verdes bem claros.

Depois de frequentar por um ano a minha primeira escola de Ensino Fundamental II, minha irmã e eu mudamos para outra escola porque ela não gostava daquela. Nossa escola nova era muito mais miscigenada, então me senti muito melhor. Além disso, todas as meninas queriam saber quem era o menino novo, e foi quando me tornei descolado.

Eu tinha 12 ou 13 anos quando comecei a me importar com a minha aparência. Até acordava meia hora antes da minha irmã para arrumar o cabelo. Meu pai cortava meu cabelo desde os cinco anos de idade, então ele também me ajudava a ajeitá-lo. Quando fiquei um pouco mais velho, comecei a fazer isso sozinho e a me interessar por moda e meninas. Acho que foi quando comecei a me tornar a pessoa que sou hoje, pelo menos em termos de aparência, e a achar que tinha ideias descoladas, mesmo quando não era verdade.

Tive alguns cortes esquisitos ao longo dos anos e raspei a cabeça algumas vezes quando era mais novo, e também raspei as sobrancelhas. Achava que estava abafando, porque gostava de R&B e rap, e pensava que isso me fazia parecer durão. Também tive uma fase horrível na qual usava calças enormes e casacos com capuz o tempo todo. Eu também achava que estava lindo, mas olhando agora, acho que não era o caso...

Na escola, eu gostava muito de teatro e consegui um papel em *Nos Tempos da Brilhantina* no começo da minha adolescência. Eu era muito baixo para o papel principal, mas eles criaram papéis novos para mim e para um cara chamad Aqib Khan. Aqib está se saindo muito bem – ele fez o papel principal no filme *West is West* – e estou muito feliz por ele. Éramos bons amigos na escola e fizemos algumas peças juntos. Eu também participei de *Mil e uma noites* e fiz o papel de Bugsy em *Quando as Metralhadoras Cospem*, que foi um momento maravilhoso.

Eu adorava estar no palco e me tornar outra pessoa. Descobri que ser um personagem era algo muito libertador e costumava ter uma descarga enorme de adrenalina quando estava no palco. Naquela época, cantar era algo secundário

ACIMA: **PIPOCA E BOLO — O JEITO PERFEITO DE COMEMORAR O ANIVERSÁRIO DE QUATRO ANOS!**
NA PÁGINA OPOSTA: **UMA DAS MINHAS PRIMEIRAS SESSÕES DE FOTO**

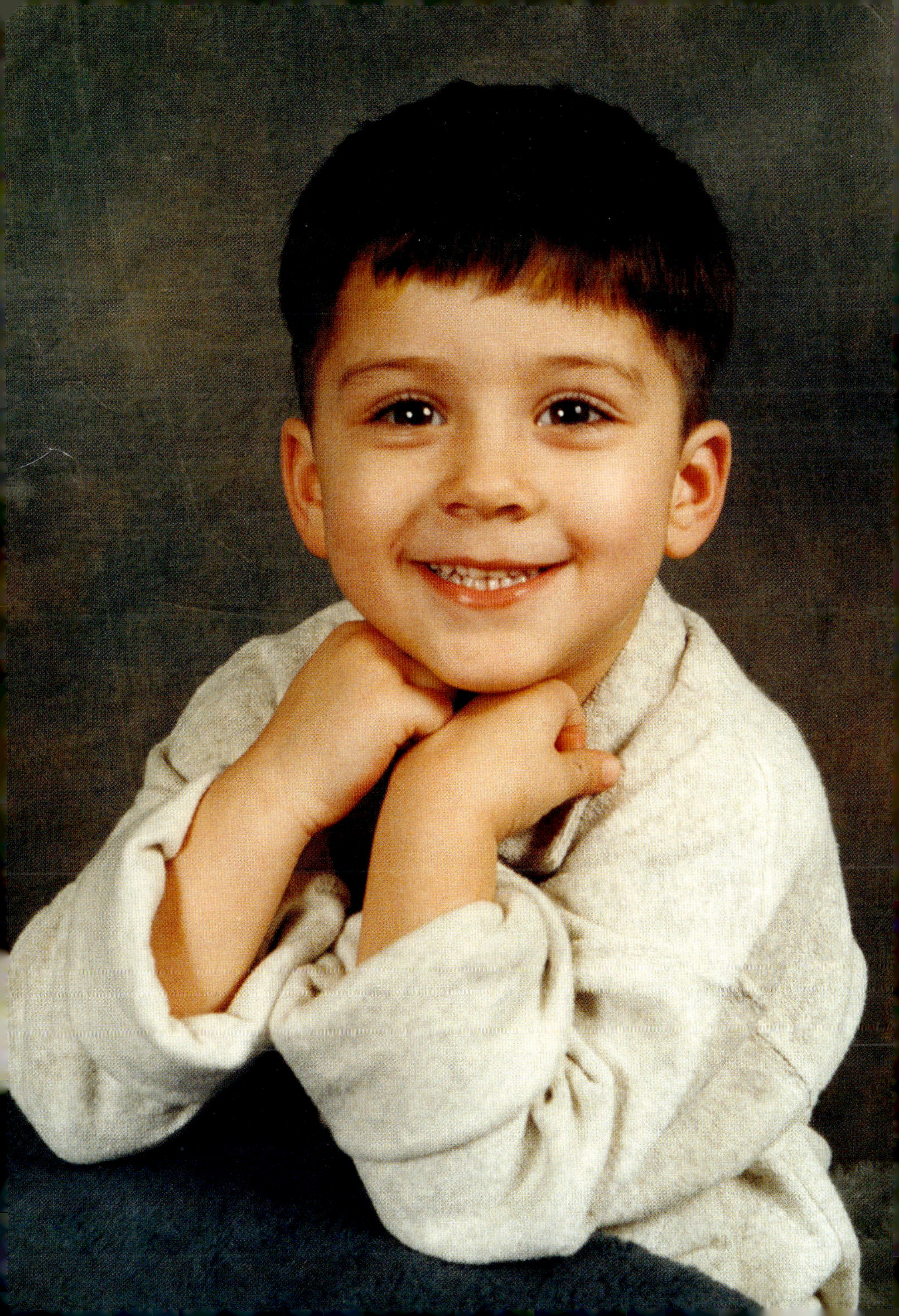

MESMO HOJE EM DIA, LEVA UM TEMPO PARA EU CONHECER AS PESSOAS E SER ESPONTÂNEO

ZAYN: INFÂNCIA

para mim. Entrei para o coral porque minha professora de música, a sra. Fox, pediu, e então me envolvi com a música, mas naquela época eu só queria saber de estar no palco interpretando um personagem.

Na minha aula de teatro, havia um cara chamado Danny; a gente se deu bem logo de cara e ele também se tornou um bom amigo. Ele era um ou dois anos mais velho do que eu, então comecei a andar com muitas crianças mais velhas por causa dele. Também fiz amizade com seu irmão, o Anthony, que é dois anos mais novo do que eu, e comecei a andar com os dois, ir ao cinema e fazer coisas assim o tempo todo, e viramos uma pequena gangue de três. Eles ainda são meus dois melhores amigos e estamos sempre em contato.

Eu era bem baixinho para a minha idade até os 16 anos. De repente, durante as férias de verão, cresci muito. Lembro de estar toda hora com fome e de ter dores nas pernas, e minha mãe não sabia o que havia de errado comigo, mas acho que eram dores do crescimento. Foi quase como se eu tivesse ido pra cama um dia e acordado alto. Todo mundo ficou realmente chocado quando me viu depois das férias. Até mesmo várias meninas eram mais altas do que eu e, de repente, eu estava mais alto do que elas; acho que um monte de gente não entendeu nada.

Eu tinha nove ou dez anos quando dei meu primeiro beijo. Era tão baixo que tive de pegar um tijolo e encostá-lo na parede para que eu pudesse ficar de pé sobre ele e alcançar os lábios da menina. Lembro de pensar "Eca, acabei de beijar uma menina, foi horrível". Foi só um selinho, mas fiquei morrendo de vergonha de que alguém descobrisse. Eu achava que as pessoas ficariam sabendo que eu tinha beijado alguém só de olhar para a minha cara.

Comecei realmente a me interessar por garotas quando tinha 12 ou 13 anos. As meninas vinham e perguntavam se eu queria sair com alguma amiga delas. Tive minha primeira namorada por volta dos 15 anos, e fiquei com ela por cerca de nove meses. Só tive duas ou três namoradas de verdade.

CORAGEM PARA SONHAR

Quando se trata de meninas, não diria que tenho um tipo específico. Fiquei menos superficial com a idade, e agora personalidade é muito importante para mim. Alguém pode ser a pessoa mais linda do mundo, mas não há nada pior se ela também for chata. Você precisa de alguém que o estimule mentalmente.

UM PASSO DE GIGANTE

Pra mim, toda a experiência com o X Factor foi esquisita. Na escola, nunca fui de me exibir, mas meu professor de música sugeriu que eu tentasse. Peguei um formulário quando tinha 15 anos, mas fiquei com medo e não o preenchi. Fiz a mesma coisa no ano seguinte, mas quando tinha 17 anos e o formulário chegou, finalmente tive coragem suficiente para preenchê-lo. Mesmo depois disso, quando chegou o dia do teste, decidi que não queria ir! Fiquei na cama e não queria levantar, e foi minha mãe quem praticamente me obrigou a levantar, colocar uma roupa e sair.

Acho que estava com medo de ser rejeitado, então, quando comecei a passar para a fase seguinte, foi uma loucura. Eu achava que só me deixavam passar para tirar sarro e que as pessoas estavam rindo de mim.

A experiência com o X Factor foi como um redemoinho, e quando você está no meio dele, é muito difícil processar as coisas. Tudo passa tão rápido e de repente você está de pé sobre tapetes vermelhos, encontrando artistas famosos e cantando para milhões de pessoas. Quando olho para trás, percebo como a coisa foi intensa. Dormimos muito pouco durante a fase do programa e trabalhamos sem parar, então eu me senti como se estivesse prestando o serviço militar. Você não assiste tevê, não sabe o que está acontecendo no mundo e tudo o que importa é a competição, então você pode se sentir um pouco desligado da realidade.

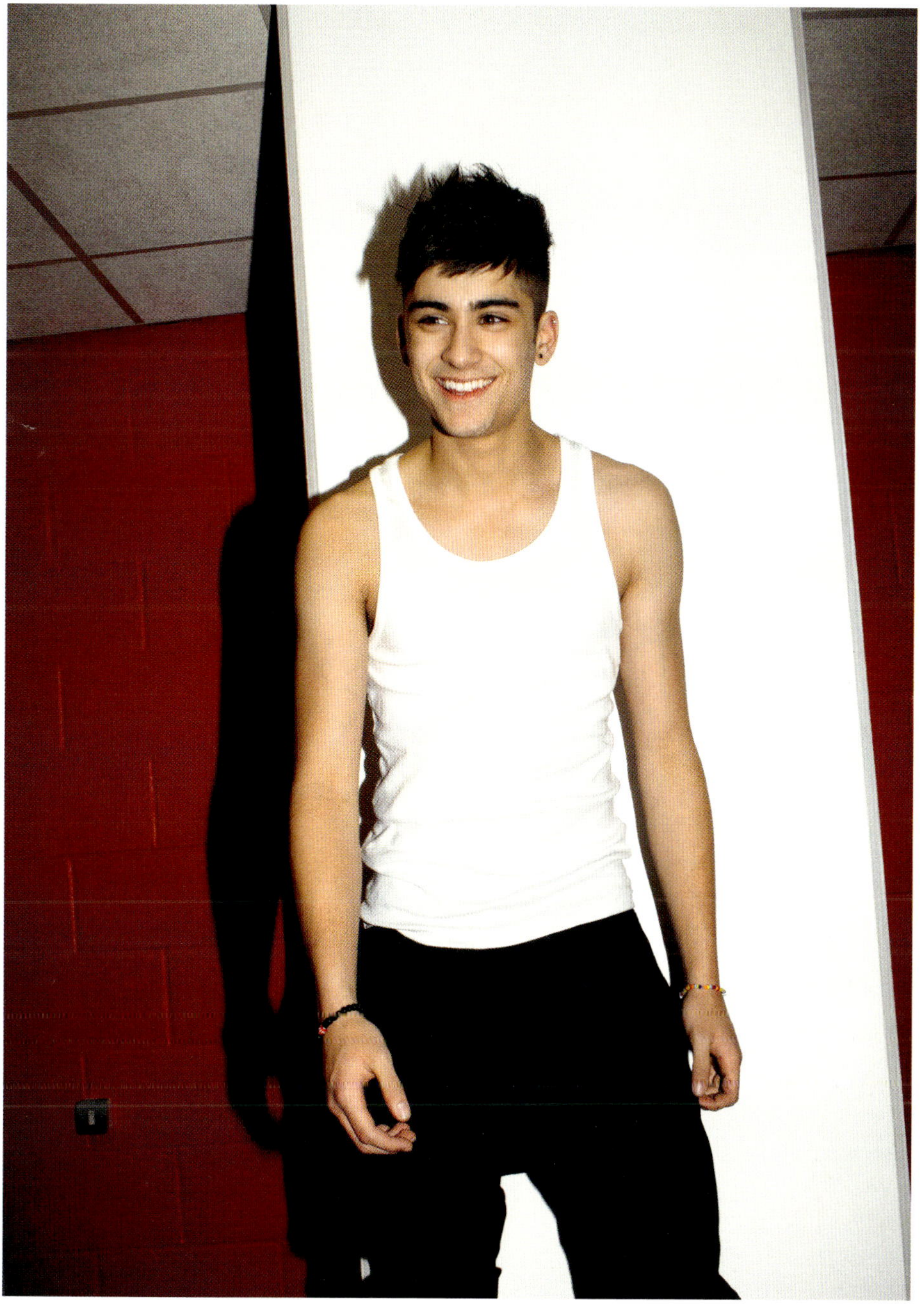

CORAGEM PARA SONHAR

Quando entrei no programa, tinha acabado de terminar o segundo colegial, e minha escola disse que sempre haveria um lugar para mim se eu quisesse voltar. Mas assim que comecei no programa, sabia que era aquilo que queria fazer. O X Factor me fez mudar muito como pessoa. Eu era muito reservado e achava difícil falar com as pessoas que não conhecia. Mesmo quando minha mãe me pedia para ligar para o médico e marcar uma consulta, odiava a ideia de ter de falar com um estranho ao telefone. Agora vejo os fãs e converso com eles por horas, feliz da vida. O programa me deu muito mais autoconfiança e me ensinou como falar com as pessoas, e sou muito agradecido por isso.

Como grupo, somos muito próximos, mas, de certo modo, ainda estamos nos conhecendo um pouco melhor a cada dia. A primeira vez em que realmente nos aproximamos depois do programa foi quando fomos para a casa do padrasto do Harry. Mas, pensando bem, não nos conhecíamos muito bem naquela época. Tivemos essa oportunidade incrível de nos tornarmos uma banda, mas a primeira coisa que me passou pela cabeça depois de toda a empolgação foi "como vamos organizar isso quando cada um é de um lugar diferente?" Felizmente, o Louis e o Harry são um pouco mais organizados do que eu, então eles bolaram o plano de nos encontrarmos e ficarmos em Cheshire porque era um lugar fácil para todos chegarem.

Todos os caras apareceram, mas eu só cheguei três dias depois porque estavam acontecendo algumas coisas em casa. Assim que cheguei, ficou evidente que quando você não conhece as pessoas, passar três dias juntos como eles já tinham passado faz uma *grande* diferença, então me senti um pouco de fora e as coisas foram meio esquisitas no começo.

Felizmente, muitos deles são muito extrovertidos e divertidos, e logo me senti parte do grupo. A gente sentava em volta de uma fogueira e cantava, assistia tevê e comia. Estávamos nos conhecendo sem perceber.

A GENTE ACHAVA QUE HARMONIA ERA CINCO GAROTOS CANTANDO AO MESMO TEMPO.

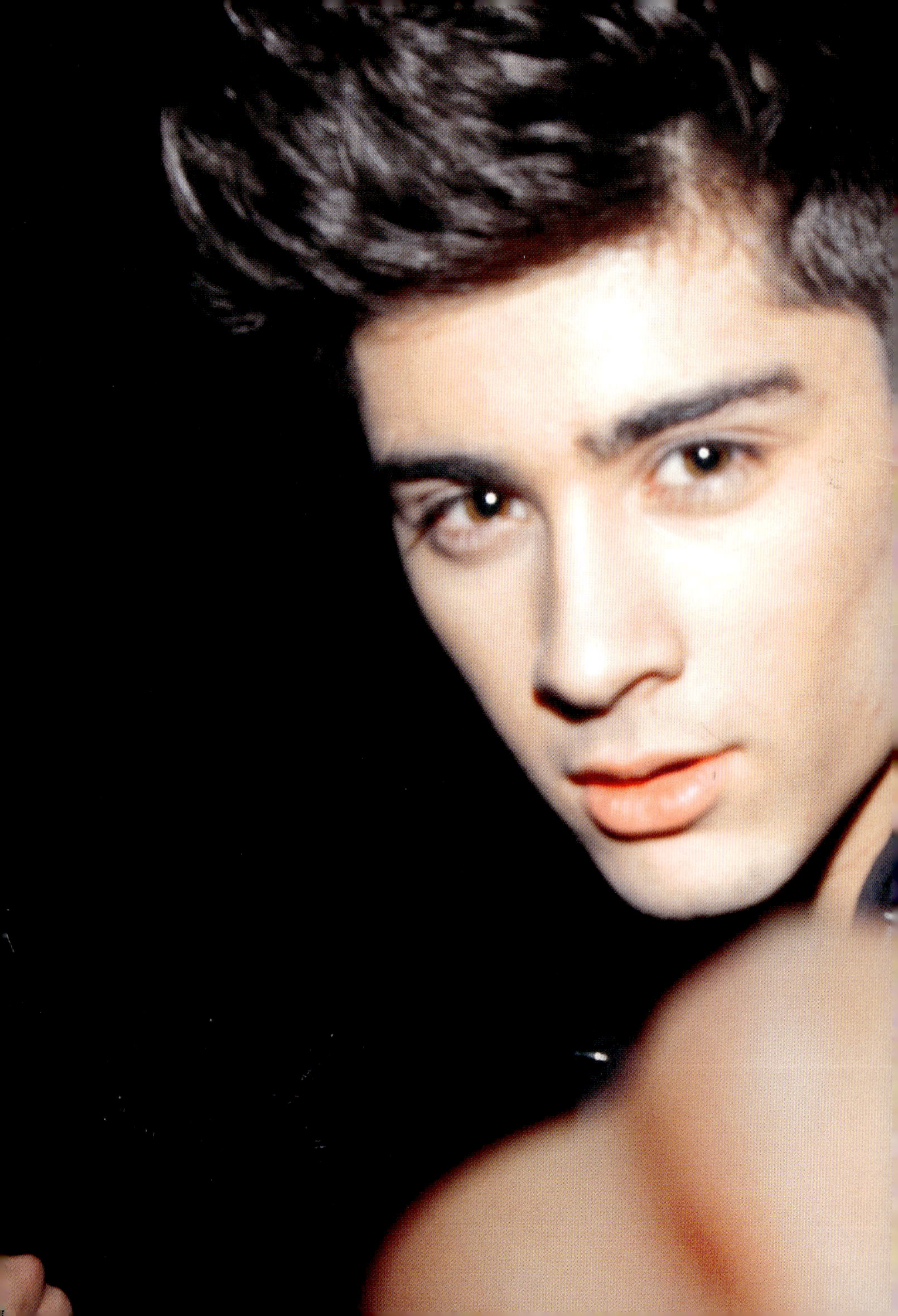

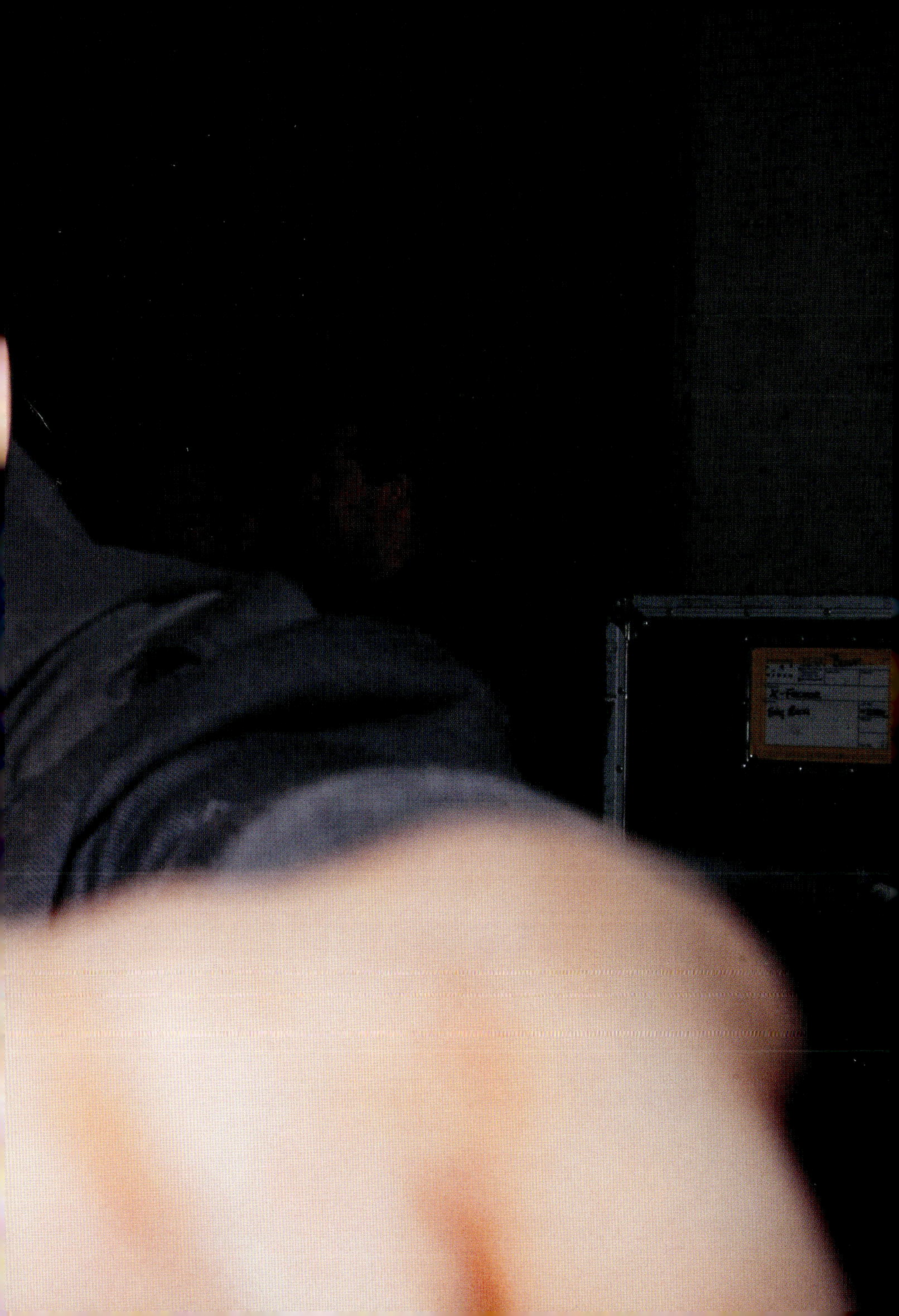

CORAGEM PARA SONHAR

O Louis e eu fizemos amizade muito rapidamente porque somos parecidos em várias coisas, mas eu também brigava mais com ele por causa disso. O Harry gosta de aprontar, então também me dei bem com ele, mas provavelmente a pessoa com que me dei melhor foi o Liam, porque ele é muito sério e focado. Logo percebi que o Niall era um pouco maluco. Ele é muito divertido e não para nunca. Deve ser cansativo ser como ele.

Durante aquela pausa, a gente deveria ensaiar como banda, mas não tínhamos ideia do que estávamos fazendo. A maioria de nós cantava sozinho antes, então aquilo era algo completamente diferente. A gente achava que harmonia era cinco garotos cantando ao mesmo tempo. Também cantamos coisas que achávamos legal, como Jason Derulo e Jay Sean, mas elas eram completamente erradas para nós.

Para ser justo, a gente só estava experimentando. Não estávamos pensando "Vamos ser uma banda famosa" – a gente só queria tentar e passar pela Casa dos Jurados. Conversamos um pouco a respeito da ideia de ficarmos juntos depois, mesmo se não desse certo, mas tentei não pensar muito adiante porque queria dar um passo de cada vez. Toda vez que avançávamos um pouco, aquilo era uma conquista enorme e nos unia cada vez mais.

Foi provavelmente na Casa dos Jurados em Marbella que nos sentimos como um grupo. Foi a primeira vez que fizemos um teste como banda e cantamos na frente do Simon, então realmente nos unimos.

Aquela foi a primeira vez em que eu estive no exterior, e fomos ao lugar mais legal do mundo, então nunca esquecerei isso. Antes do programa, eu não tinha passaporte. Na verdade, nunca havia ido para Londres antes do meu teste. O lugar mais distante para onde eu já tinha ido era Birmingham, para fazer compras, então tive muitas experiências novas muito rapidamente.

Achei a Casa dos Jurados muito intensa, porque filmávamos e ensaiávamos muito. Então, apesar de a gente não poder sair, o Louis e eu escapamos algumas vezes só para nos distanciar um pouco. Fomos a um restaurante, pedimos uma pizza deliciosa e sentamos na praia para comer e conversar. Dava pra ver a praia do nosso quarto do hotel e aquilo era a coisa mais incrível para mim – eu nunca tinha visto alguma coisa como aquilo. Lembro de rir o tempo todo na Espanha. Foi maravilhoso.

Foi estranho passar pela Casa dos Jurados e saber que iríamos nos mudar para a Casa do Competidores. Nunca tinha ficado longe de casa por mais de alguns dias. Acho que foi mais difícil para a minha mãe, porque sou o único filho e ela não queria que eu fosse embora. Ela ainda chora quando vou pra casa e depois viajo de novo. Preciso dizer a ela "Mãe, não estou indo para a guerra, só vou trabalhar".

Foi difícil dizer adeus a todos e mudar para a nova casa. Eu nunca tinha dividido um quarto antes e, de repente, encontrei-me no meio de quatro outros garotos em um quarto minúsculo com beliches. Logo tudo aquilo ficou horrível. Você podia "farejar" a presença de cinco adolescentes ali e a bagunça era total. Sou bastante organizado e gosto de saber onde estão as coisas – provavelmente por influência feminina –, mas a maioria dos outros meninos simplesmente não se importava e eles atiravam coisas por toda parte. Havia meias pelo assoalho, roupas de baixo penduradas nas lâmpadas elétricas e pratos sujos. Aquilo não era nada agradável.

Eu tinha levado quatro malas e as mantive organizadas o tempo todo. Eu lavava as roupas e as colocava dentro das malas debaixo da cama, com os meus sapatos enfileirados. O Louis era o mais bagunceiro. Ele tirava a roupa pra dormir à noite e simplesmente as deixava cair no chão. Então ele levantava de manhã, andava em cima delas, pegava roupas novas no guarda-roupa e deixava as outras no chão durante dias. Imagine viver oito semanas assim. Liam e eu às vezes limpávamos o quarto, mas alguns dias depois já estava no mesmo estado de novo, então aquilo não fazia muito sentido.

Mas, mesmo assim, muitas das melhores lembranças que tenho do X Factor aconteceram dentro daquela casa. A gente se divertia muito jogando games e

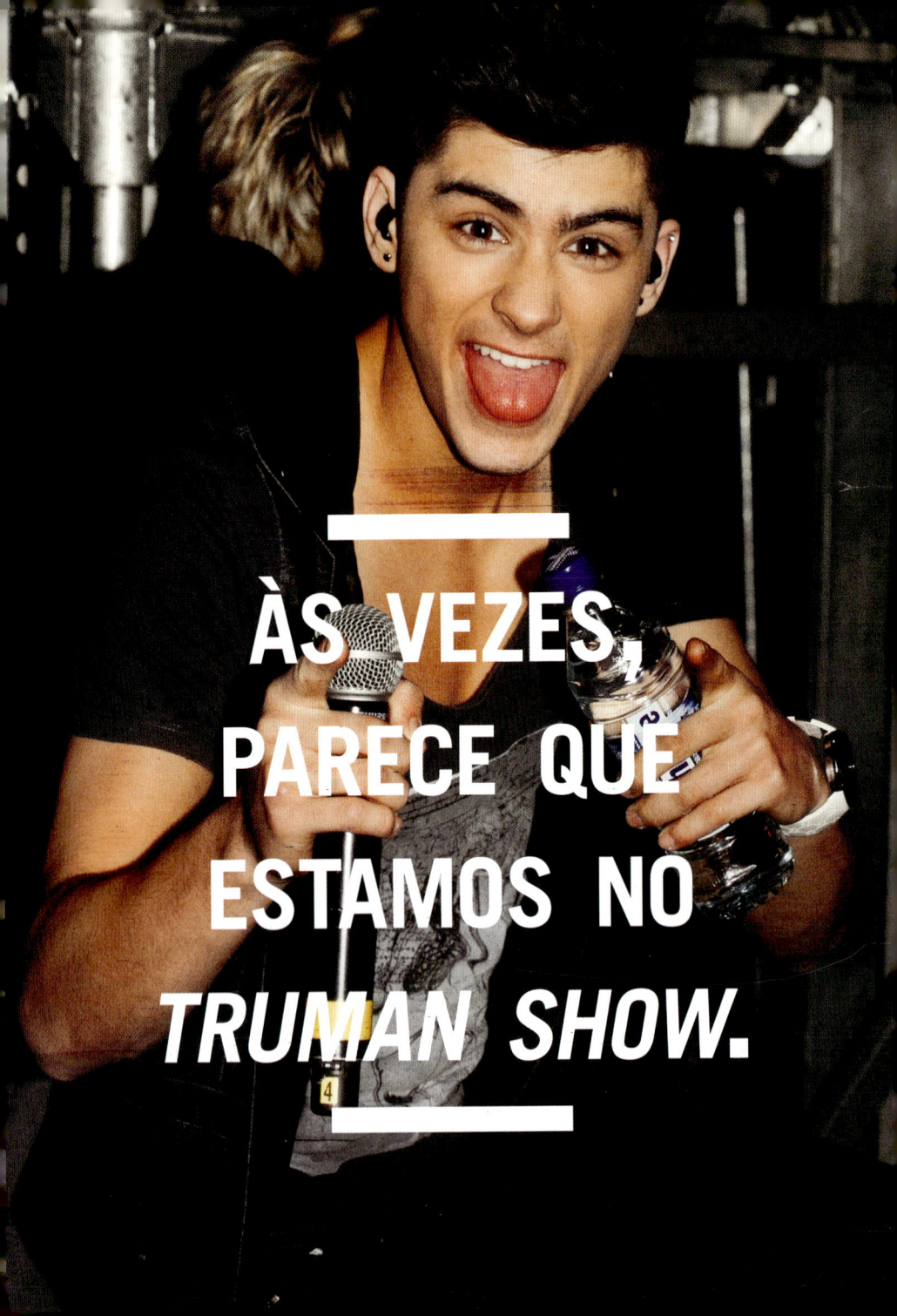

— ÀS VEZES, PARECE QUE ESTAMOS NO *TRUMAN SHOW*. —

comendo juntos. Além disso, andar no tapete vermelho pela primeira vez também foi bem legal. Não diria que é uma das melhores lembranças, mas definitivamente foi uma das mais estranhas. Antigamente, se eu visse uma pessoa famosa, nunca pediria um autógrafo ou coisa do tipo. Acho que é por isso que acho tão estanho quando as pessoas querem o meu autógrafo.

Mas acho que estou lidando bem com o fato de estar sob os holofotes. Adoro os fãs e o apoio que recebemos das pessoas, mas é estranho que elas saibam quem sou sem que eu precise me apresentar. As pessoas acham que já te conhecem só porque te viram na tevê, crescendo com a experiência do X Factor. Às vezes, parece que estamos no *Truman Show*. As pessoas acham que você é amigo delas antes de conhecê-lo, mas elas são legais, então sempre tenho prazer em conversar.

Foi incrível conhecer o Robbie Williams no programa. Tenho que admitir que não era um grande fã antes, porque não gostava desse tipo de música, mas me converti completamente quando o conheci. Ele tem uma aura incrível e isso fica claro quando ele entra em uma sala. Ele também foi muito legal e tem os pés no chão, e enquanto os outros cantaram com a Rihanna, a Christina Aguilera e o Will.i.am, o Robbie passou o dia inteiro com a gente e acabou nos conhecendo. É por isso que dava para sentir a química no palco.

Sabe quando você assiste a uma apresentação e fica todo arrepiado? Cantar com o Robbie foi assim multiplicado por dez; fiquei sorrindo de orelha a orelha, e quando eu tiver netos, vou poder mostrar a eles o vídeo e sentir orgulho do que fiz.

Um dos momentos mais tristes da competição foi quando meu avô faleceu. Ele era muito alegre e estava sempre fazendo piadas e sorrindo. Tenho muitas lembranças boas dele, e sempre as terei.

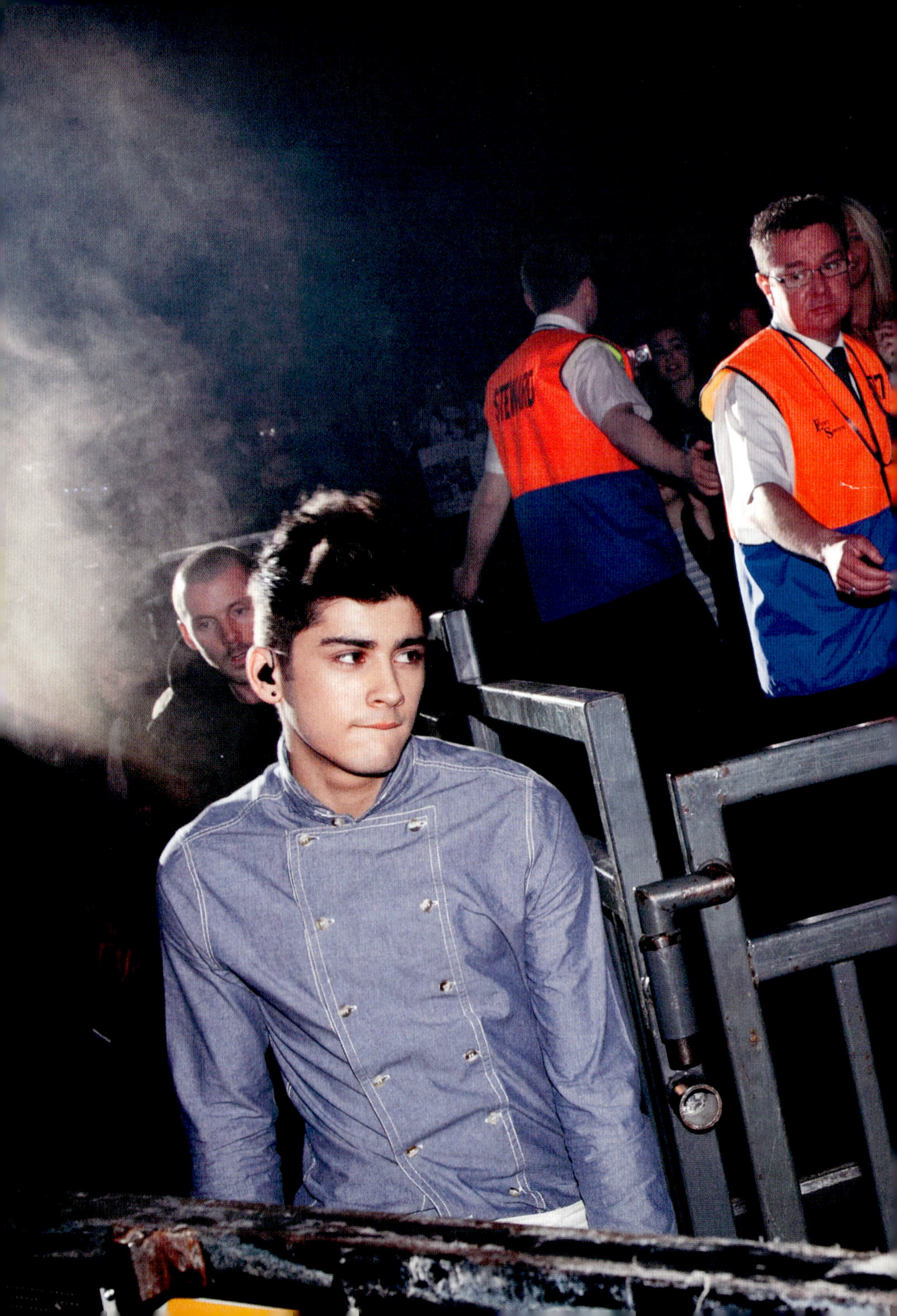

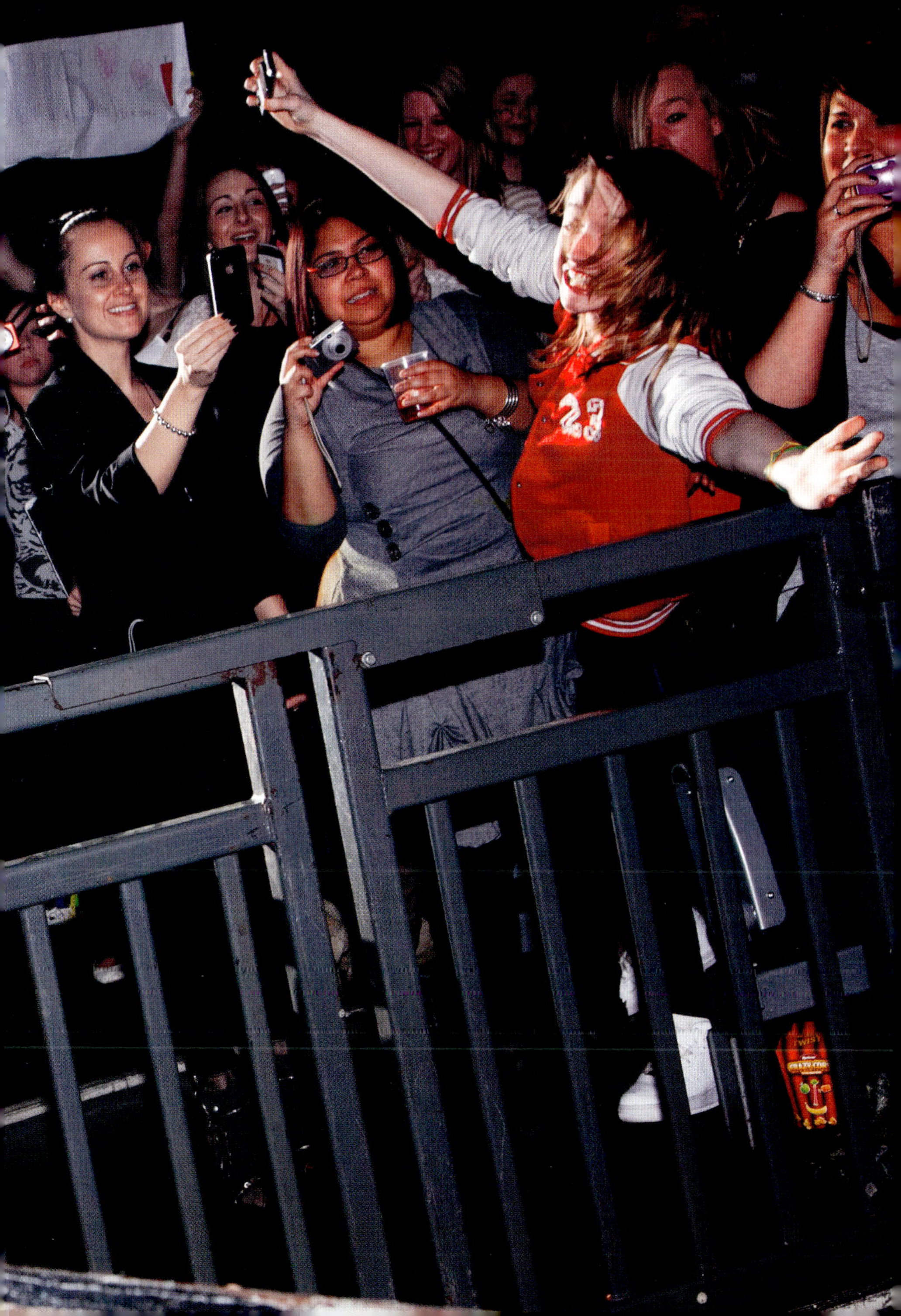

Ele já estava doente havia algum tempo e tinha tido alguns derrames, então de certo modo eu sabia que aquilo iria acontecer. Ele vivia com muitas dores e estava sofrendo muito, então provavelmente foi melhor assim, se é que é possível dizer isso.

Foi horrível não estar em casa quando tudo aconteceu, mas fiquei muito feliz de ele ter conseguido nos ver cantando "You Are So Beautiful" no programa – era sua música predileta. Ele disse que queria que aquela versão tocasse no seu funeral, e foi o que aconteceu, o que tornou a cerimônia ainda mais emocionante e tocante. Os meninos vieram para o funeral para me apoiar, e foi muito bom estar com eles naquele momento. A presença deles me ajudou muito.

BRINDE DE NATAL

Depois que o programa acabou, tudo voltou ao normal, porque fomos passar o Natal em casa. Ninguém na minha família me tratou de modo diferente e até agora eles ainda são os mesmos.

Mas foi estranho para mim porque o X Factor sempre fez parte do Natal lá de casa. Assistíamos ao programa juntos em família e conversávamos sobre ele. Lembro de assisti-lo com a minha mãe no ano em que a Alexandra e o JLS empataram e de ver o Joe McElderry ganhar. Agora eu havia participado dele.

Felizmente, aquele Natal não foi diferente. Eu acordei, recebi meus presentes, jantei... como sempre. Ganhei um iPad, o que me deixou muito feliz, e também sabonete líquido e loção pós-barba e todas as coisas que os garotos costumam ganhar. Também pude presentear a minha família, porque tinha um pouco de dinheiro. Dei presentes legais para as minhas irmãs e uma joia para a minha mãe. Foi muito legal poder fazer isso.

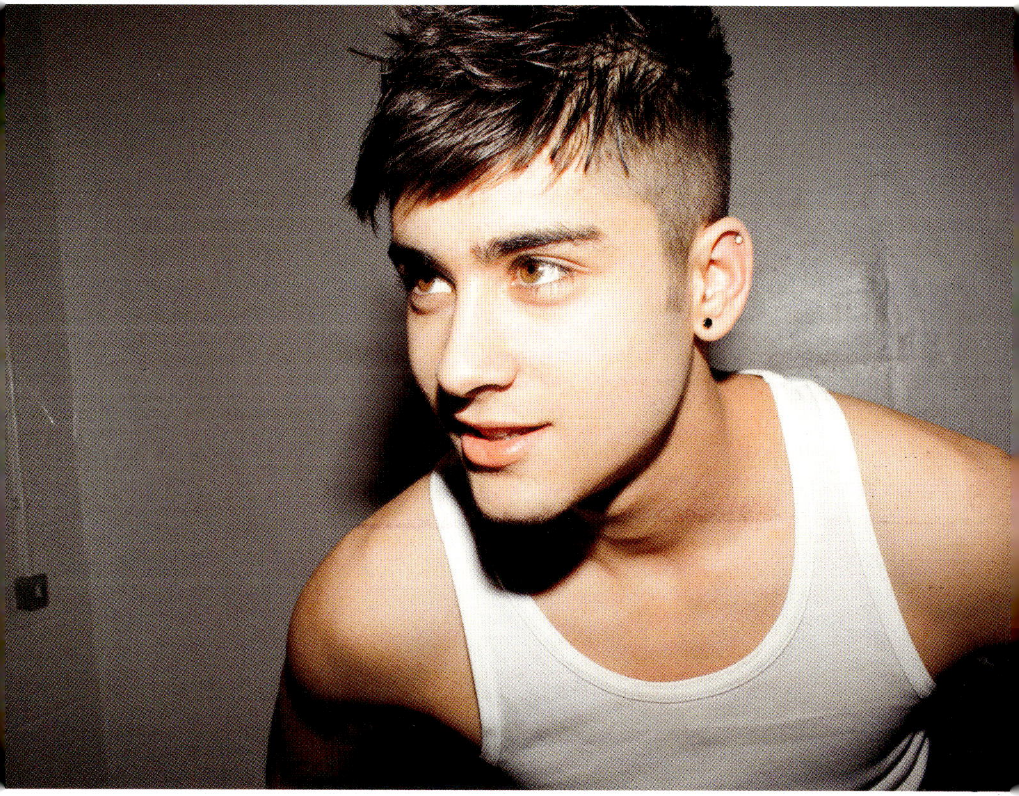

CORAGEM PARA SONHAR

Toda a minha família me apoiou muito. Às vezes, minha mãe e meu pai falavam sobre o programa e perguntavam o que iria acontecer depois. Sei que eles sentiam minha falta em casa porque sempre fui um cara caseiro. Nunca gostei muito de sair, ficava mais feliz em casa com a minha família, então sei que deve ser estranho não me ter por perto.

Meu amigos Anthony e Danny também não mudaram nada. Eles nem pensam que estou na banda. Ainda dizem que posso ir à casa deles e ficar lá sempre que eu quiser, e que a gente vai jogar Xbox. Eles não querem nada de mim.

Acho que algumas pessoas da minha família têm dificuldades porque não querem dar a impressão de que mudaram. Se fazem alguma coisa para mim, não querem que eu pense que é só porque estou na banda, quando na verdade são as mesmas coisas que elas sempre fizeram. O sucesso pode fazer coisas engraçadas com a cabeça das pessoas e elas às vezes tentam compensar por coisas que não tem a menor necessidade.

A única vez em que realmente senti algo diferente no Natal foi quando levei minha irmã mais velha para comprar o presente dela. Ela sempre quis um par de botas Uggs, mas a gente nunca tinha dinheiro para comprar, então a gente foi até Leeds para procurar. Eu não tinha me dado conta do quão conhecido eu me tornara, mas uma pessoa me reconheceu e o shopping literalmente parou. Havia uma fila de pessoas querendo tirar foto comigo e eu pensei "Que diabos está acontecendo?". Minha irmã também achou muito estranho, porque sou só o seu irmão mais novo! Às vezes, acho que é ainda mais difícil para a sua família entender a situação do que para você.

Agora gosto ainda mais de ficar com a minha família, porque o tempo passa tão rápido quando estou em casa, que aproveito cada minuto ao máximo. Foi isso que tornou o Natal tão legal! A gente passou o máximo de tempo possível juntos e foi maravilhoso.

ZAYN: BRINDE DE NATAL

Mantive contato com os meninos durante o Natal. Era como se a gente fosse um bando de meninas dizendo "Estou com saudades. Tá tudo bem? O que você está fazendo? Te adoro." Nós havíamos passado tanto tempo juntos que era estranho estarmos separados. De certo modo, parecia que eu estava de novo longe da minha família.

Durante o Natal, não apareceram muitos fãs – acho que eles não sabiam onde eu morava –, mas desde então muitas coisas chegaram pelo correio e entregaram um monte de coisas no Dia dos Namorados. Algumas garotas também já gritaram na frente da janela do quarto da minha irmã porque pensaram que era o meu, mas acho que em geral minha família têm conseguido levar uma vida normal.

É interessante que algumas garotas que sempre foram as mais populares na escola agora estão sendo supersimpáticas comigo. Eu sempre me dei razoavelmente bem no quesito meninas, mas ainda tinha que fazer um pouco de esforço. Agora não mais. Isso faz você perceber o que o sucesso faz por você, mas tenho muita consciência de quem é bom pra mim e de quem não é, e sei em quem confiar.

O Natal foi uma espécie de comemoração dupla para mim e para os meninos, porque tínhamos assinado o contrato do disco, o que era simplesmente inacreditável. Assim que descemos do palco depois de descobrir que havíamos ficado em terceiro lugar no X Factor, todo mundo estava meio passado. Eu disse a mim mesmo que não iria chorar, mas olhei para o Harry e ele estava se acabando de chorar com a mãe dele, então também comecei. O Harry e eu nos abraçamos e estavamos soluçando. Alguém disse pra gente: "Isso não é o fim, isso é só o começo". Mas a gente não fazia ideia do que iria acontecer.

Acho que estávamos chorando porque o programa tinha acabado. Nós nos acostumamos com a segurança de saber o que íamos fazer todos os dias, e de repente tudo acabou. Aquela parte da nossa vida tinha acabado, mesmo que nossa carreira continuasse.

O Niall também chorou, mas o Louis tentou fazer a gente se sentir melhor dizendo que íamos ficar bem. O Liam estava mais equilibrado. Ele já tinha ouvido "não" algumas vezes antes, então meio que estava acostumado, mas todos ficamos arrasados.

Fomos chamados ao camarim do Simon e então veio o momento clássico do Simon. A gente sentou lá e ele ficou nos olhando, e parecia que tínhamos voltado para a Casa dos Jurados. De repente, ele disse "Vocês foram ótimos no programa. A Sony vai assinar um contrato com vocês amanhã de manhã". O Harry começou a chorar de novo e todos ficamos absolutamente chocados. O Simon nos abraçou e disse "Vai dar tudo certo, não se preocupem por terem ficado em terceiro lugar". Então a gente desceu para o bar. A gente só podia contar pra família e mais ninguém, e estávamos muito empolgados.

Fizemos várias apresentações depois que o programa acabou e tudo era novidade para mim; eu nunca tinha ido a uma boate antes, apesar de os meus amigos sempre irem, então foi outra experiência nova.

Pra dizer a verdade, eu tinha uma vida tranquila, chata e protegida antes da banda. Gostava das coisas simples, como ficar em casa, no meu quarto, jogando no computador no meu quarto, então tudo o que aconteceu foi um aprendizado.

Adorei me apresentar desde o começo. Adorei a agitação de estar no palco e ver os fãs. A resposta que tivemos foi incrível. As matinês foram uma loucura, mas depois de algumas vezes já sabíamos o que esperar.

PLANOS E MÚSICA

Sabia que quando chegasse o ano-novo, iria querer comemorar tudo o que tinha acontecido. Planejei ficar com os meus amigos, beber alguma coisa e ter uma noite

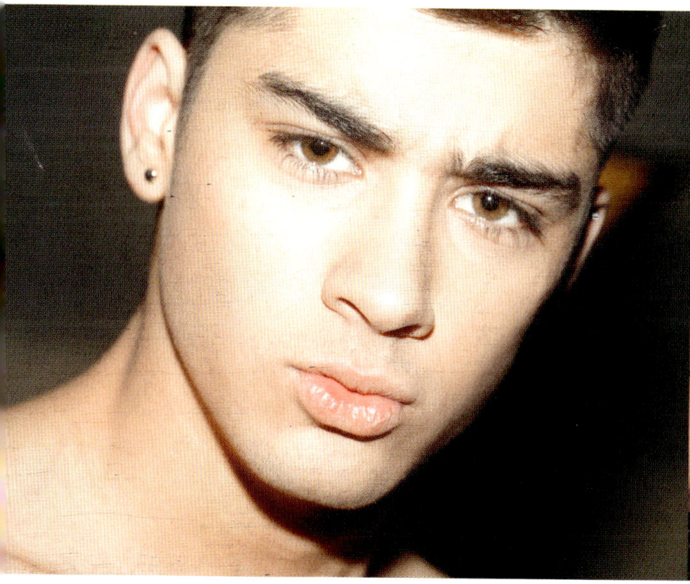
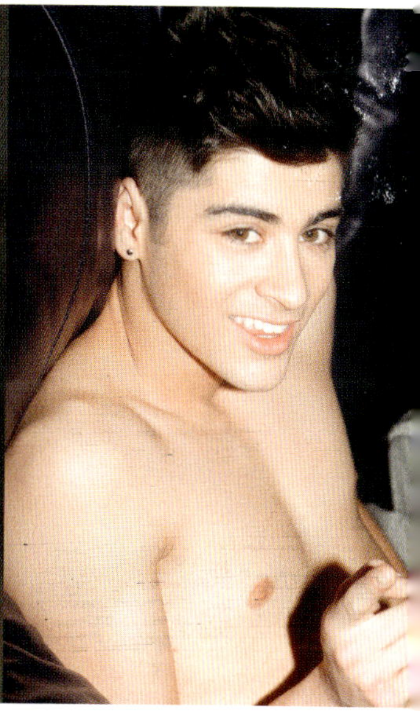

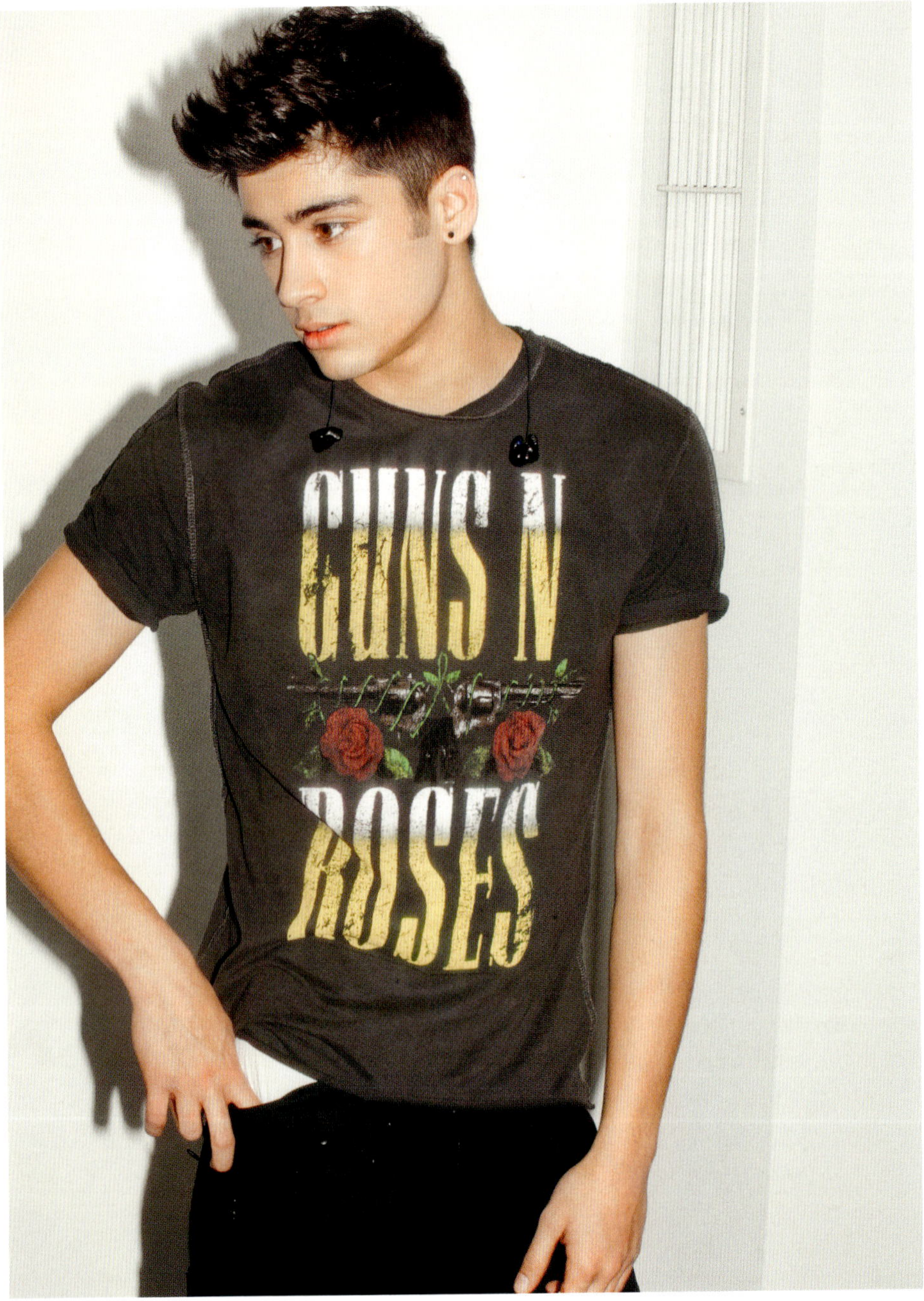
GUNS N
ROSES

tranquila, mas as coisas não foram bem assim. Como já disse, nunca fui de sair muito, mas se havia uma hora para sair e me divertir, era aquela. Estranhamente, fui convidado para muitas festas – até por gente que nem me conhecia direito.

Meus amigos e eu saímos e acabamos tendo uma noite meio maluca, e acordei no chão do banheiro da casa de alguém. Levantei e andei até a minha casa, e foi a primeira vez que me senti normal depois de muito tempo. Estava acostumado a andar de carro o tempo todo, e foi bom andar no ar fresco, só pensando na vida.

Depois do ano-novo, voltei para Londres. Mais uma vez, foi difícil me despedir de todo mundo, mas eu estava animado com o que 2011 iria trazer. Tivemos uma reunião para discutir nossa agenda do ano, que parecia incrivelmente cheia. Foi difícil entender tudo o que estava acontecendo.

A gente se mudou para um hotel e basicamente temos mudado de hotel desde então. Cada um de nós está planejando arranjar um lugar para morar, mas ainda não tivemos tempo. A gente falou em morar juntos, mas como passamos a maior parte do tempo uns com os outros, decidimos que talvez não seja a melhor ideia. O Liam quer morar com o amigo dele e o Harry vai morar com o Louis. O Niall é muito agitado e eu sou tranquilo, então decidimos que é melhor não morarmos juntos. Não teve drama: só fomos completamente sinceros sobre o assunto. Então cada um está procurando a própria casa.

Pra mim, vai ser um acontecimento mudar sozinho para uma casa nova em um lugar diferente. Até agora, eu nunca tinha morado em Londres, nunca vivi sozinho e obviamente nunca fui famoso, então meio que estou fazendo tudo ao mesmo tempo. Mas vai ser bom poder guardar minhas roupas em um armário e não dentro de uma mala. Fiquei perito em arrumar as malas, por sinal, mas é muito mais fácil quando você sabe onde estão as coisas e tem uma base, então morar em uma casa só minha vai fazer uma grande diferença.

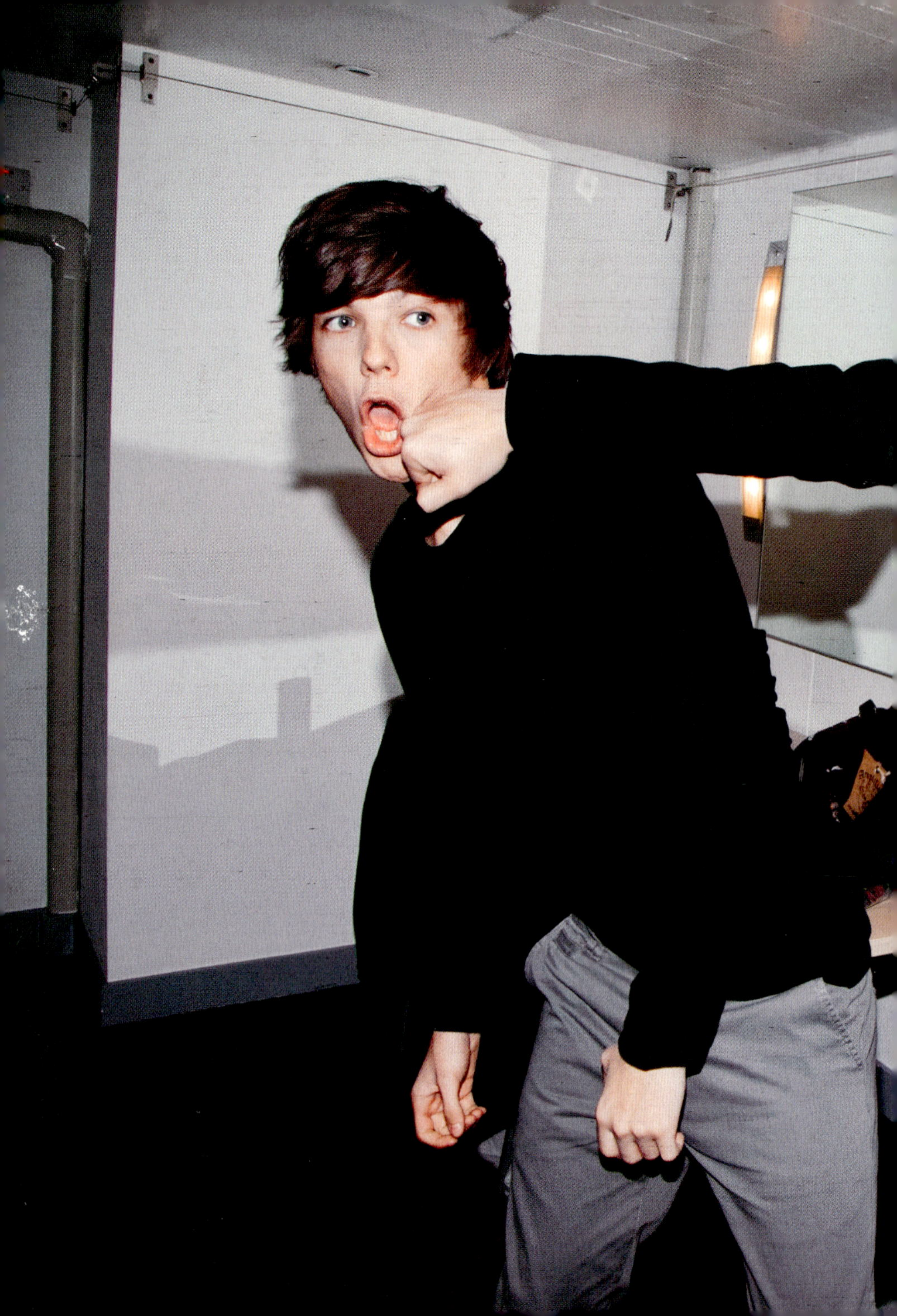

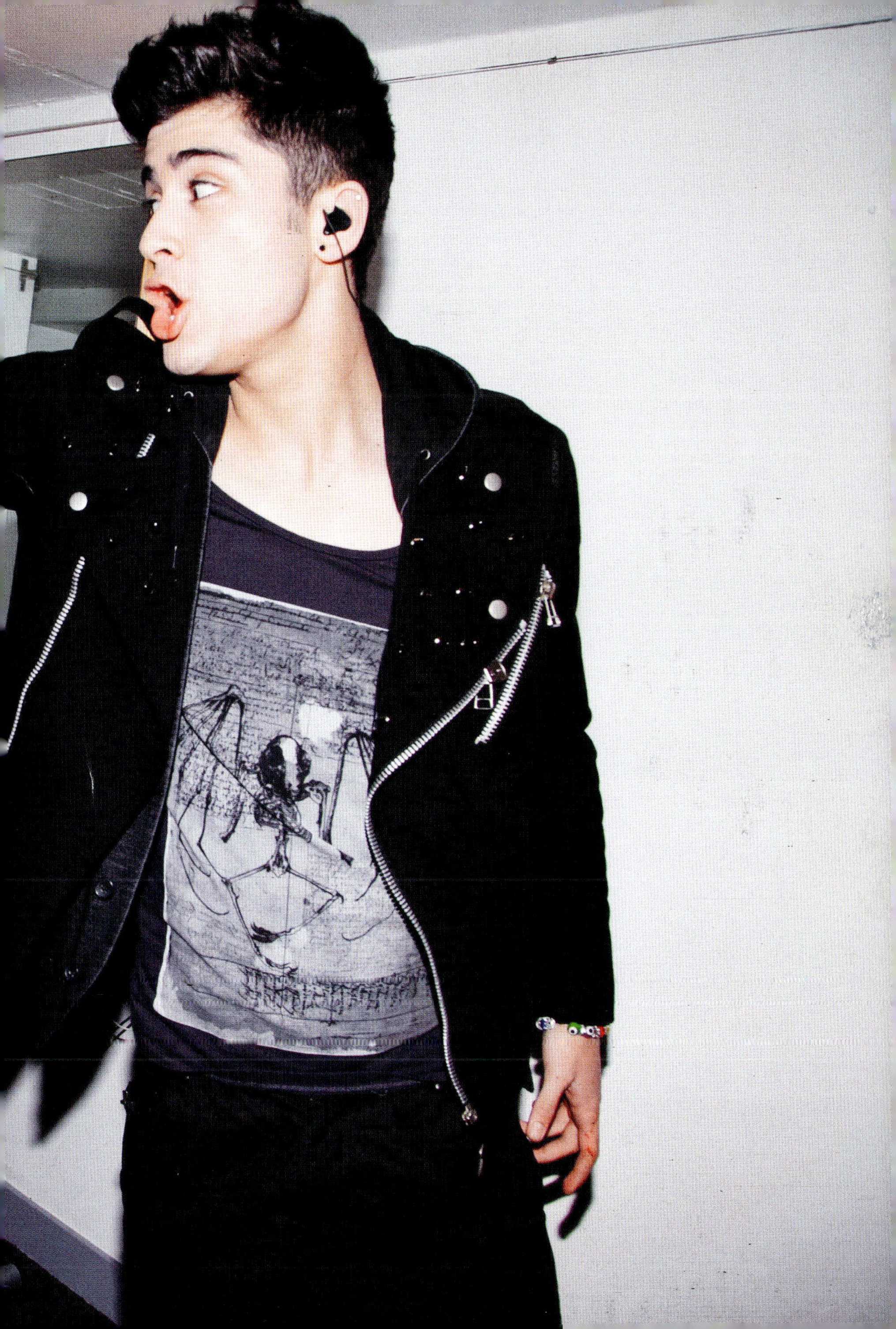

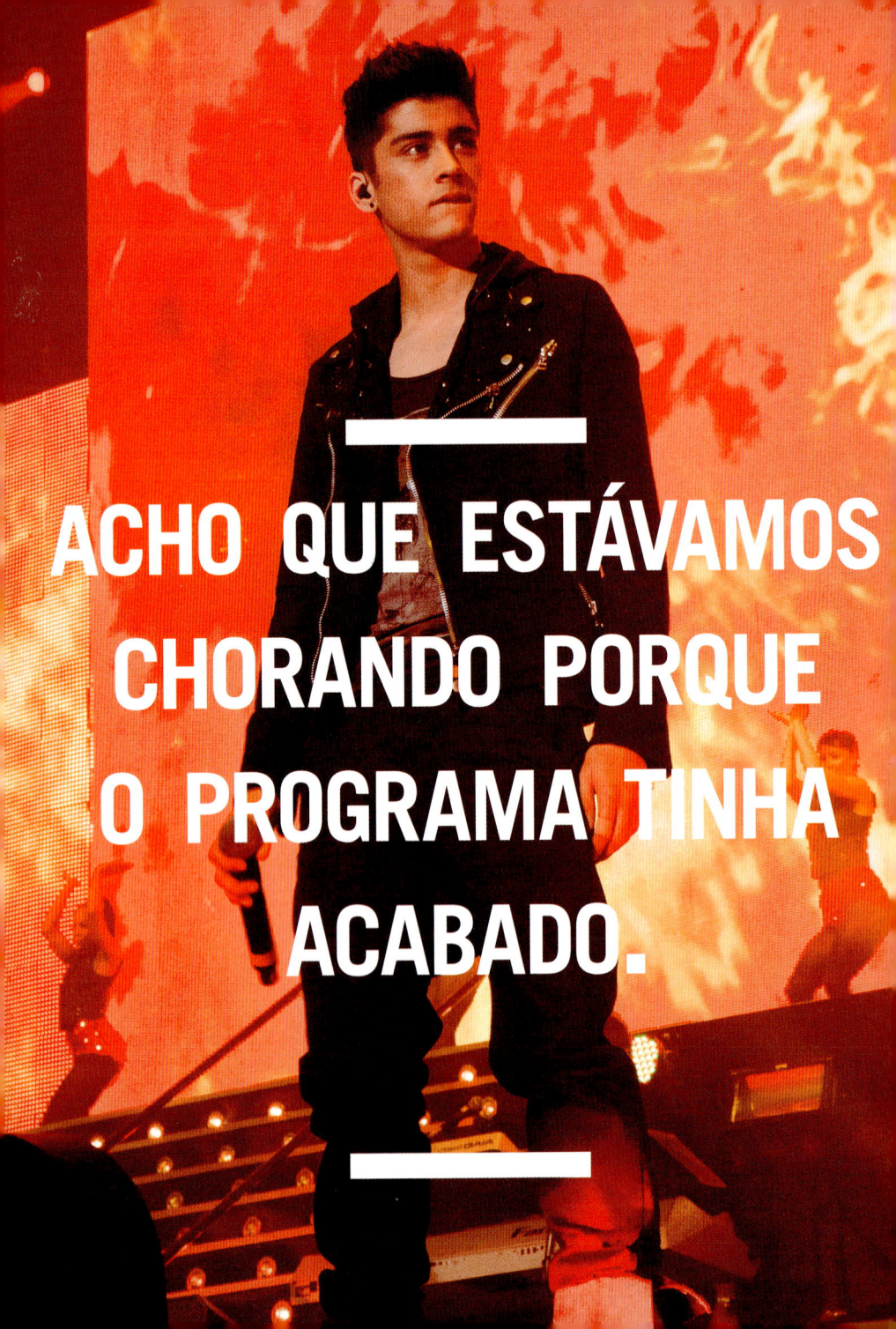

ACHO QUE ESTÁVAMOS CHORANDO PORQUE O PROGRAMA TINHA ACABADO.

ZAYN: PLANOS E MÚSICA

Passamos a maior parte do mês de janeiro nos apresentando ou começando a trabalhar no disco em vários estúdios de gravação. Para mim, a melhor parte de estar em uma banda é o tempo que passamos juntos no estúdio. Adoro esse estilo de vida de passar o tempo juntos, pedir pizza! O estúdio é muito mais divertido quando você faz parte de uma banda porque você sempre tem alguém com quem fazer bagunça, brincar ou compor. Fizemos muitas coautorias no disco, o que eu adorei, porque sempre gostei de escrever poesia. Para mim, escrever uma música é o mesmo que escrever um poema, só que com a melodia ao fundo. A vida no estúdio é perfeita para mim.

Em fevereiro, fomos para Los Angeles trabalhar um pouco no disco, o que foi absolutamente maluco. É um mundo completamente diferente, apesar de eu ter ficado preocupado que não iriam nem me deixar entrar no país. Todos os meninos passaram bem pelo controle dos passaportes, mas uma mulher me parou, chamou o gerente da nossa turnê, o Paul, e disse: "Tem um problema com ele. Ele precisa ir para os fundos". Eles me levaram para uma sala e achei que iam me deixar lá por horas, mas felizmente a mulher que me chamou conhecia o Simon Cowell e sabia que eu fazia parte da banda. Fui entrevistado por uma hora sobre o que fazia ali e por que estava visitando os Estados Unidos. No final das contas, descobrimos que meu nome era parecido com o de alguém que eles procuravam, então só estavam sendo cautelosos. Também me pararam na alfândega, mas deu tudo certo e o cara de lá fui muito legal. Só então é que Los Angeles começou pra mim.

Tudo em Los Angeles é muito maior do que no Reino Unido. As estradas são tipo cinco vezes mais longas, e até as porções para viagem são maiores lá. Uma porção grande é do tamanho de um balde. Quando chegamos ao hotel, um homem nos cumprimentou na porta dizendo "Ah, meu Deus, os meninos estão aqui. E aí? Entrem". Havia pessoas caminhando pela rua, distribuindo água e desejando um bom dia. Você imagina alguém fazendo isso no Reino Unido? Tudo parecia muito agradável lá.

CORAGEM PARA SONHAR

Estar no estúdio e gravar com a equipe do RedOne foi incrível porque eles são muito famosos e trabalharam com vários artistas importantes. Mas achei que eles eram caras bacanas e normais. O clima estava quente e ensolarado, então andamos de bermuda e camiseta e curtimos cada minuto. Saímos muito para comer.

Também fizemos muitas compras. Gosto de tênis de última geração e comprei um monte de pares, porque eles são muito mais baratos lá. Eles até embalam os tênis com filme plástico para você não estragá-los quando os pegar, e adoro o fato de eles terem tanto respeito pelos tênis. Sempre cuidei muito bem dos meus tênis. Eu os guardava em caixas para que continuassem bonitos.

Comprei um par de uma edição limitada, um Nike preto de cano alto que custou uns 300 dólares. Sei que é caro, mas o tênis é incrível. Eles estão guardados no armário da minha casa, porque tenho medo de usá-los.

Agora estou me acostumando a viajar. Odiei andar de avião na primeira vez em que fomos para a Espanha, mas agora não me importo mais. Porém, senti um pouco de saudades da Inglaterra. Foi uma viagem incrível e espero viajar logo de novo, mas fiquei feliz quando voltamos para o Reino Unido. Mas tivemos uma experiência muito louca quando chegamos ao aeroporto de Heathrow. Disseram que havia cerca de duzentas pessoas nos esperando, então nos preparamos para dar autógrafos. Mas quando saímos, uma multidão veio em nossa direção, então tivemos que voltar correndo para o aeroporto. Não havia nada planejado, então simplesmente seguramos uns nos outros e saímos correndo. Só estávamos com o Paul, o gerente da turnê, além de alguns seguranças do aeroporto, então tivemos que nos virar. Acho que havia seiscentas ou setecentas meninas; elas puxaram meu cabelo e minha camiseta, e rasgaram metade do blusão do Louis. Corremos para um balcão do estacionamento, trancamos a porta e as meninas ficaram do lado de fora do vidro, olhando pra gente. Parecia um filme de zumbis. No final das contas, o Paul teve de chamar uma viatura da polícia para nos tirar dali. Foi a coisa mais maluca pela qual já passei na vida.

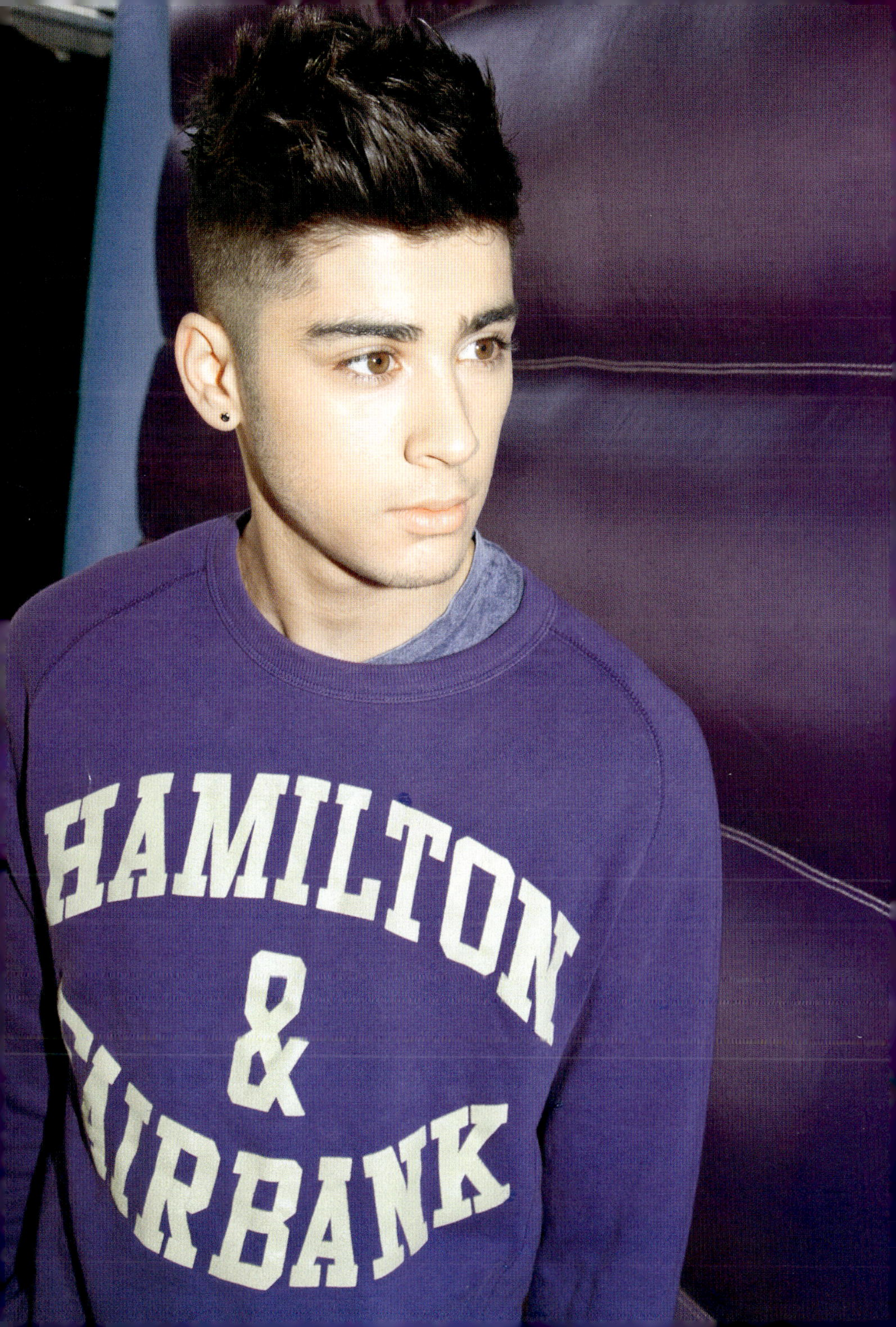
HAMILTON
&

É ISSO AÍ!

Os ensaios para a turnê do X Factor foram surpreendentemente bons para mim – até a dança. Minha autoconfiança aumentou muito desde o Campo de Treinamento e posso me divertir bem mais com os meninos agora. Acabei curtindo muito e nós aprendemos bastante. Ficamos muito empolgados quando soubemos que participaríamos da turnê, e foi tão bom quanto imaginamos. Era como estar no programa, mas de maneira menos intensa. Tínhamos tempo de fazer compras, um dia ficamos até mais tarde na cama, passamos bastante tempo juntos e comemos bem. Então, todas as noites subíamos no palco e nos tornávamos *pop stars*. Honestamente, não consigo pensar em nada melhor do que isso.

A resposta que tivemos foi inacreditável, e pessoas de todas as idades gritavam para nós e se divertiam. Há um ano, a ideia de estar em cima de um palco na frente daquele monte de gente seria suficiente para me deixar doente, mas agora eu saio, ando pelo palco e me sinto muito mais confiante. Sem dúvida, é a melhor sensação.

Nós não pedimos muitas coisas durante a turnê. No camarim que todos os artistas masculinos dividiam, havia um cestinho com doces, bebidas, salgadinhos e frutas, mas era só isso. Era ótimo dividir a sala com os outros caras do programa e poder estar com gente com o Aiden e o Matt, porque adoro esses caras. O Aiden é muito parecido comigo. Ele é bastante tranquilo e reservado, e nos damos muito bem. Também me dou bem com o Wagner. Ele é muito engraçado e tem muita história pra contar. Ele mantinha todo mundo entretido e eu gostava de sentar para ouvir suas histórias. Para mim, ele é uma lenda viva.

Tivemos algumas festas nos hotéis durante a turnê. Sempre havia um bar privativo onde a gente podia relaxar e conversar depois dos shows, então era um bom momento para colocar o assunto em dia com as pessoas. Era bom fazer coisas como essa, e também poder ser quem eu sou e jogar games. Cada um tinha o seu quarto, então, se queríamos passar um tempo sozinhos, era possível. Depois do show, às vezes eu ia pro meu quarto relaxar. Precisava daquilo. Preciso ficar um pouco sozinho para não enlouquecer.

A ATENÇÃO DA IMPRENSA TAMBÉM ME ASSUSTA UM POUCO. TENHO MEDO DE QUE ME VEJAM COMO UMA PESSOA RUIM.

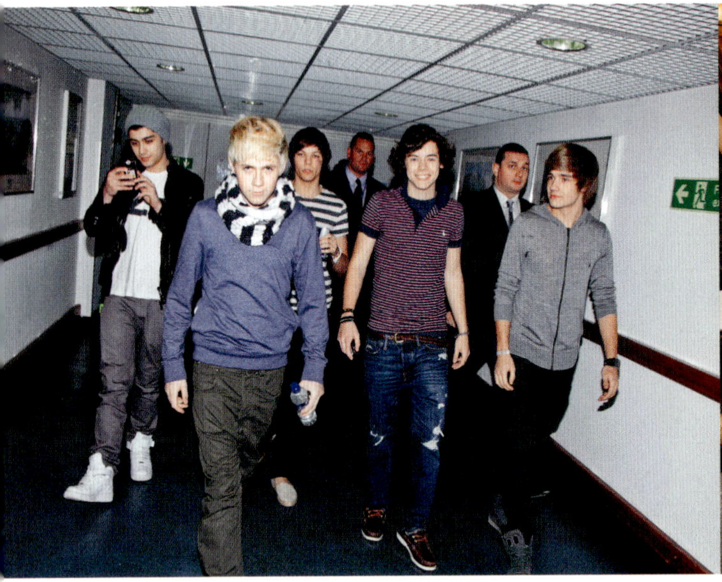

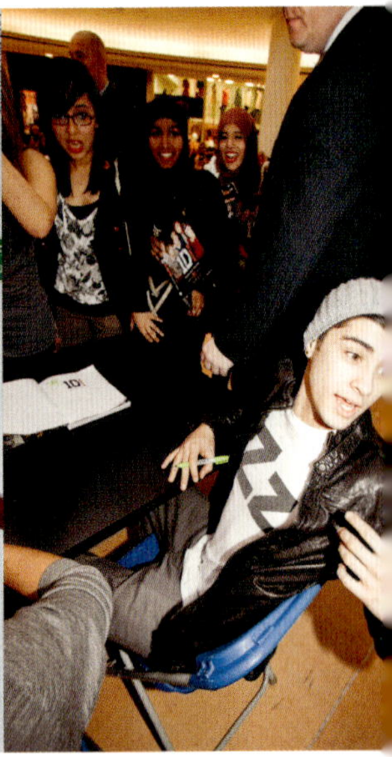

ZAYN: É ISSO AÍ!

A Irlanda foi um dos lugares que mais gostei de visitar durante a turnê. Eles simplesmente amam o X Factor lá. Poder tocar em Wembley também foi legal. Por mim, eu saía em turnê de novo amanhã.

Para mim, a coisa mais surpreendente a respeito do sucesso até agora é que você não se dá conta do quanto pode ser reconhecido. Louis e eu queríamos sair uma noite, mas não dava porque tinha um monte de gente do lado de fora, e, se houver mais de um, é muito mais provável que sejamos reconhecidos. Recentemente, fui ao supermercado com a minha mãe e como eu estava de chapéu e óculos, só me reconheceram quando eu saí. Então, há como contornar isso se você estiver sozinho e quiser um pouco de tranquilidade.

É estranho porque me esqueço e de repente alguém vem e diz "Ei, é você!" E eu pensou "Sou apenas o Zayn Malik, aquele cara de Bradford que costumava ficar trancado no quarto jogando games no computador o tempo todo".

A atenção da imprensa também me assusta um pouco. Tenho medo de que me vejam como uma pessoa ruim. Todo mundo erra, mas quando você é famoso, o mundo inteiro sabe o que você fez. Ainda não sei bem como lidar com isso tudo. Quero ser aberto, mas ainda estou aprendendo o quão aberto posso ser e em quem posso confiar completamente.

Aconteceram coisas muito doidas conosco desde que a banda começou. O Rio Ferdinand nos convidou para ir ao restaurante dele, nossos produtos começaram a ser lançados e gravamos um comercial para a Nintendo. A filmagem foi num hotel lindo em Londres e não foi nem um pouco forçada, só fizemos bagunça, jogamos DS e rimos muito. Aconteceu muita coisa antes mesmo de lançarmos nosso disco, o que foi maluco. Estávamos empolgadíssimos em fazer músicas e lançá-las.

Ficamos ansiosos para lançar um livro, e quando um monte de gente comprou o primeiro e compareceu às sessões de autógrafos, percebemos quantos fãs

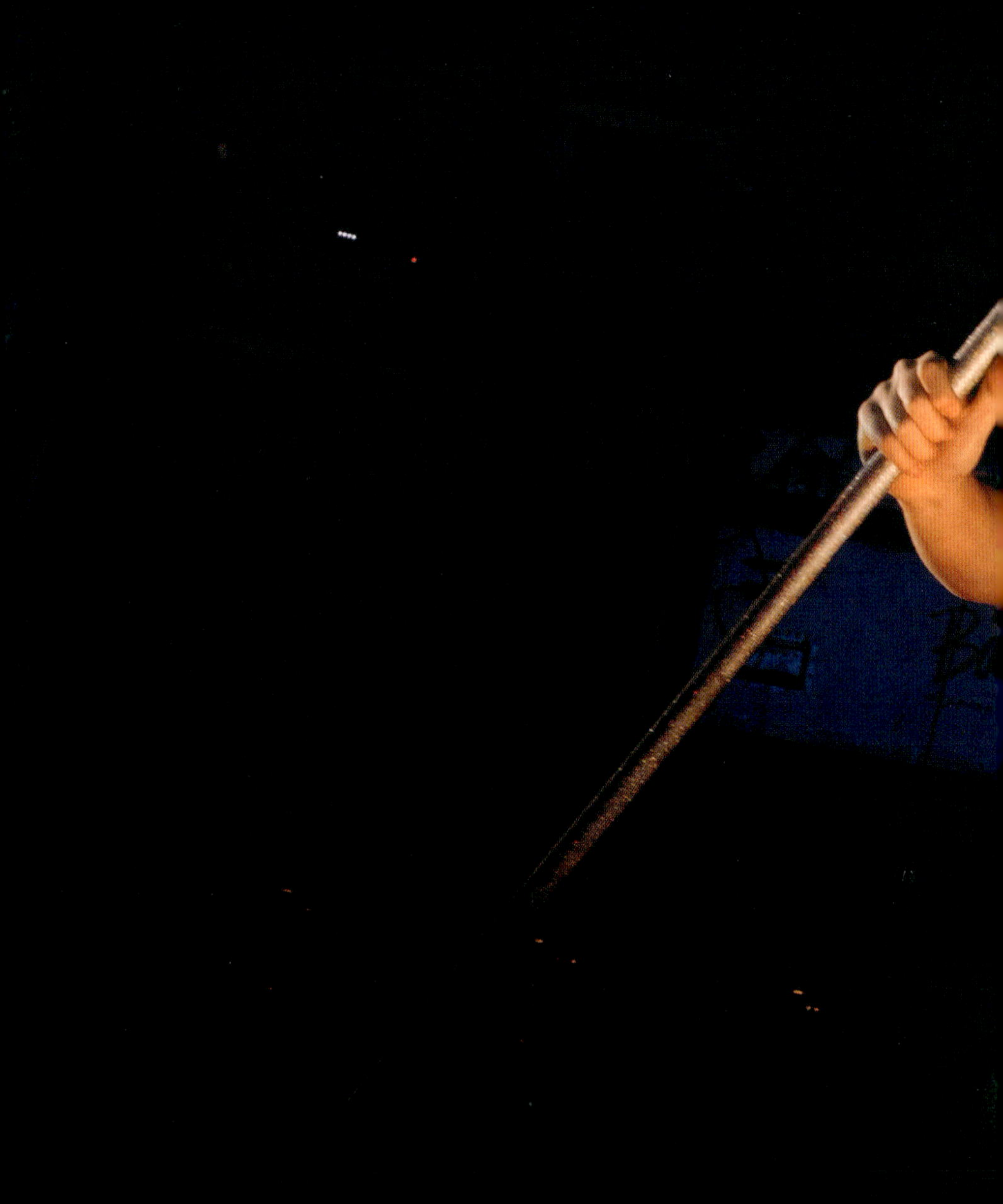

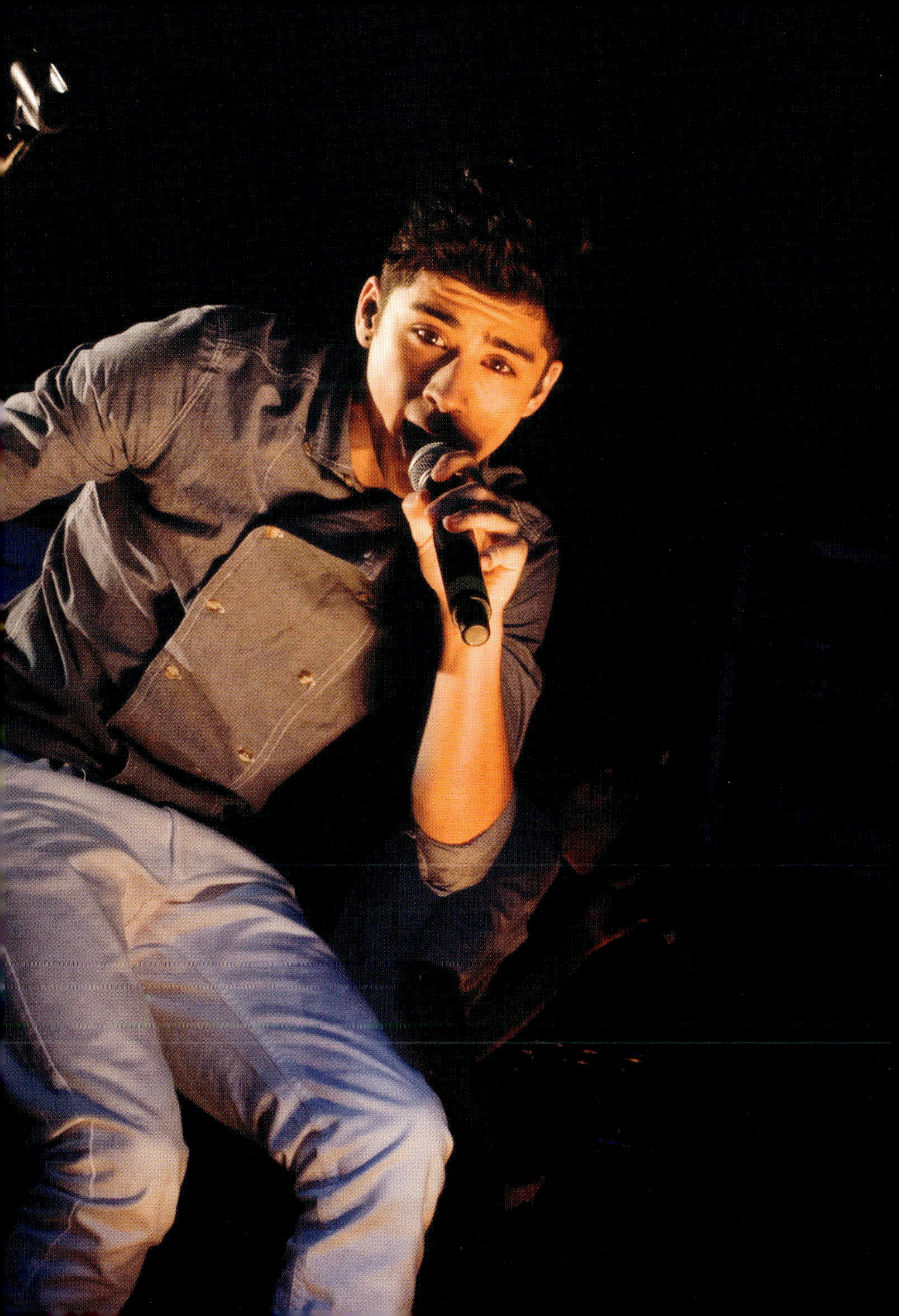

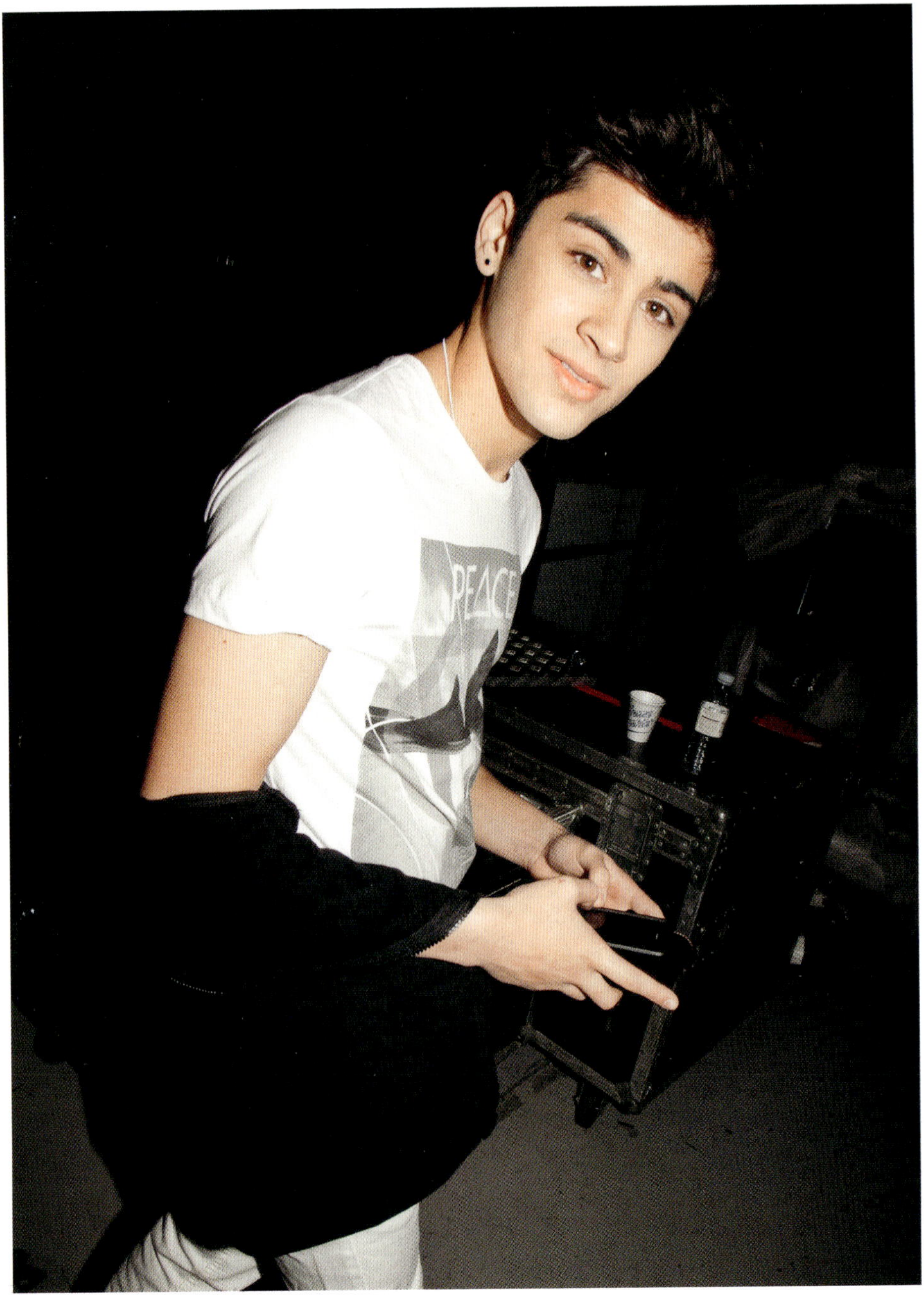
PEACE

temos. Não houve nenhum momento chato durante as sessões e ganhamos muitos presentes, incluindo chocolates e rosas. O Liam até ganhou massinha de modelar!

As sessões de autógrafos foram um dos primeiros eventos promocionais que fizemos, e também participamos de algumas sessões de fotos para várias coisas, o que não me incomoda nem um pouco, porque sou um pouco exibido. Também fomos ao programa do Alan Titchmarsh, e isso foi ainda mais estranho pra mim do que estar no X Factor. Toda a experiência estava sendo bastante confusa pra mim, mas aquilo pareceu muito mais real e me fez perceber que de fato éramos conhecidos e um pouco famosos.

O mais estranho foi quando surgiu a coisa do comercial da Nintendo. Eu estava na casa do meu amigo e foi muito louco ver a gente na tevê. Eu só tenho dois amigos realmente próximos, o Danny e o Anthony; eles adoram o fato de eu ser famoso e nos falamos o tempo todo.

Começamos a trabalhar em um documentário no começo do ano. Não achamos isso tão estranho quanto pensamos que seria, provavelmente porque havia câmeras nos seguindo o tempo todo durante o X Factor e nos acostumamos a isso. A gente já tinha bastante experiência, então não ficava paralisado diante das câmeras, éramos naturais. Quando você se acostuma, logo se esquece de que as câmeras estão ali. Só continuamos a fazer o que estávamos fazendo, então, o que as pessoas vão ver era o que realmente estava acontecendo.

A festa de despedida da turnê foi muito interessante. Havia um monte de gente, mas eu tinha um voo para a Espanha no dia seguinte bem cedinho, então fui embora à meia-noite. Minha experiência com a festa de despedida foi morna, se comparada à de alguns outros caras. Fiquei triste com o fim da turnê, mas foi ótimo sair de férias.

Foi fantástico gravar o disco porque adoro tudo o que tem a ver com letras de música e gravações. Eu nunca havia ido à Suécia, então aquilo também foi uma experiência completamente nova, e era um lugar incrível. Também adoramos

CORAGEM PARA SONHAR

voltar a Los Angeles porque da primeira vez só ficamos cinco dias e não vimos muita coisa. Dessa vez, ficamos três semanas, então conseguimos sair e ver mais lugares.

É estranho olhar para trás, para o tempo antes do X Factor, quando eu nem tinha passaporte e nunca havia saído do Reino Unido. De repente, já fui a vários lugares incríveis. É estranho e ao mesmo tempo incrível. Gosto de voar, é muito bacana.

Assim que começamos a gravar, sabíamos que as pessoas iam se surpreender, porque não fizemos músicas típicas de *boy bands*. Não há um som parecido com o nosso no momento. É completamente novo. Soa como o One Direction e adoramos isso.

Ficamos muito felizes quando descobrimos que faríamos uma turnê só nossa. Pela primeira vez, não vai ter nada a ver com o X Factor, vai ser a turnê do One Direction. Nos deram a chance de brilhar e realmente mostrar para as pessoas o quanto melhoramos e progredimos depois do programa.

Este ano inteiro foi interessante e muito divertido, e estou animado com tudo o que está por vir, porque haverá algumas surpresas.

BATE-BOLA

DATA DE NASCIMENTO: 12/1/1993
SIGNO: Capricórnio

Preferências...
LIVRO: *Harry Potter*
FILME: *Escritores da Liberdade*
PARTE DO CORPO: Meu queixo

COMIDA: Frango
DISCO: Donell Jones
AMIGO: Liam Payne
CELEBRIDADE FEMININA: Megan Fox
LOJA: Topman
BEBIDA: Red Bull
COR: Vermelho
PROGRAMA DE TEVÊ: *Family Guy*
LOÇÃO PÓS-BARBA: Unforgivable de Sean John
PERFUME: Não sei os nomes, mas gosto dos doces.
JOGO DE COMPUTADOR: Halo
APLICATIVO DE CELULAR: Fat Face
MELHOR JEITO DE PASSAR UM DOMINGO: Na cama
LUGAR PARA UM ENCONTRO: Restaurante
PAÍS: Inglaterra
RESTAURANTE: Nando's
COMO RELAXA: Na cama
MEIO DE TRANSPORTE: Carro
DIVERSÃO NOTURNA: Cinema
BANDA: *NSYNC
QUAL A COR DO SEU EDREDOM? Preto
QUE TIPO DE CUECA VOCÊ USA? Samba-canção de jérsei
PRIMEIRO ANIMAL DE ESTIMAÇÃO: Um cachorro vira-lata chamado Tyson
VOCÊ PREFERE FICAR SOZINHO OU TER A COMPANHIA DOS OUTROS? Gosto da minha companhia. Gosto das pessoas, mas também gosto de ficar sozinho
ÚLTIMO LIVRO QUE LEU: *Uma Criança Tratada como Coisa*
ÚLTIMAS CINCO COISAS QUE COMPROU: Roupas, roupas, roupas, roupas e roupas
QUAL O SEU TIPO DE GAROTA? Alguém com quem eu me dê bem. Do ponto de vista físico, não tenho preferências. Quero alguém com quem eu me sinta confortável e que possa mimar um pouco.

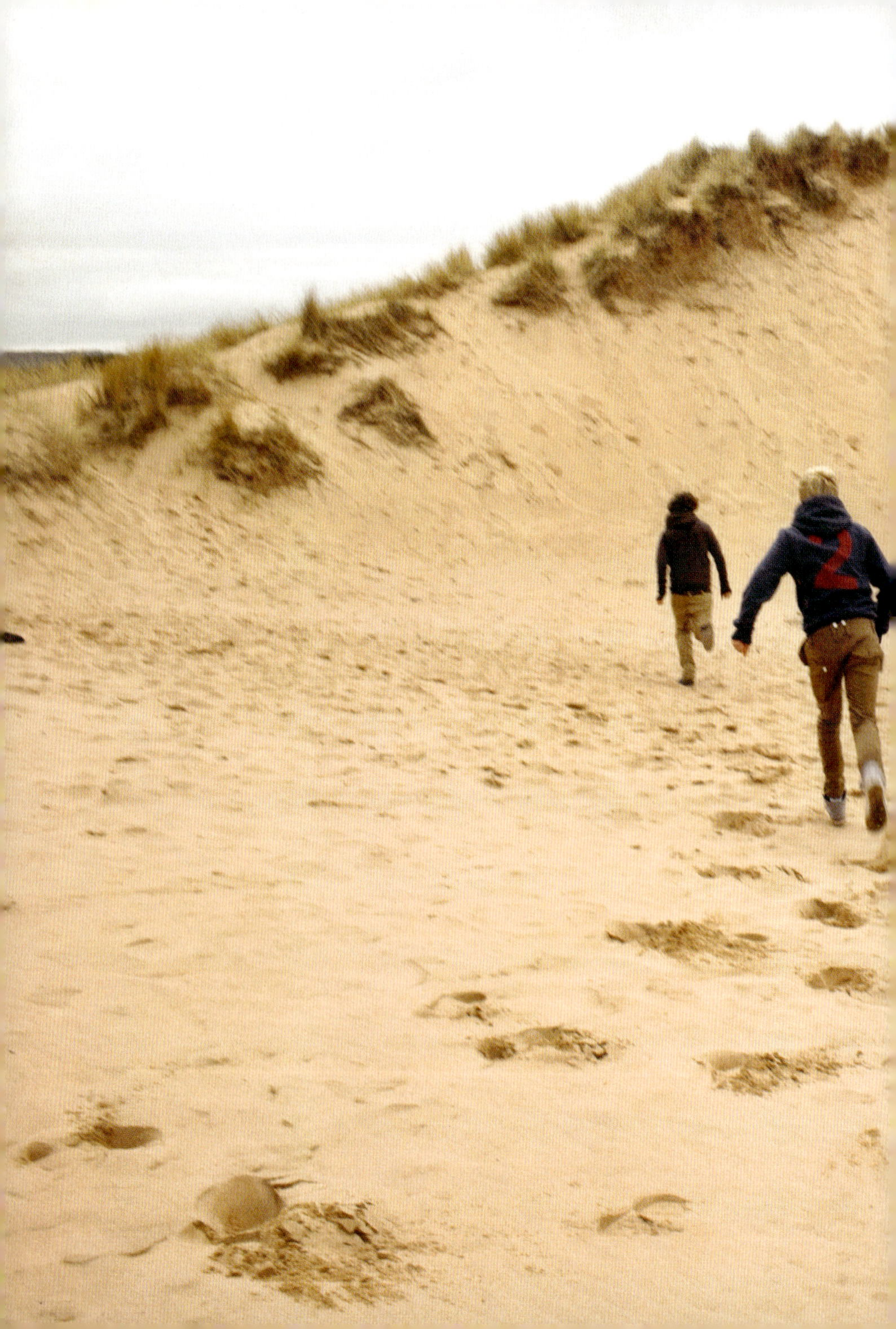

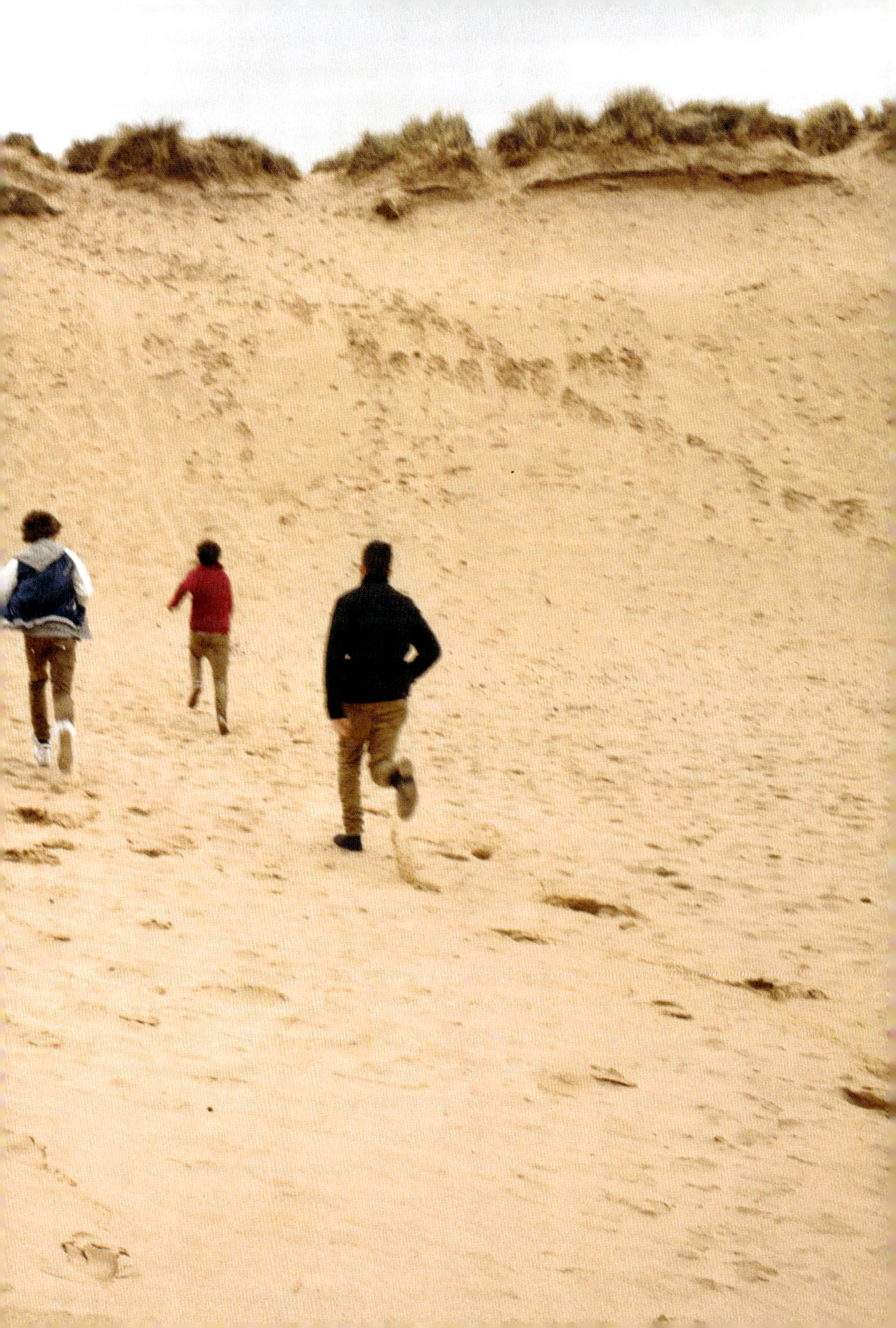

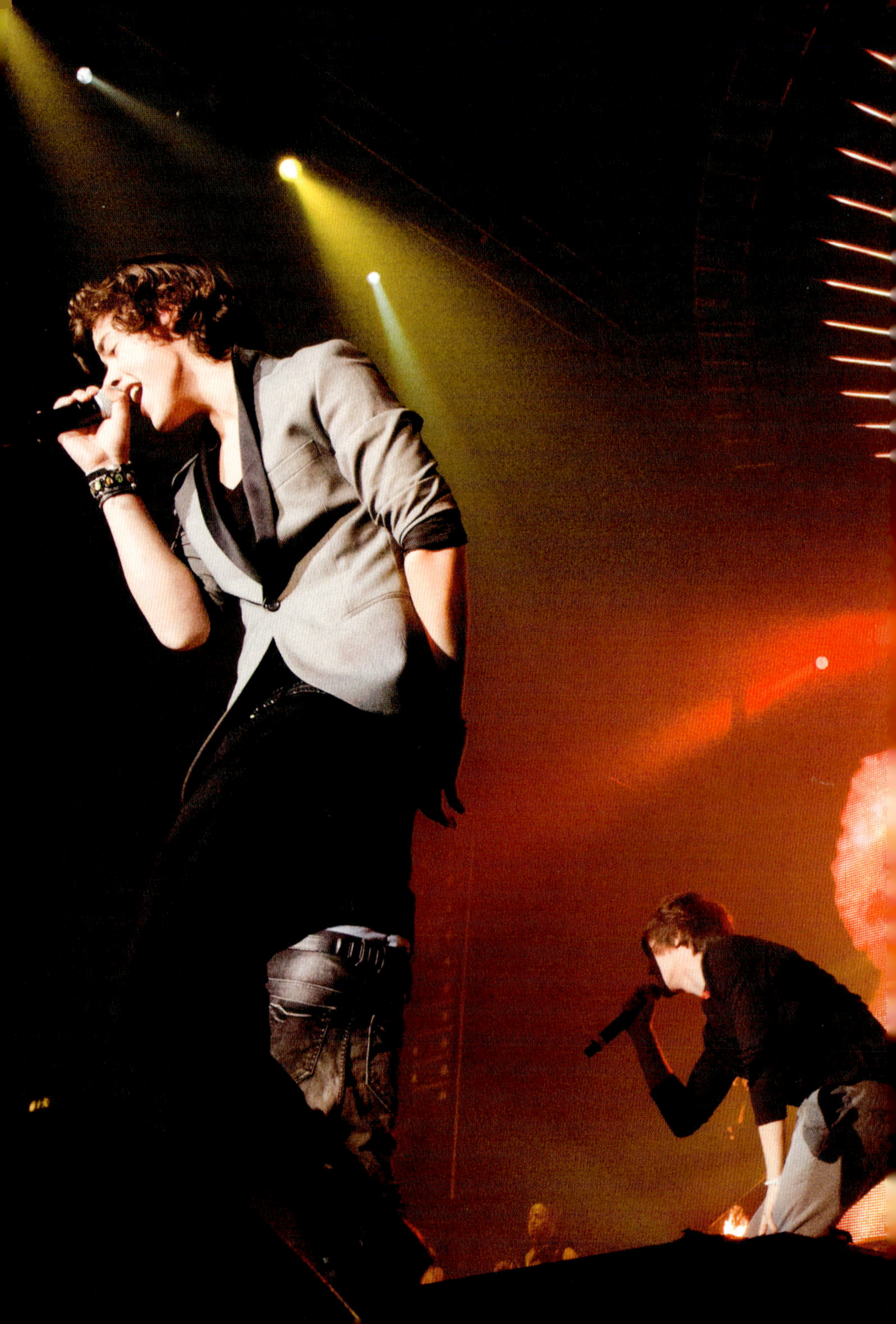

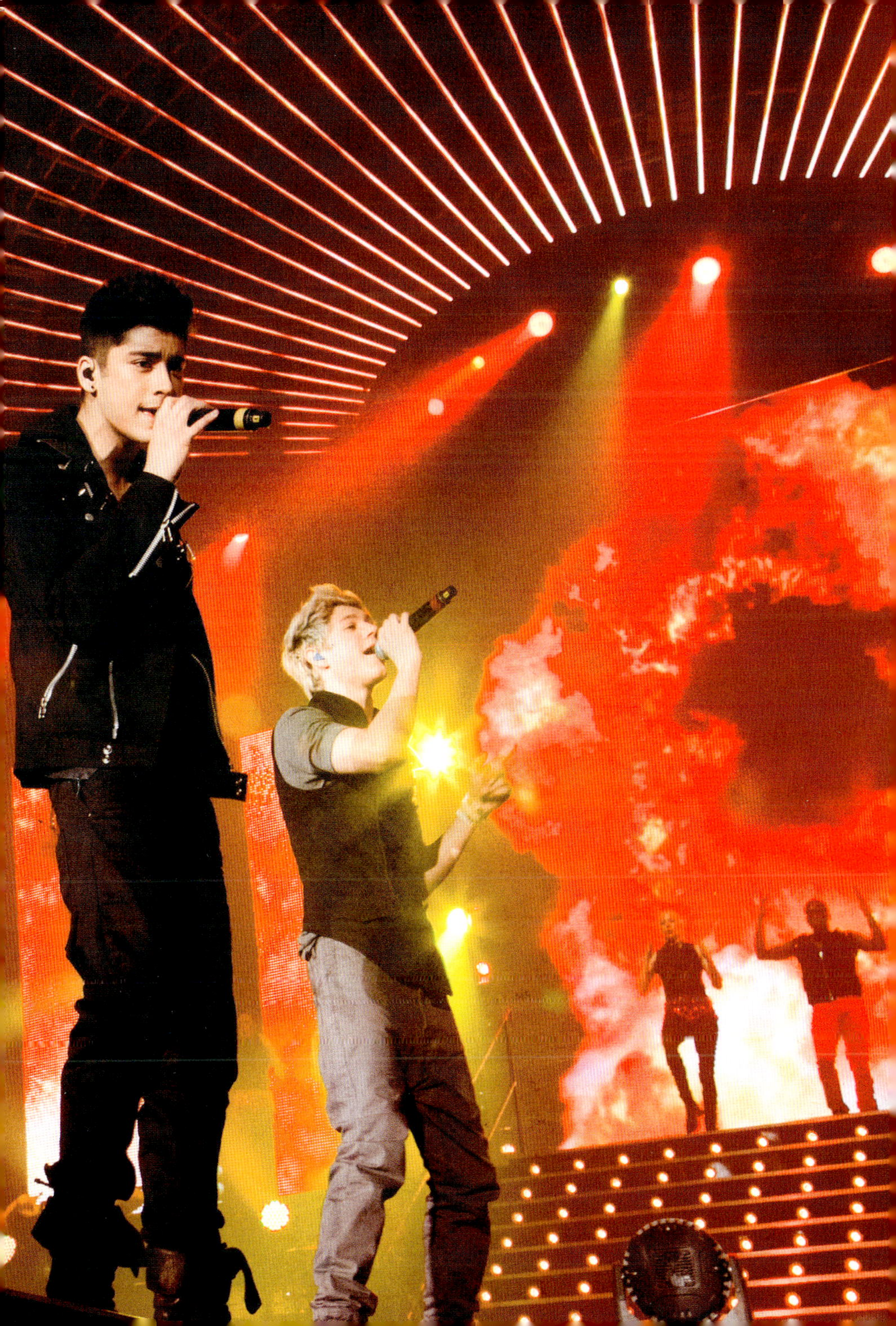

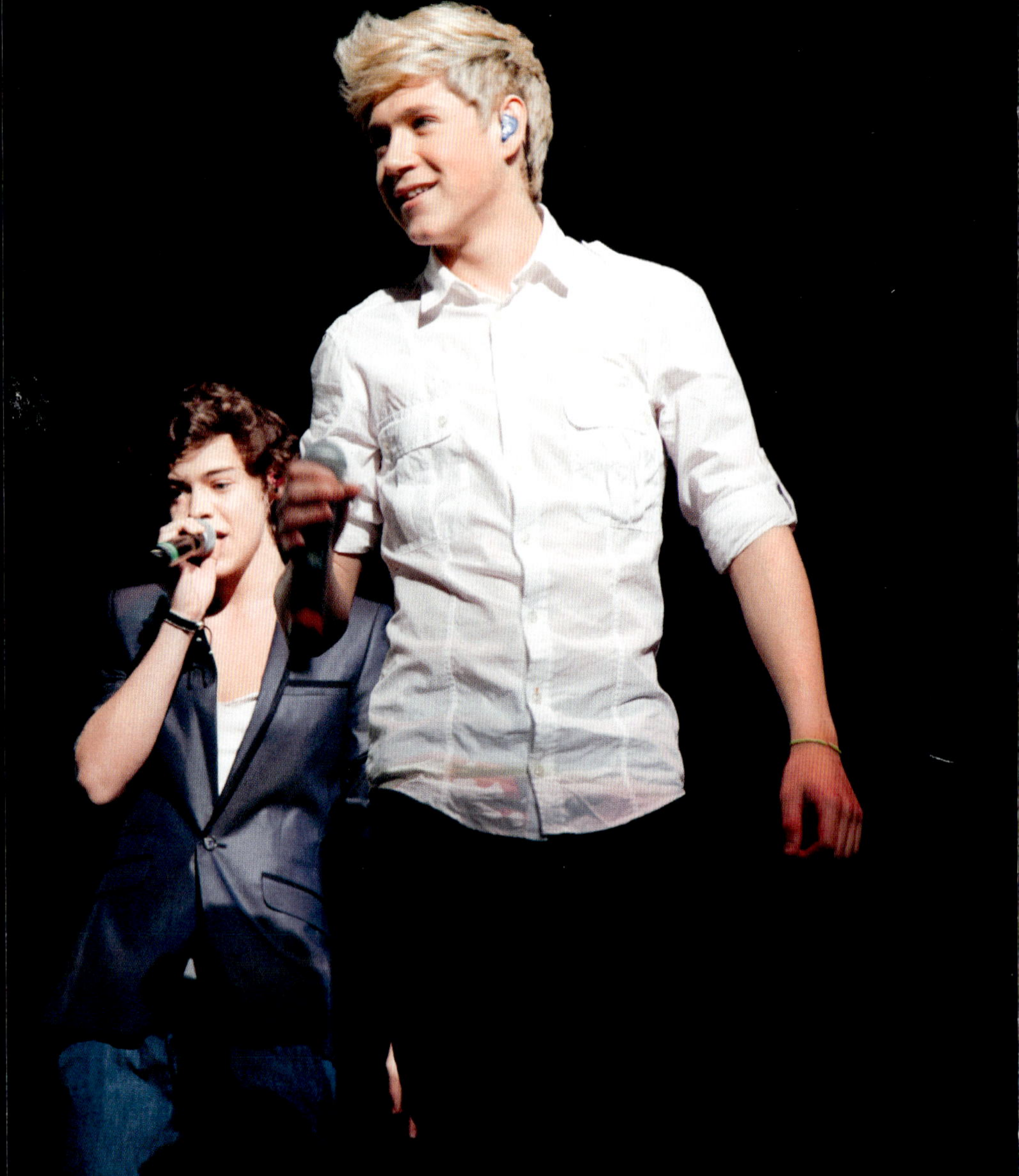

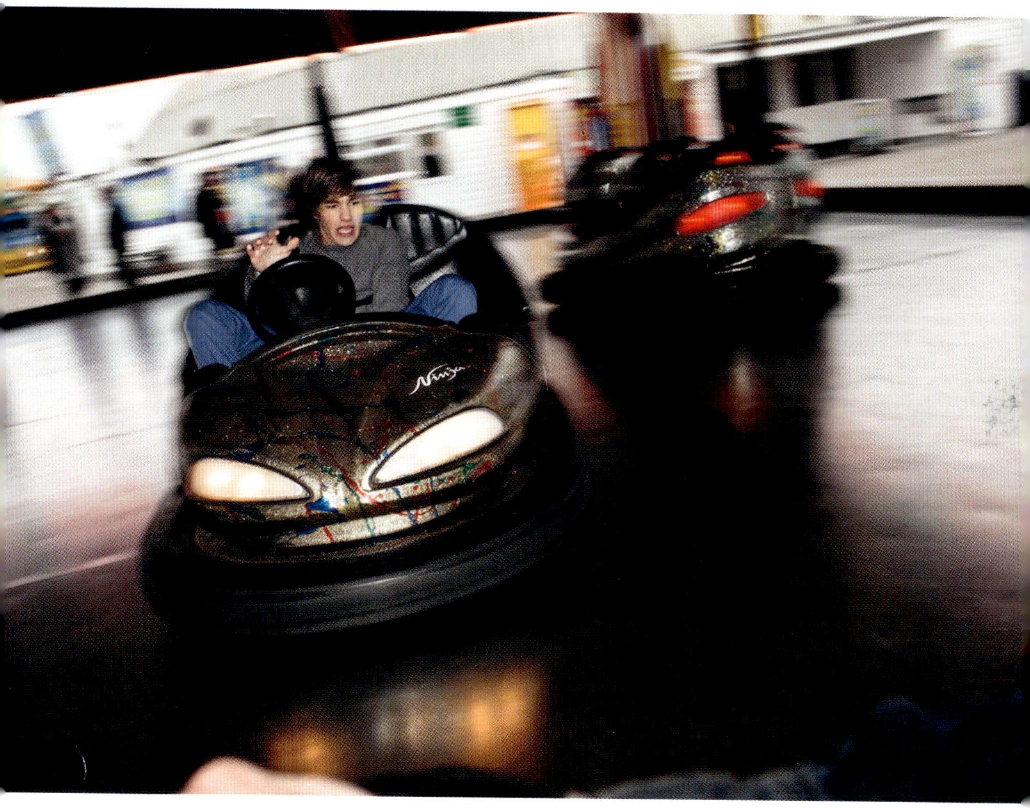

056

FEMALE ARTISTS

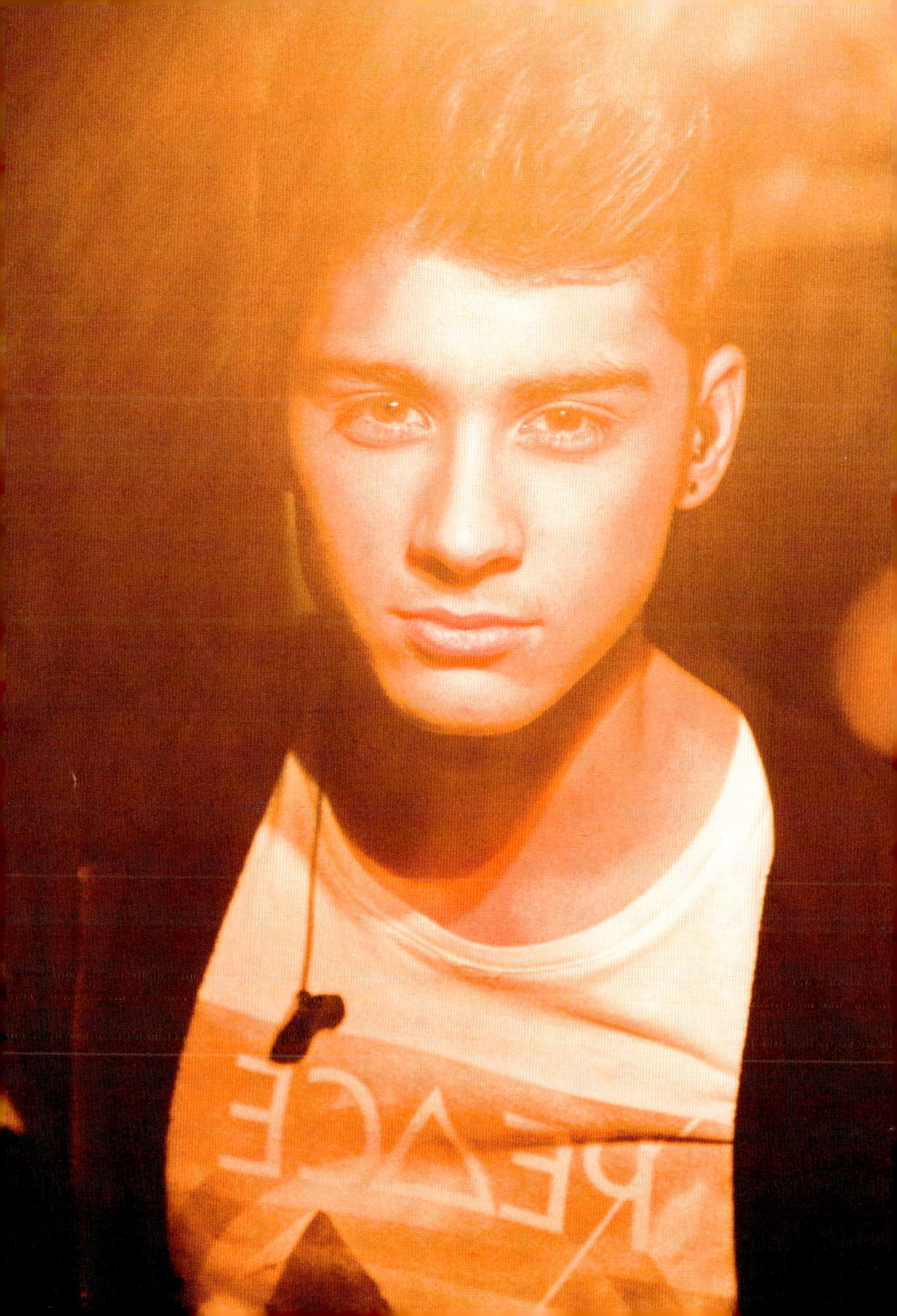

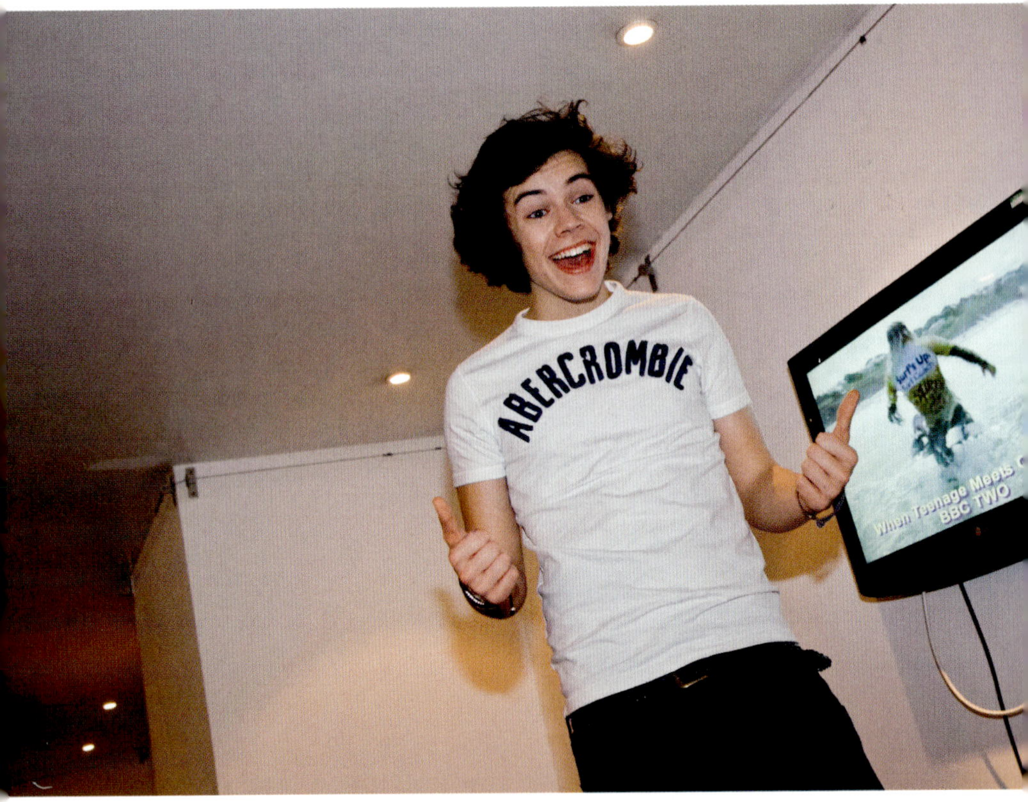
ABERCROMBIE
When Teenage Meets
BBC TWO

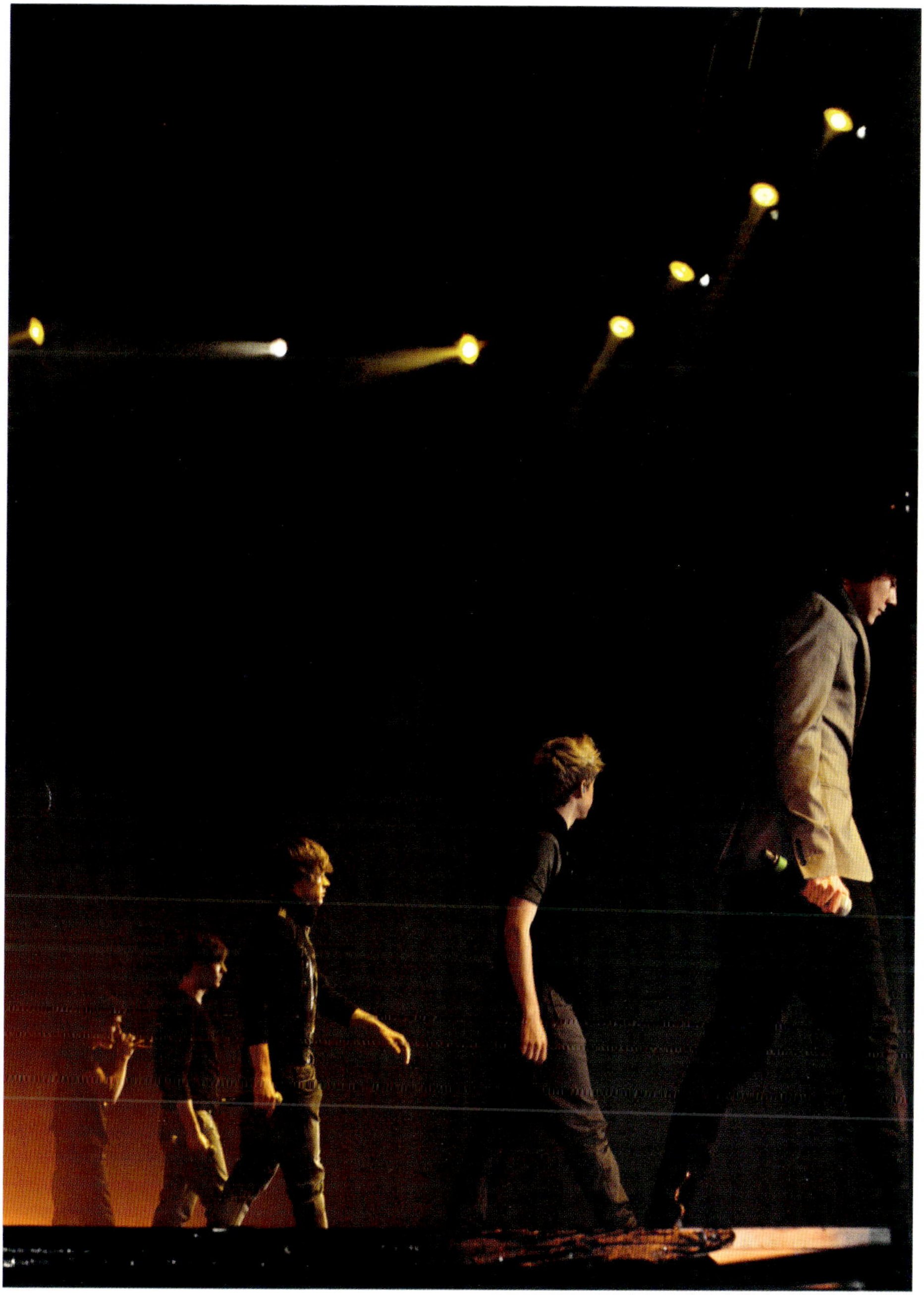

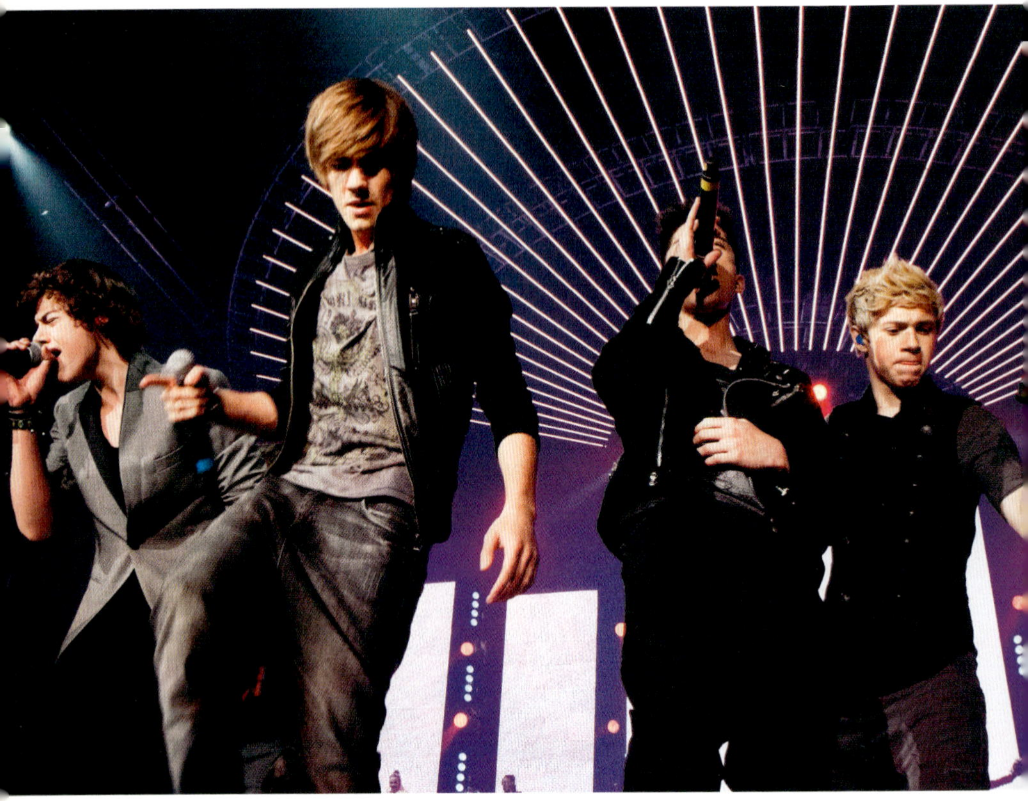

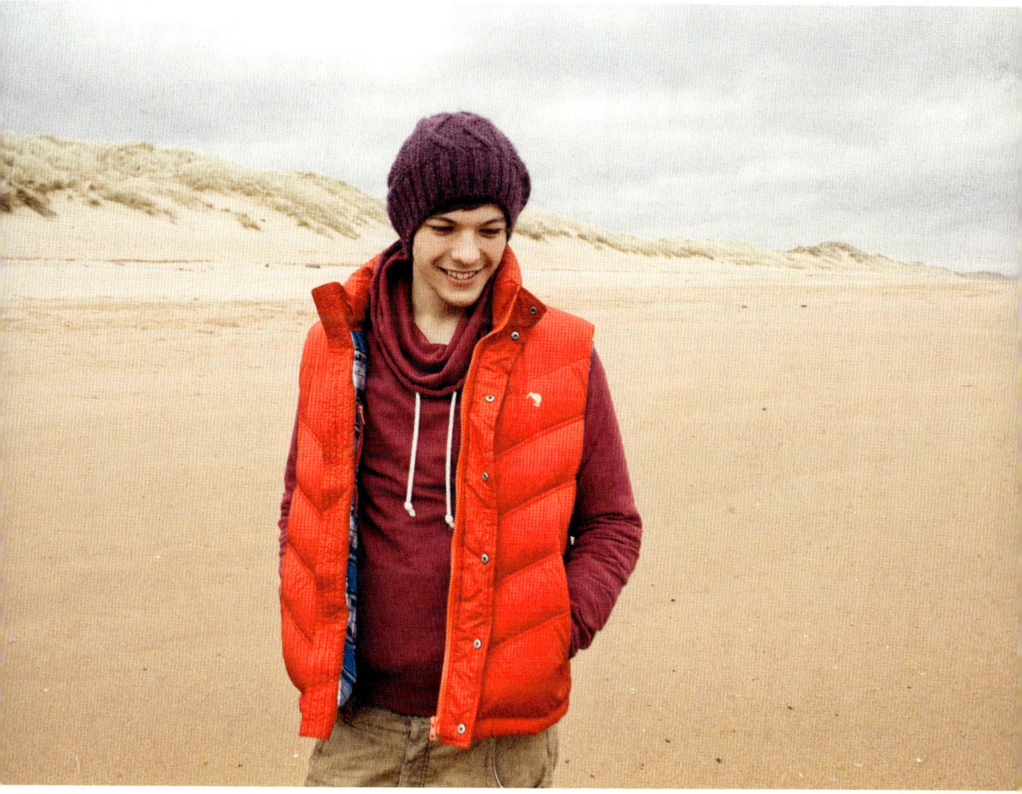

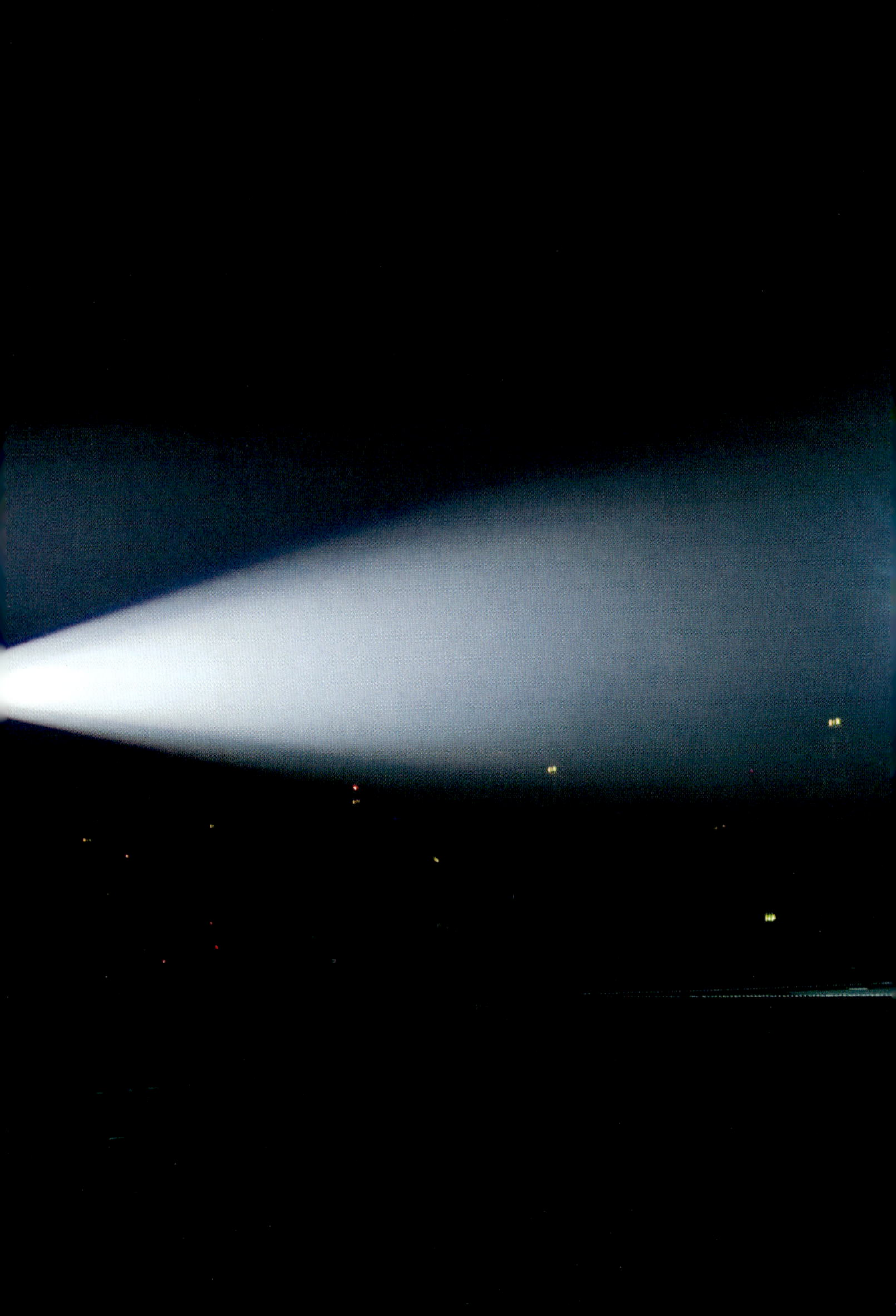

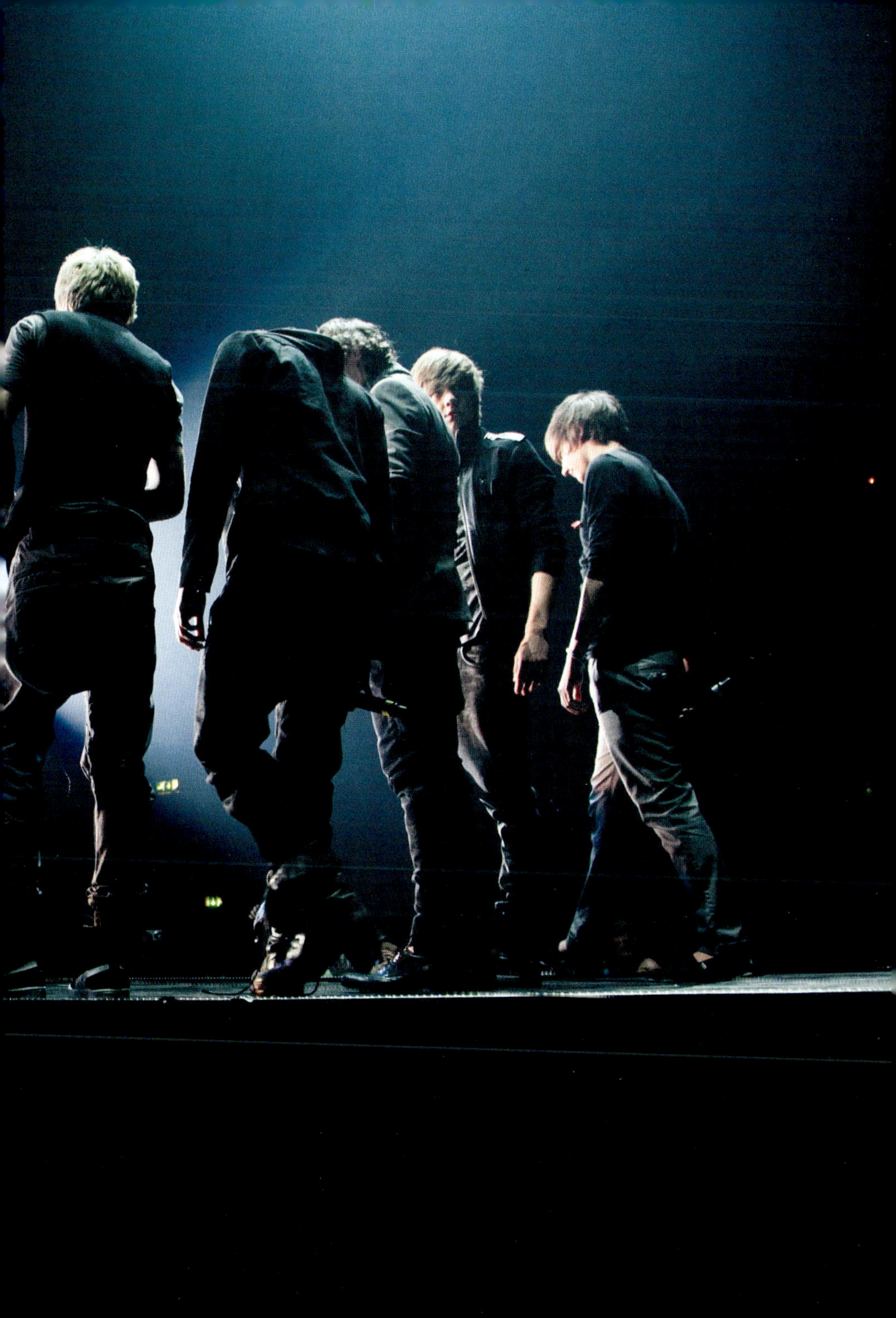

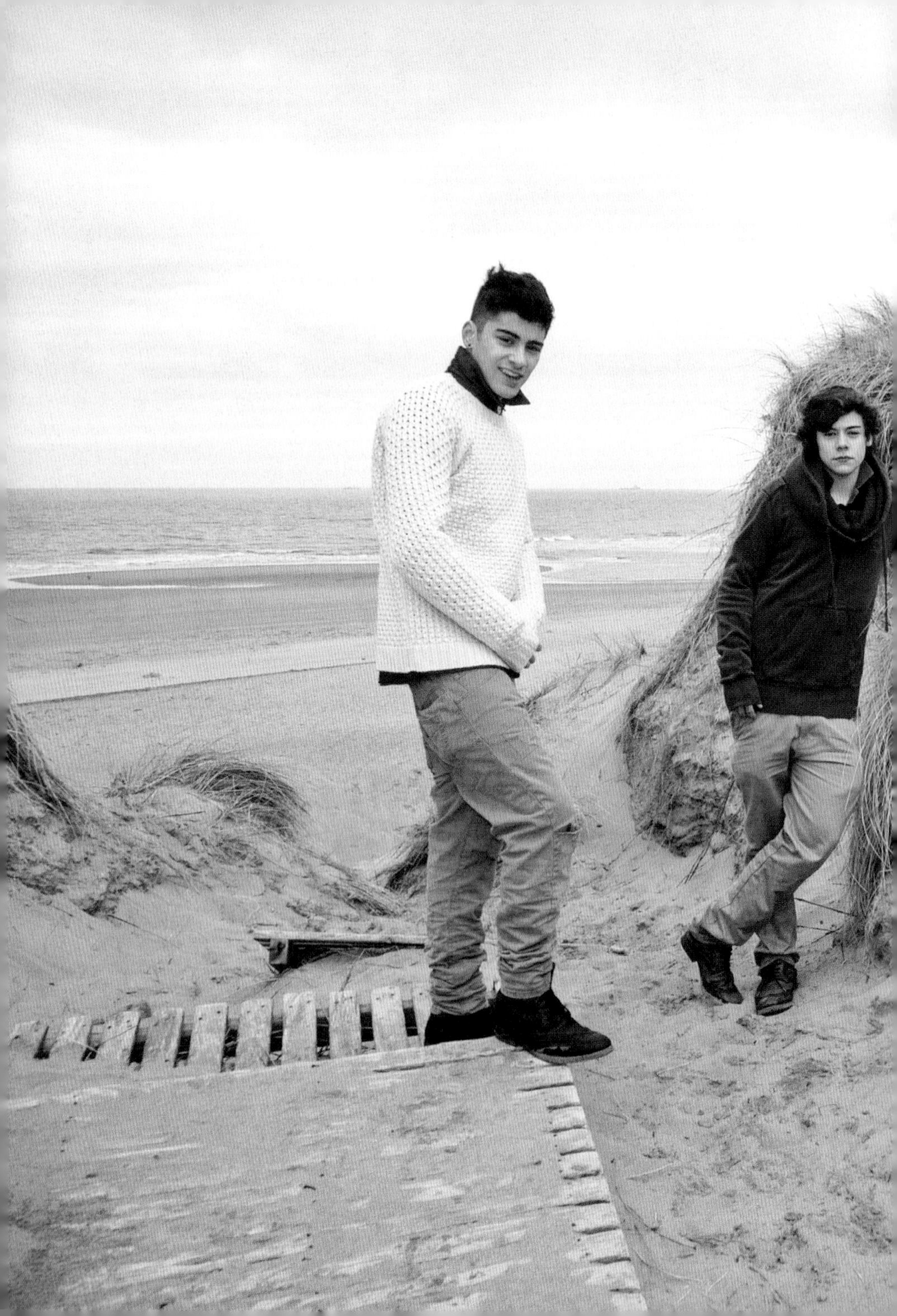

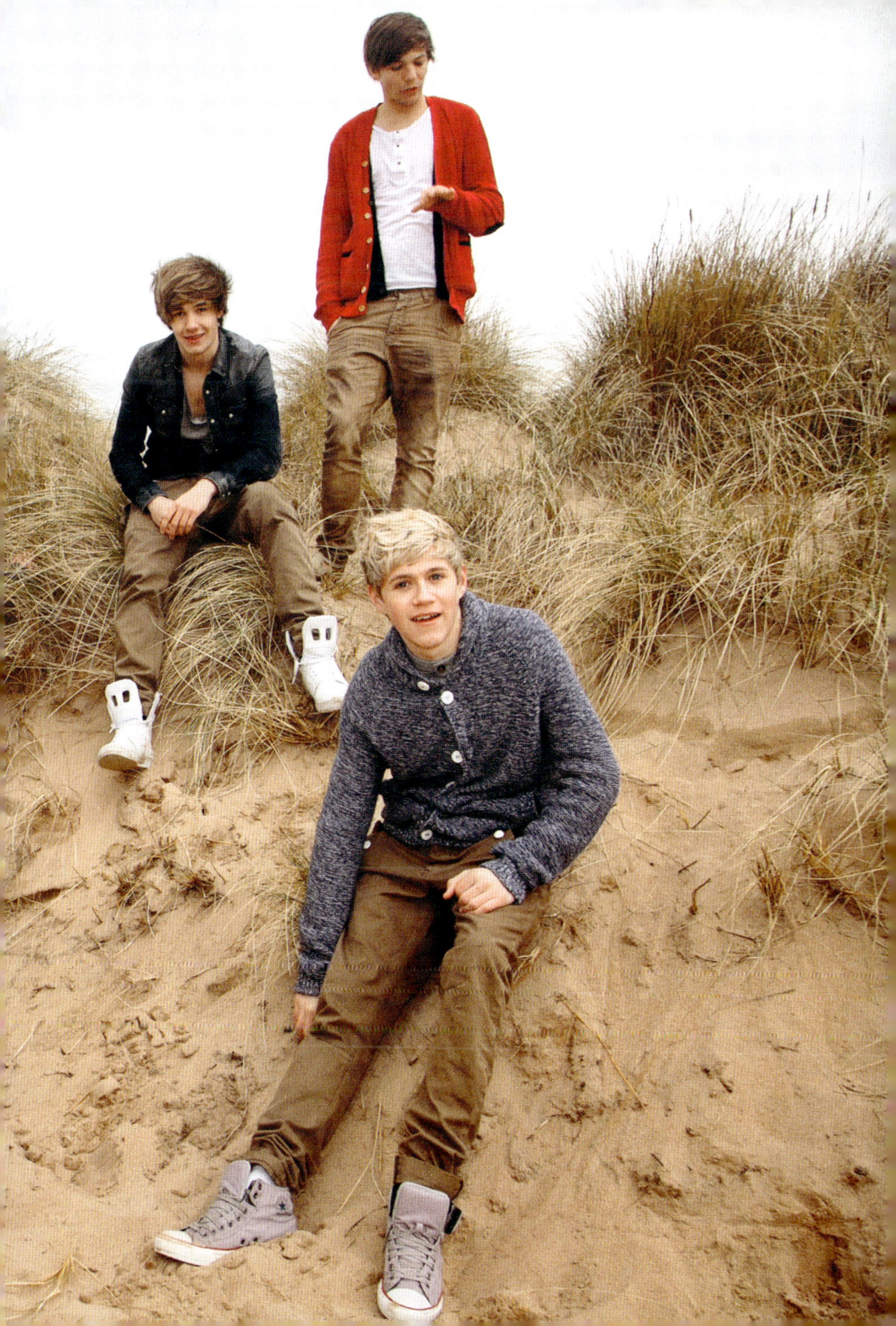

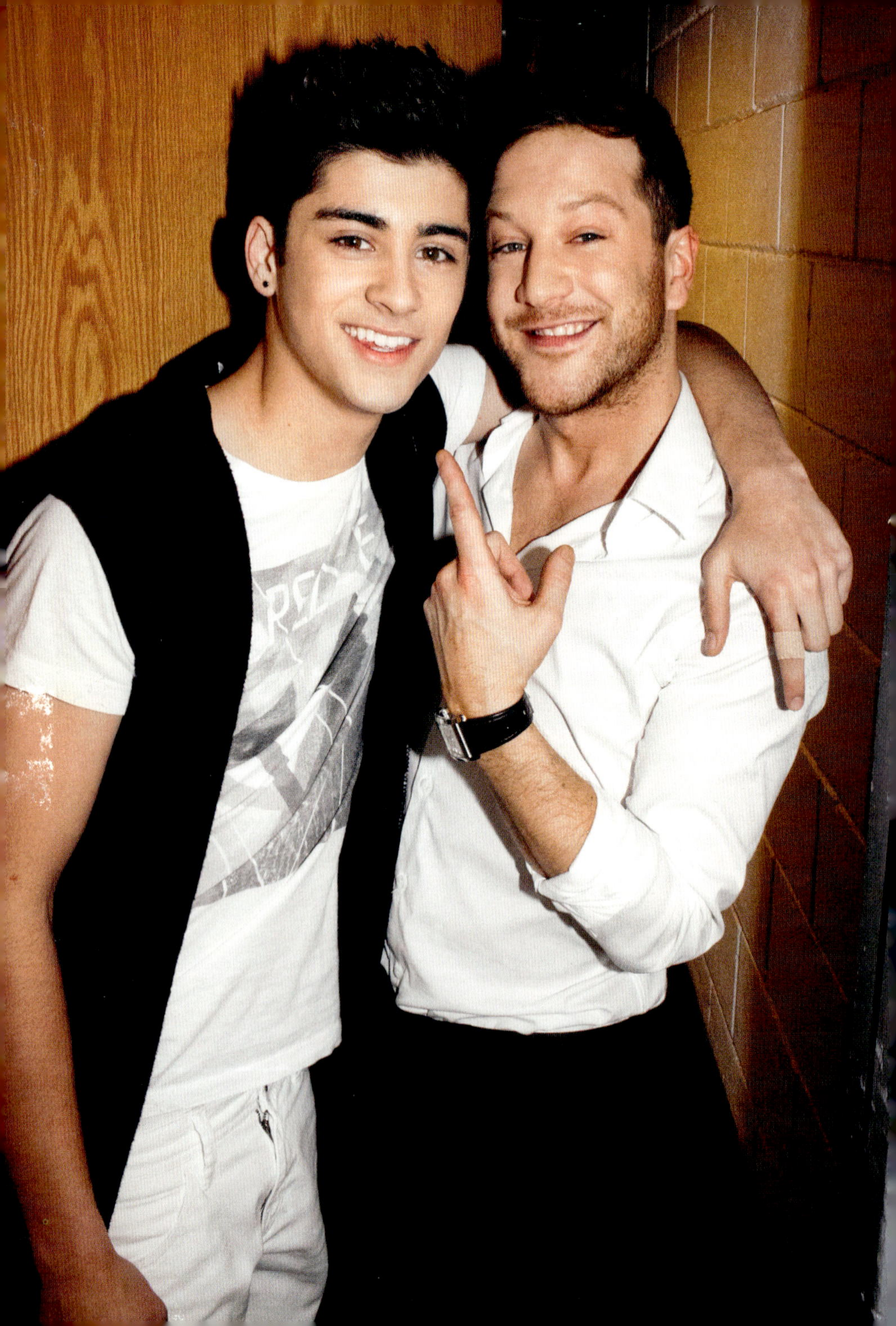

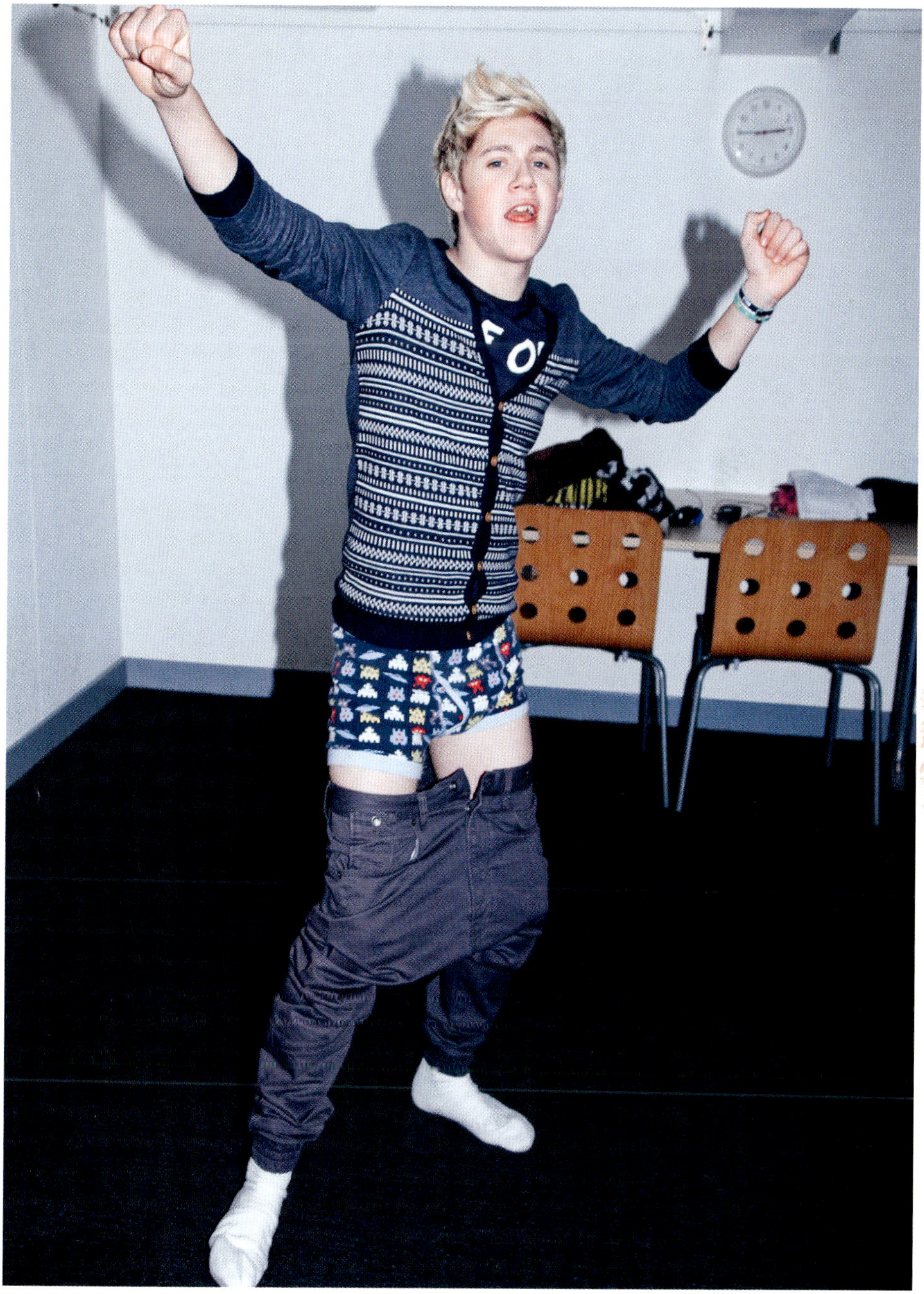

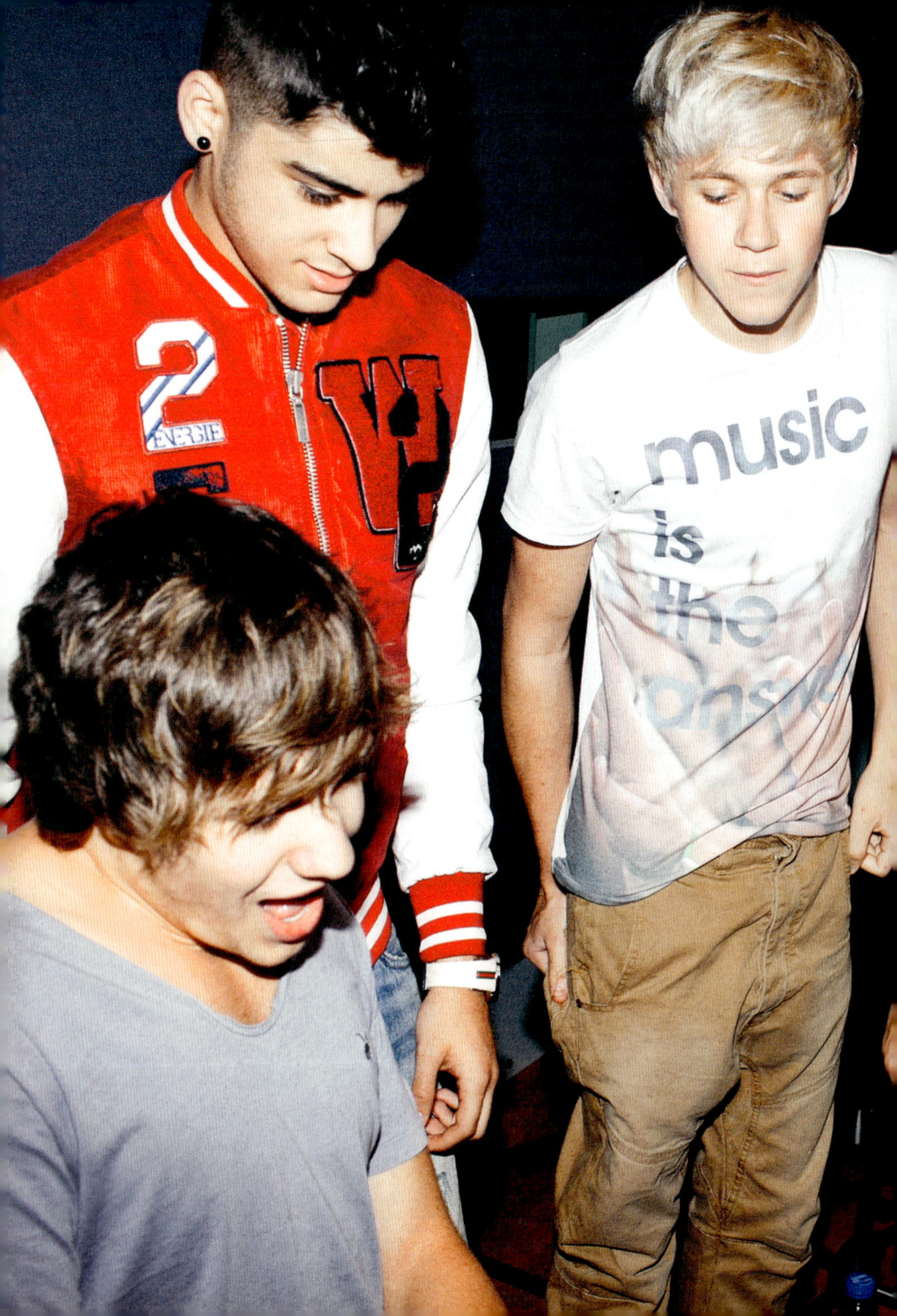
music
is
the

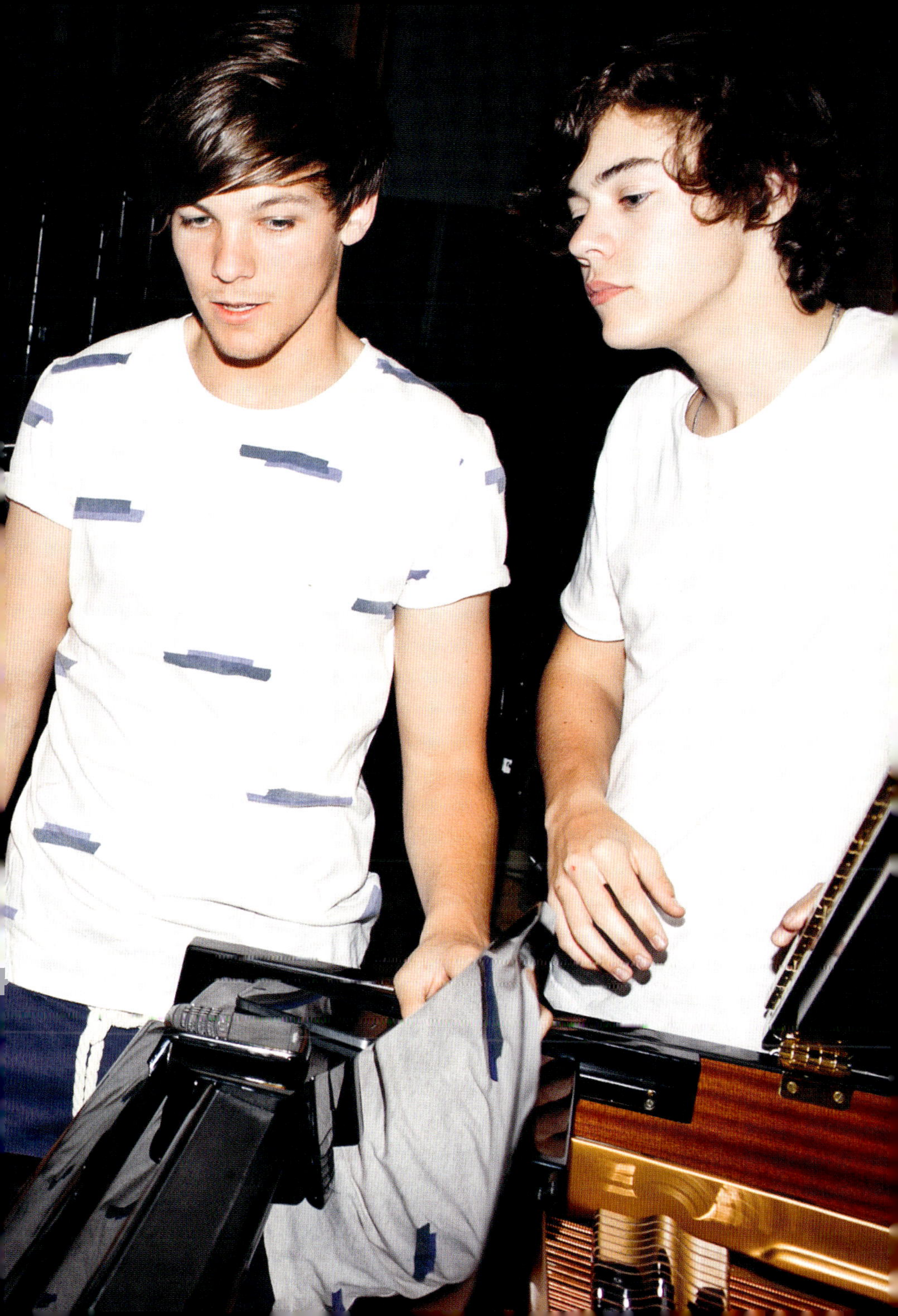

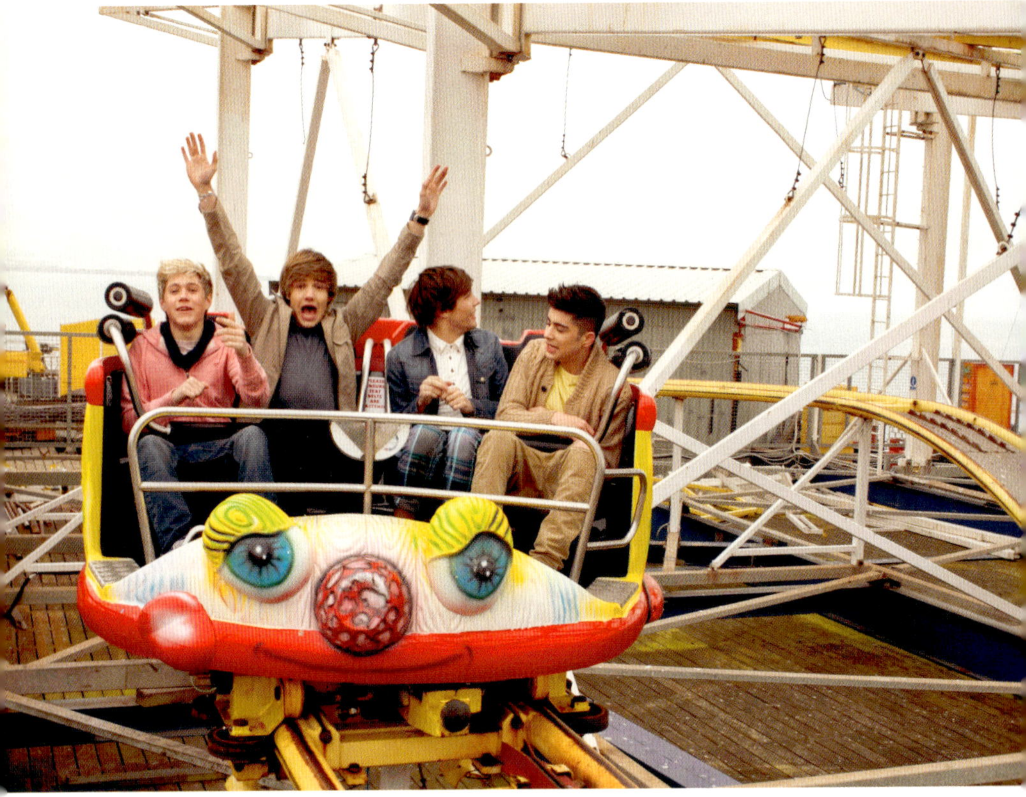

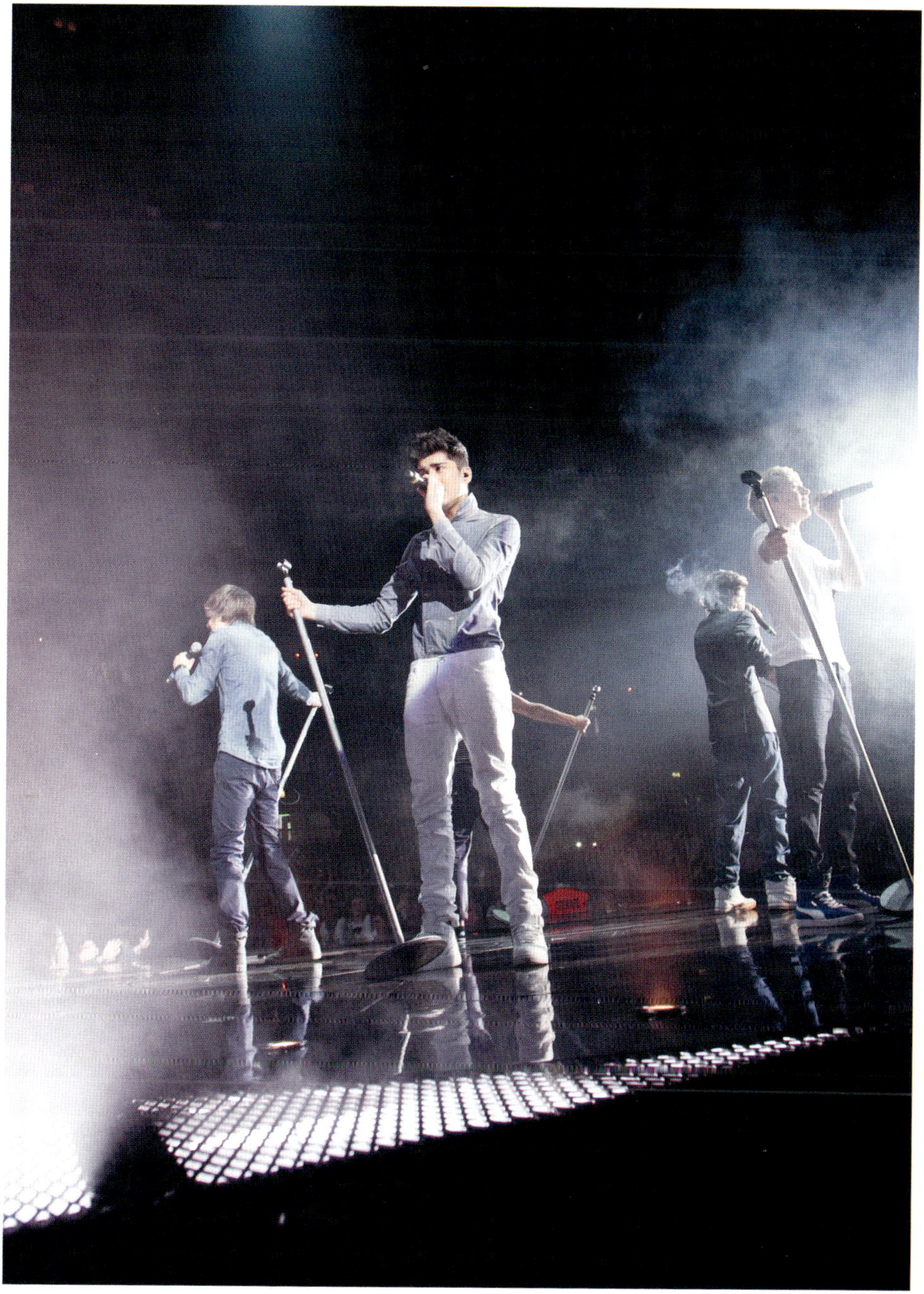

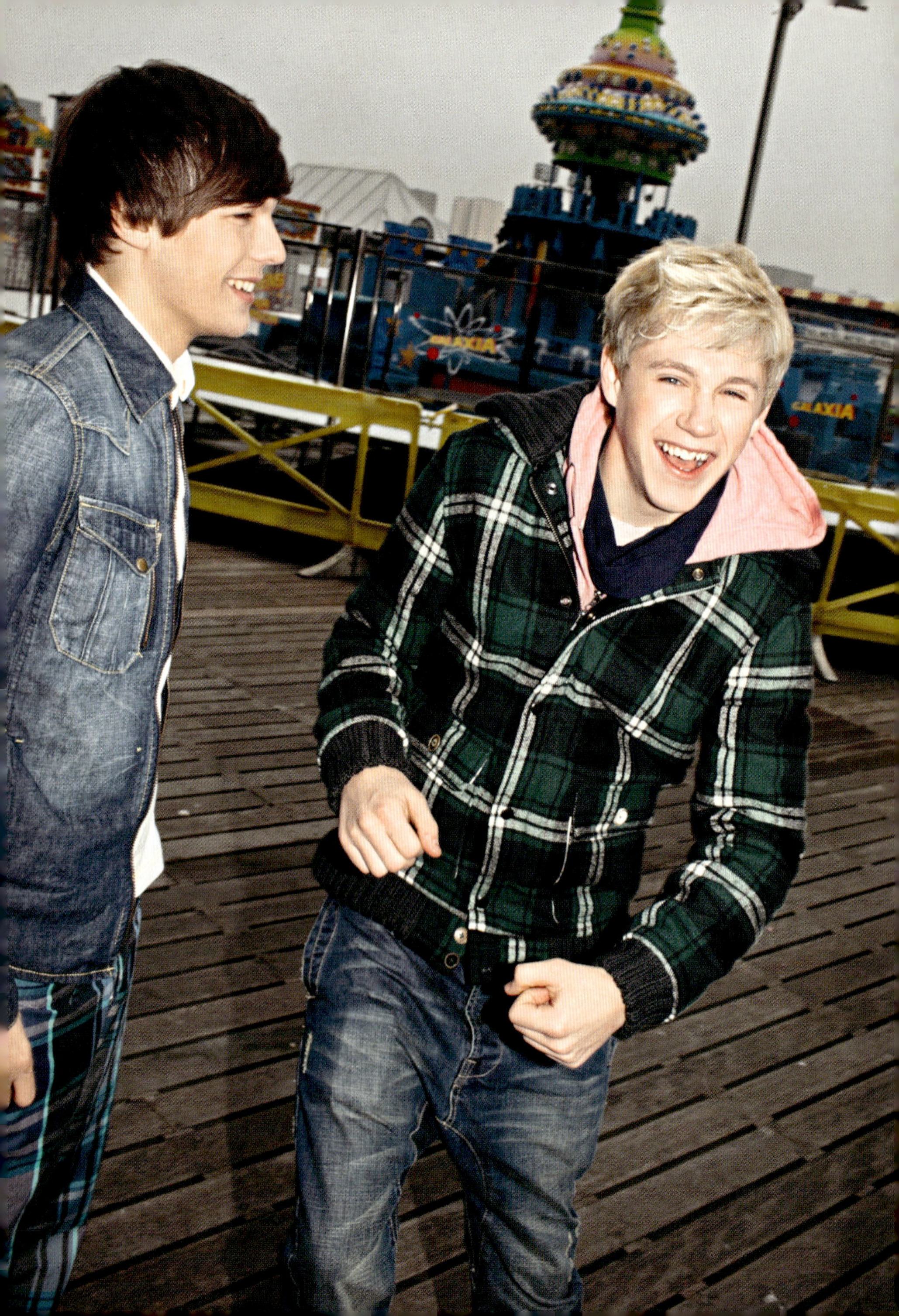

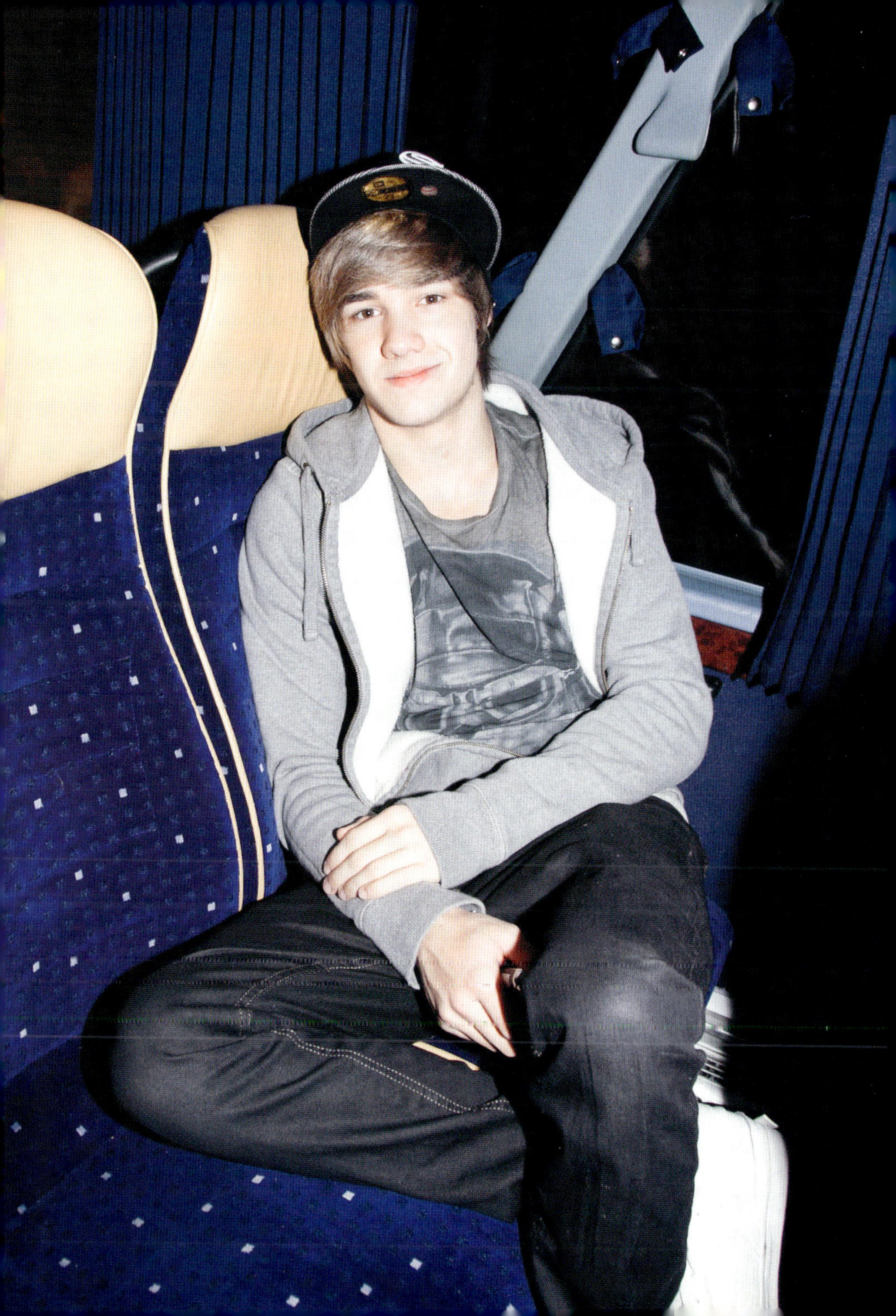

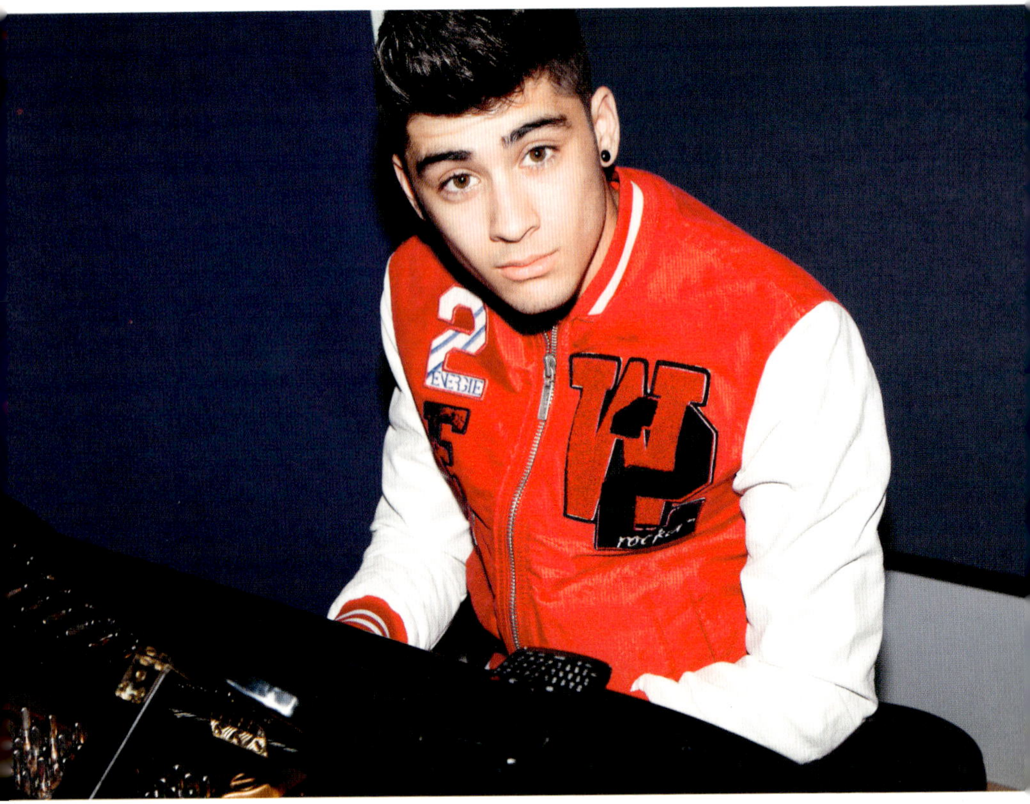

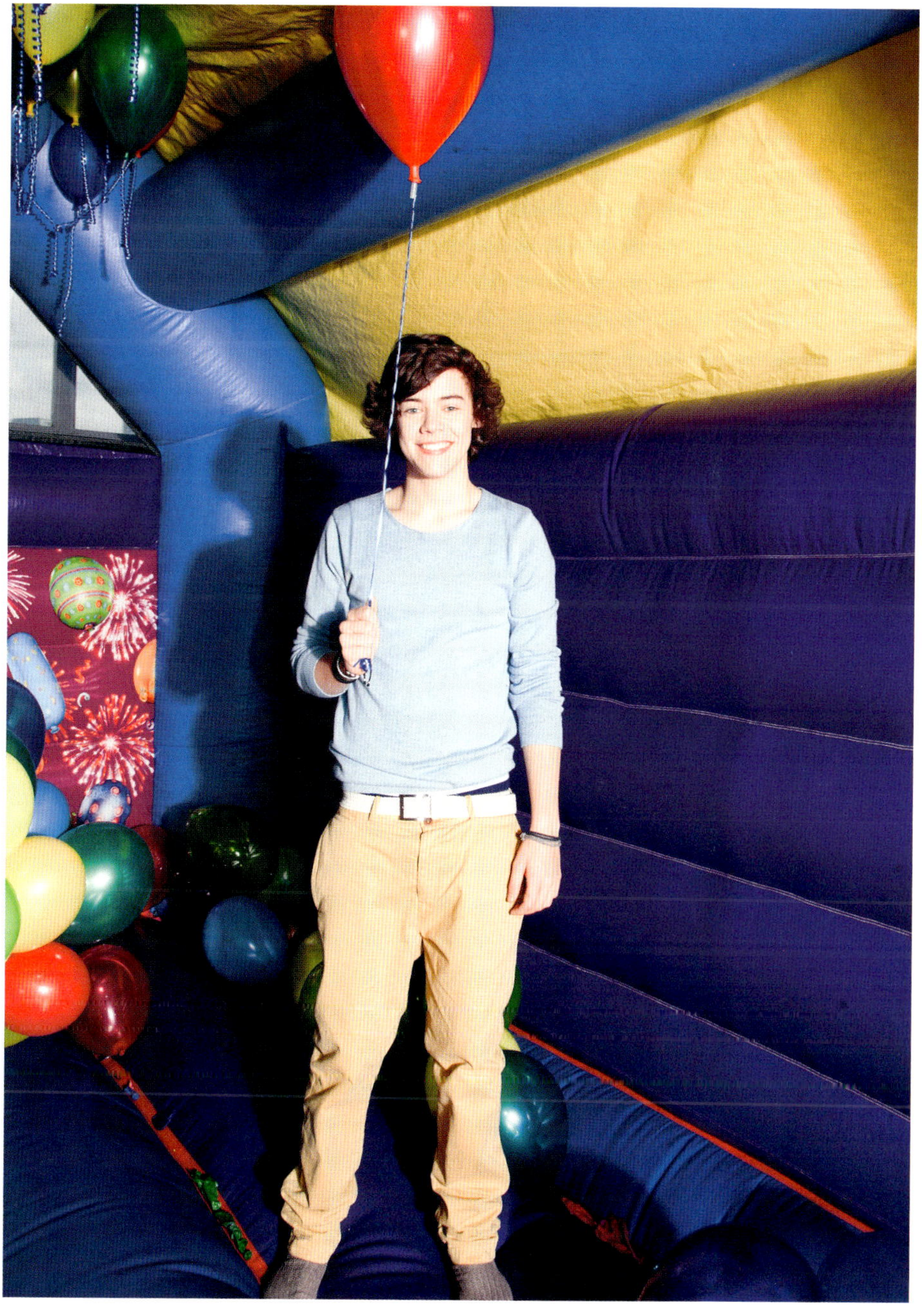

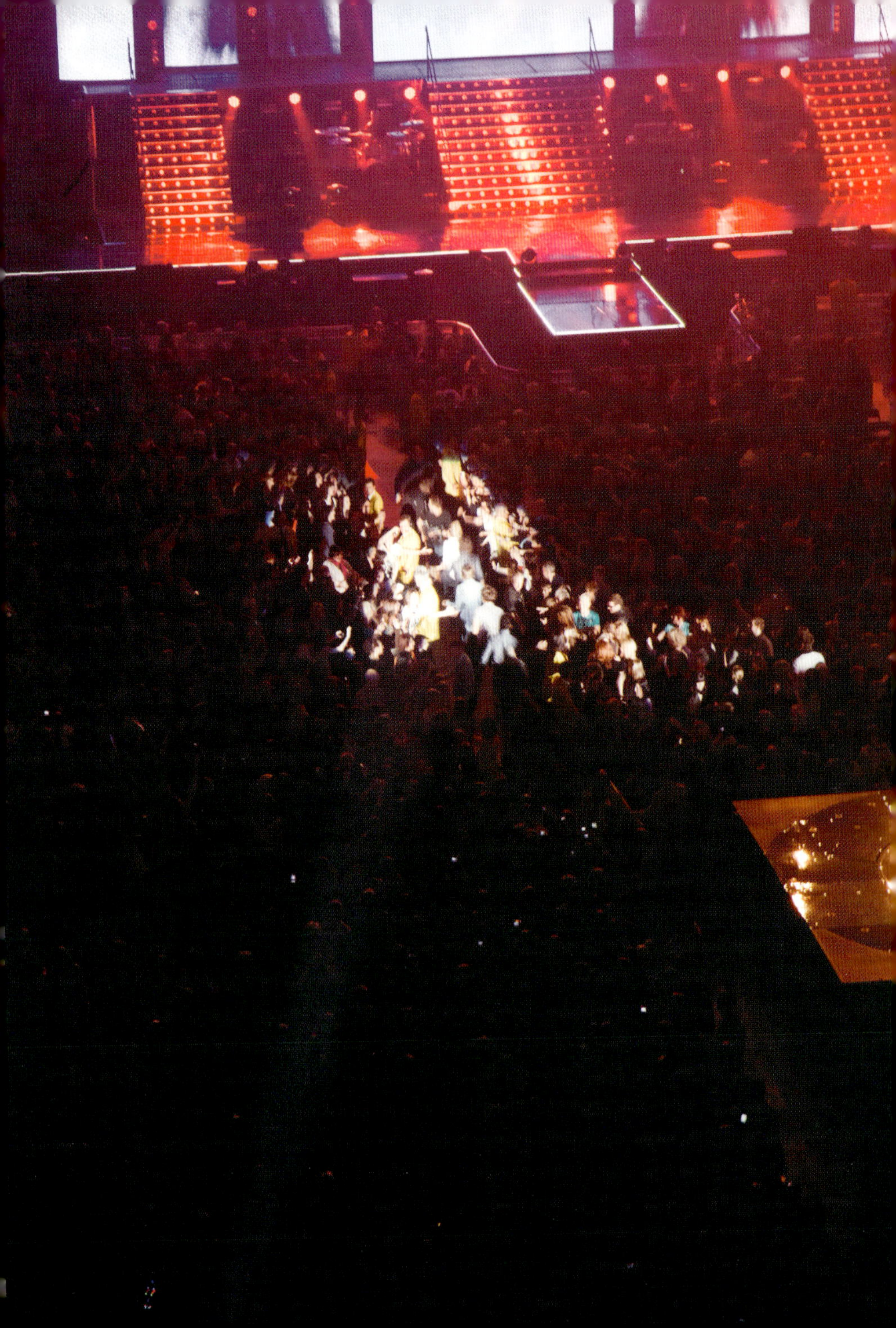

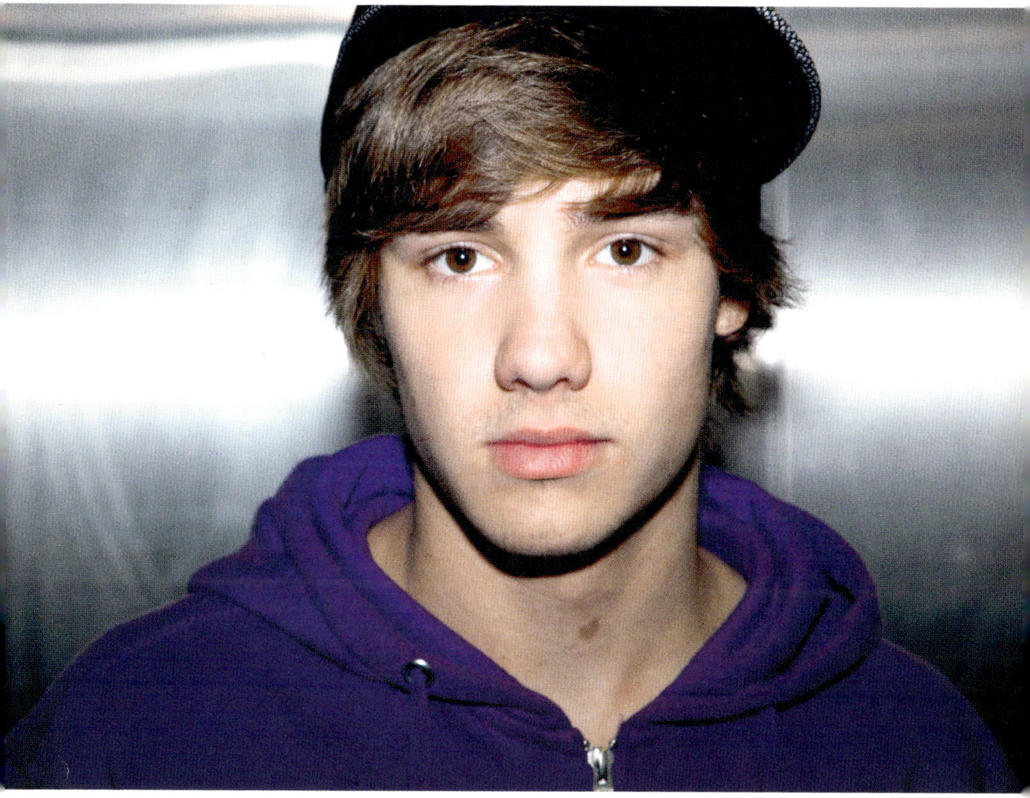

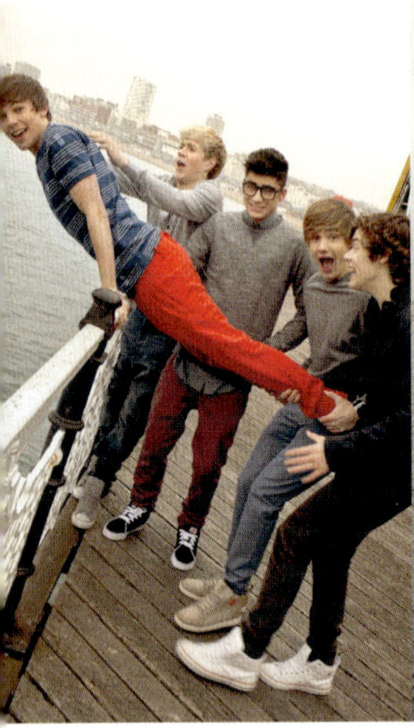

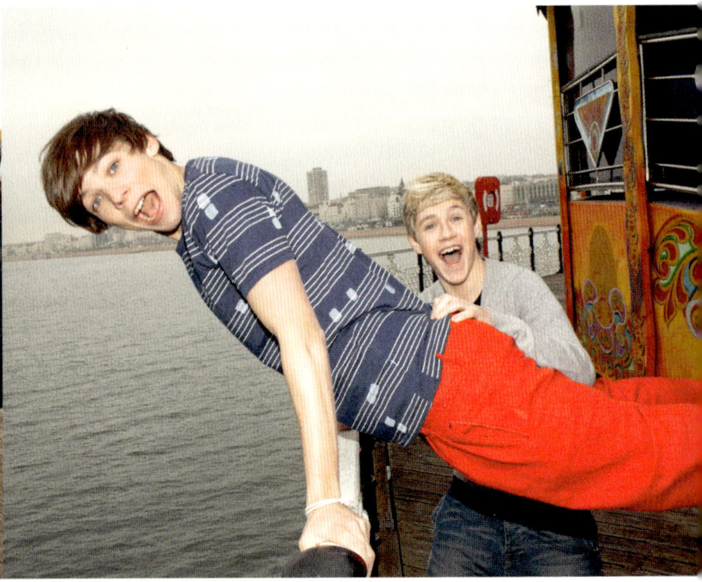

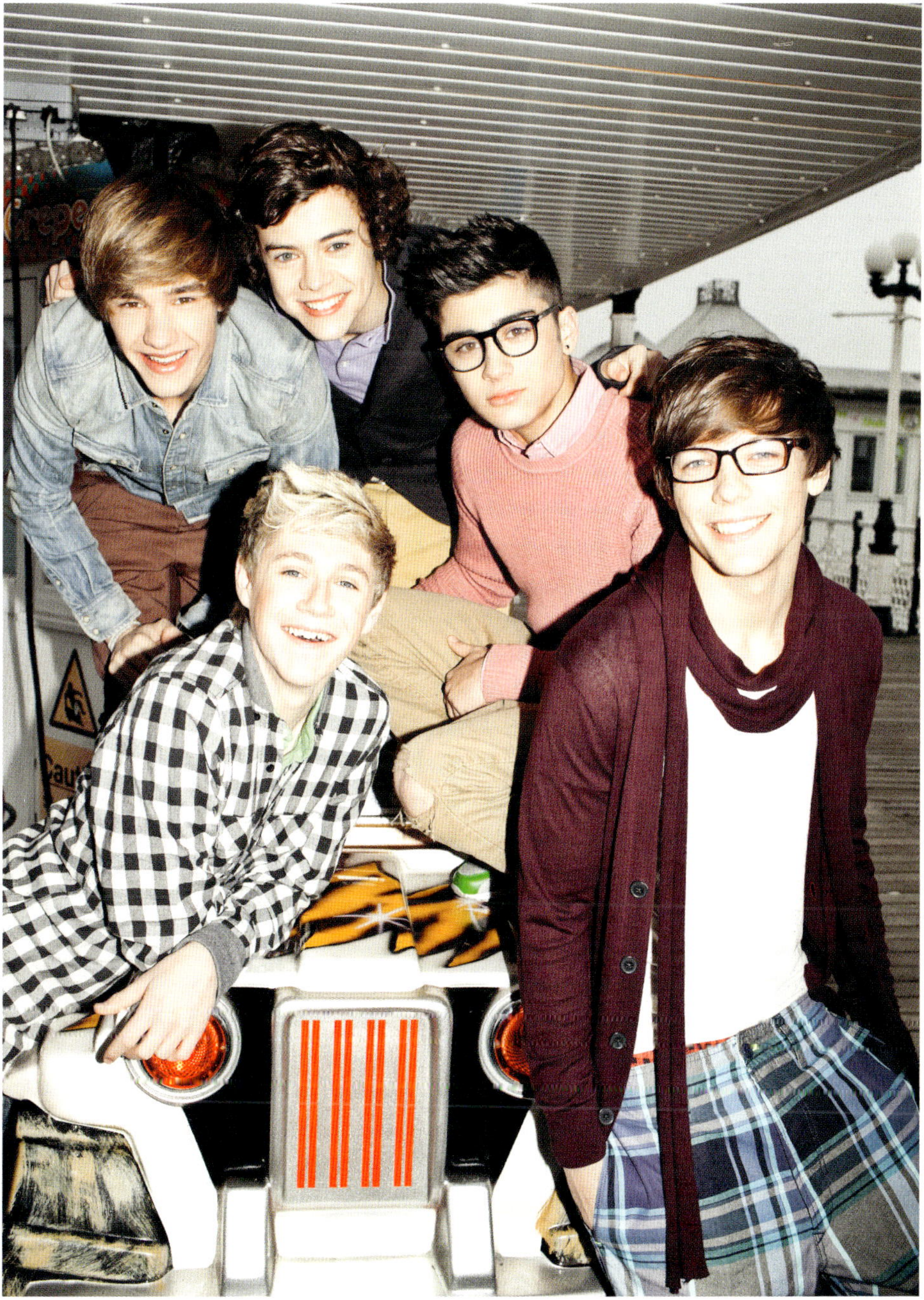

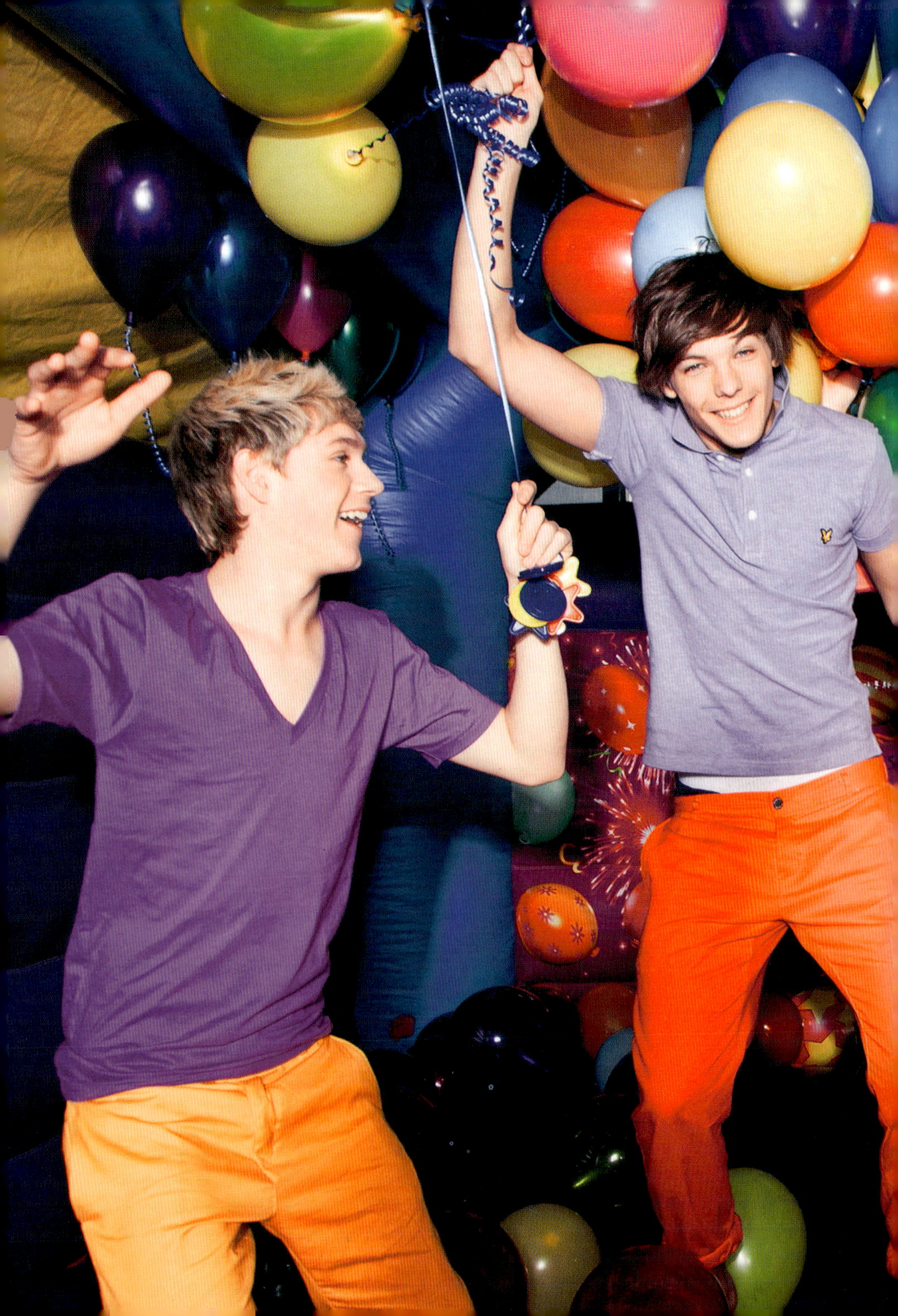

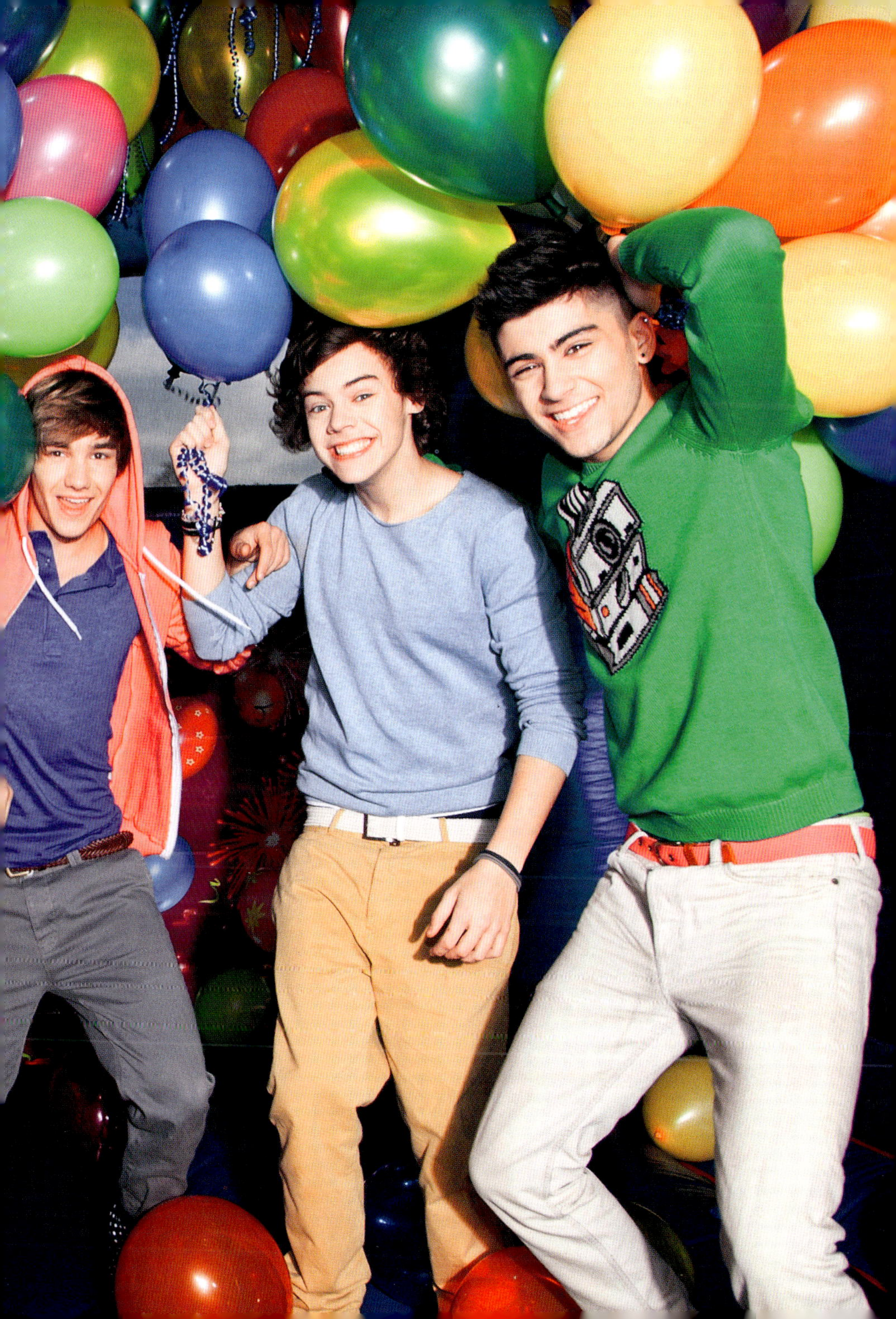

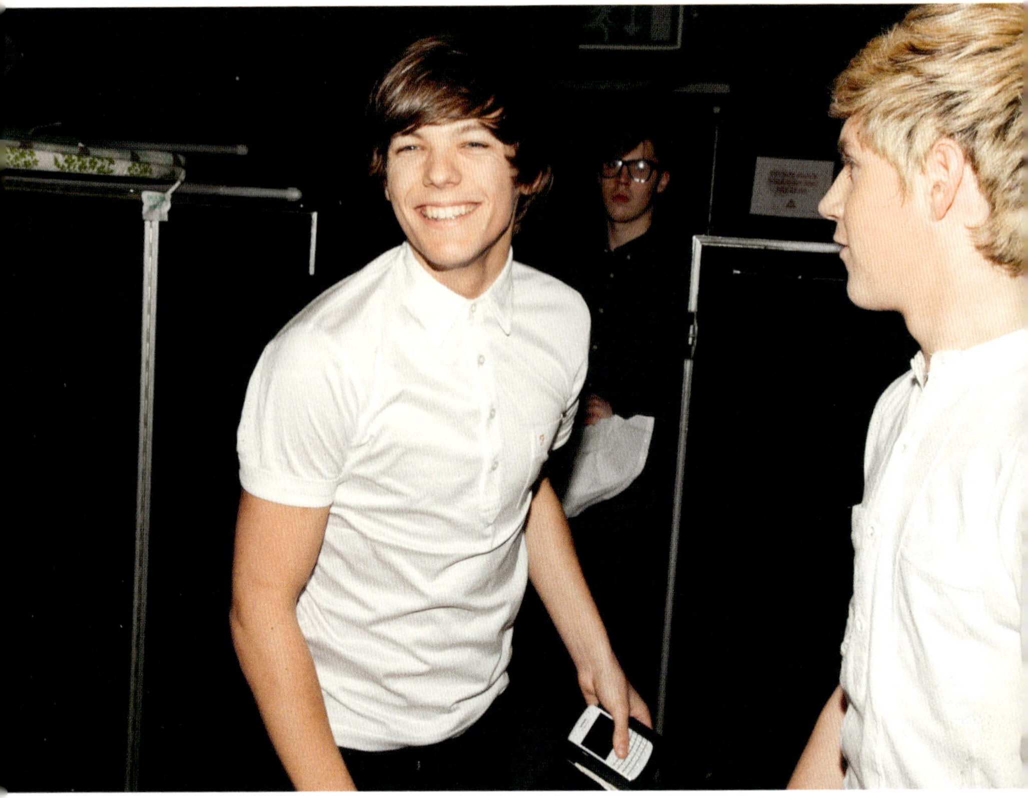

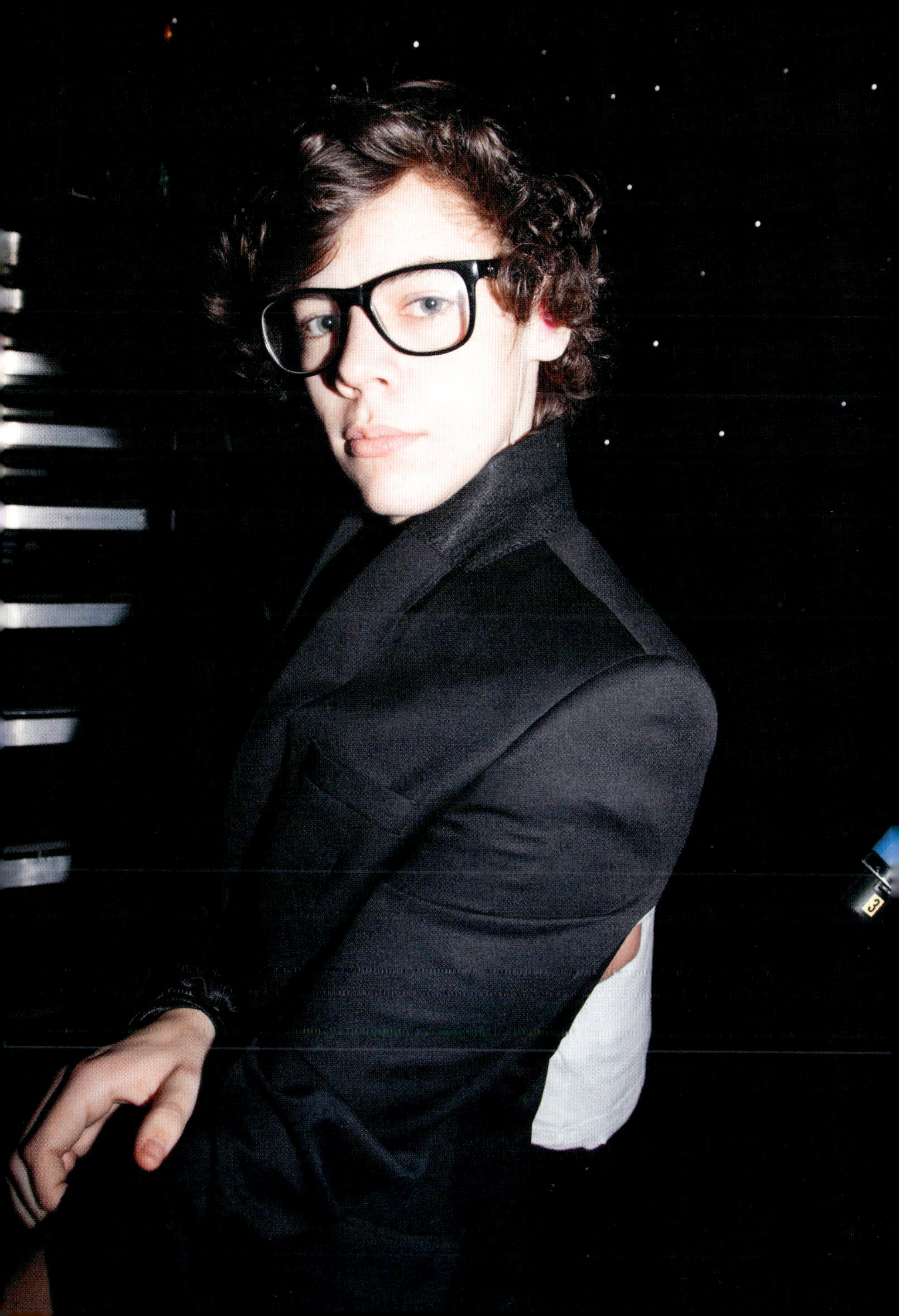

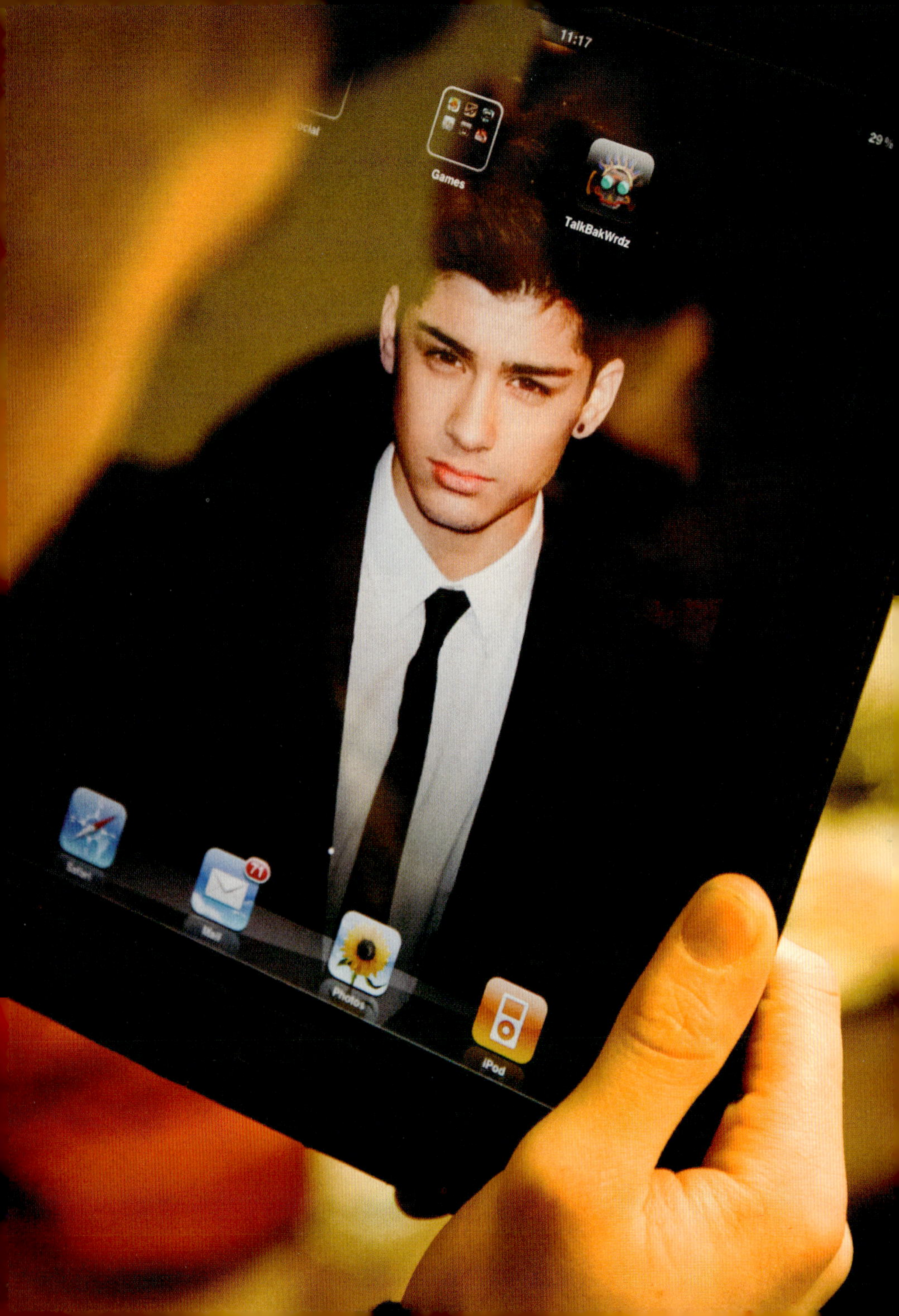
11:17
Games
TalkBakWrdz
Photos
iPod

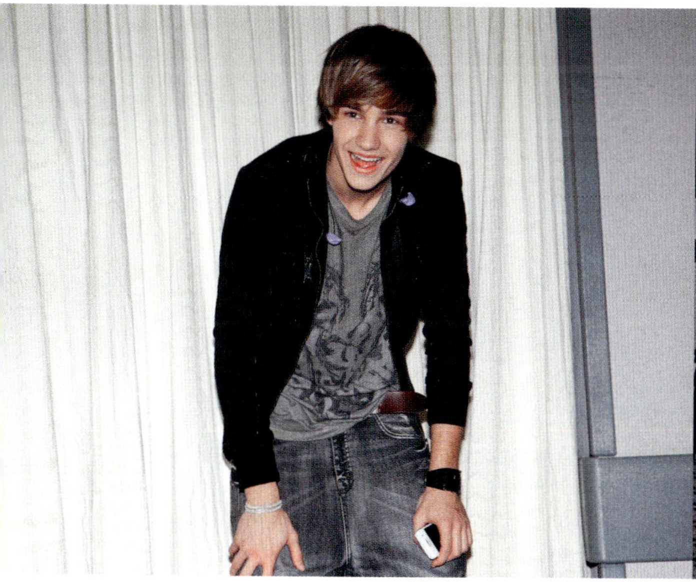
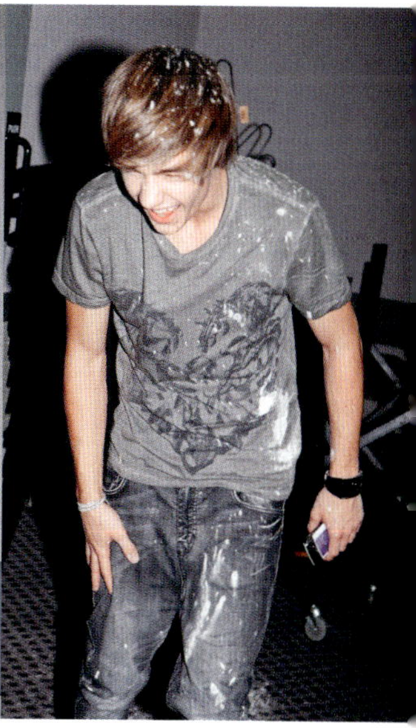

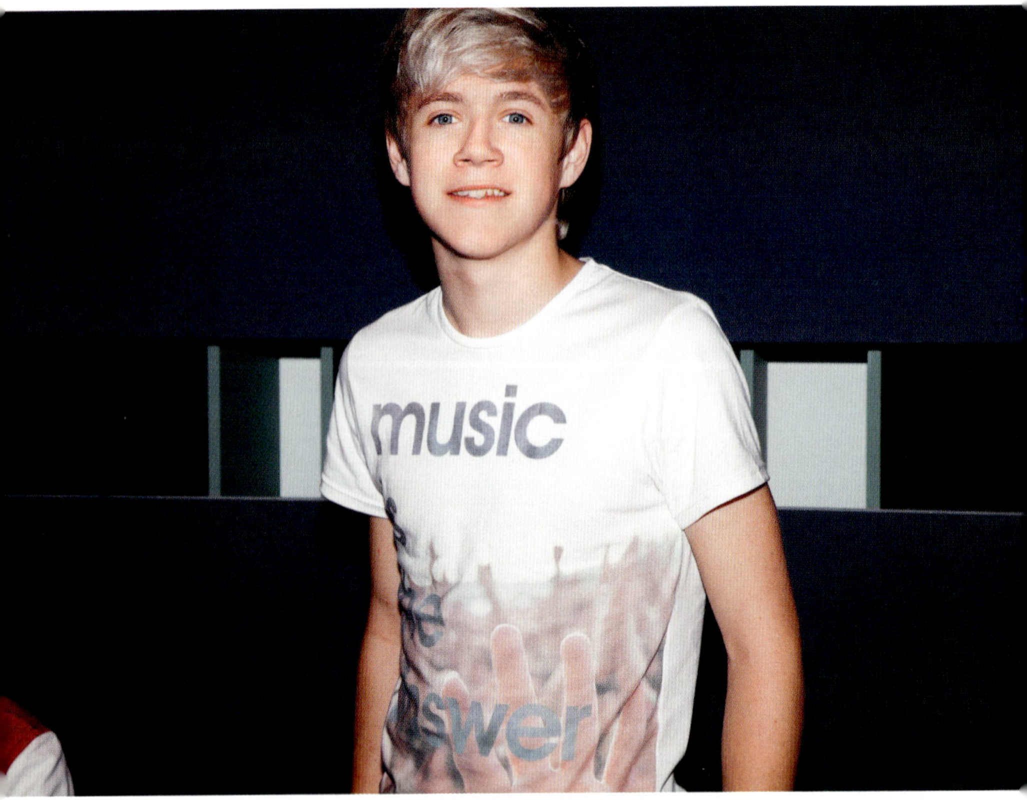
music

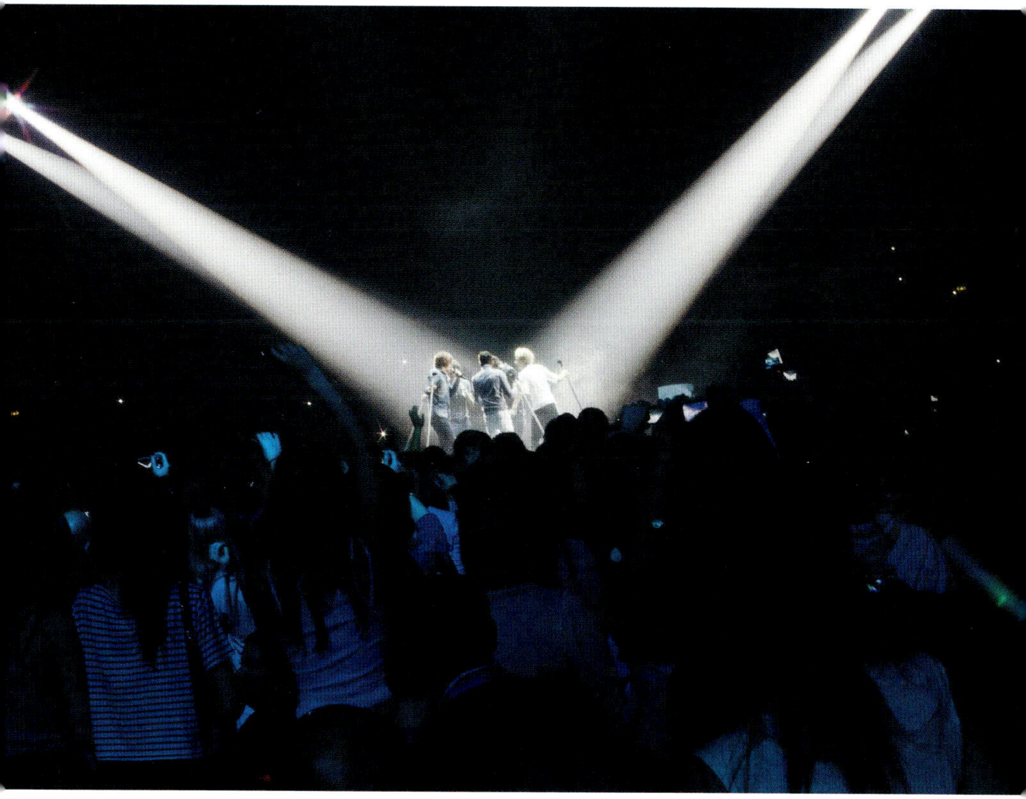

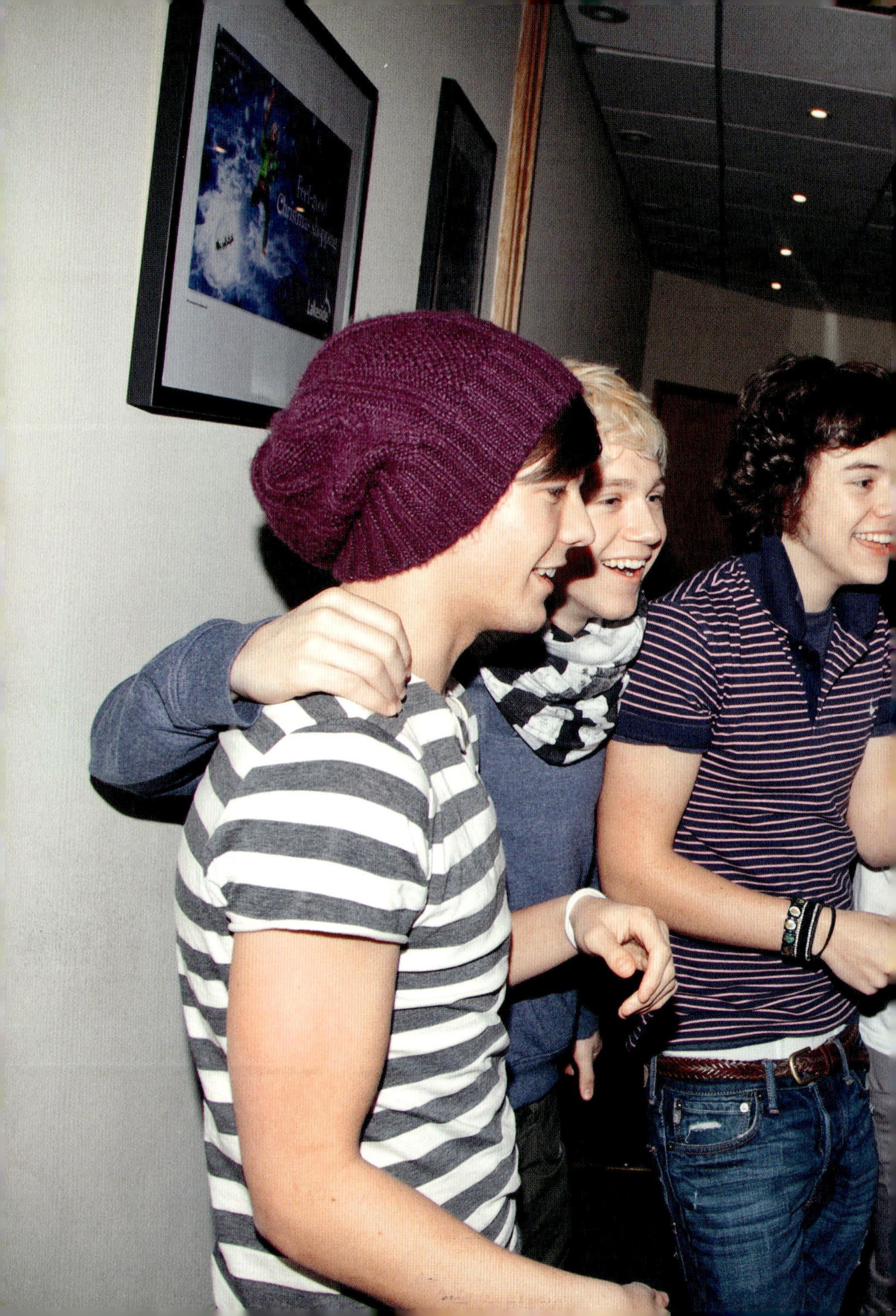

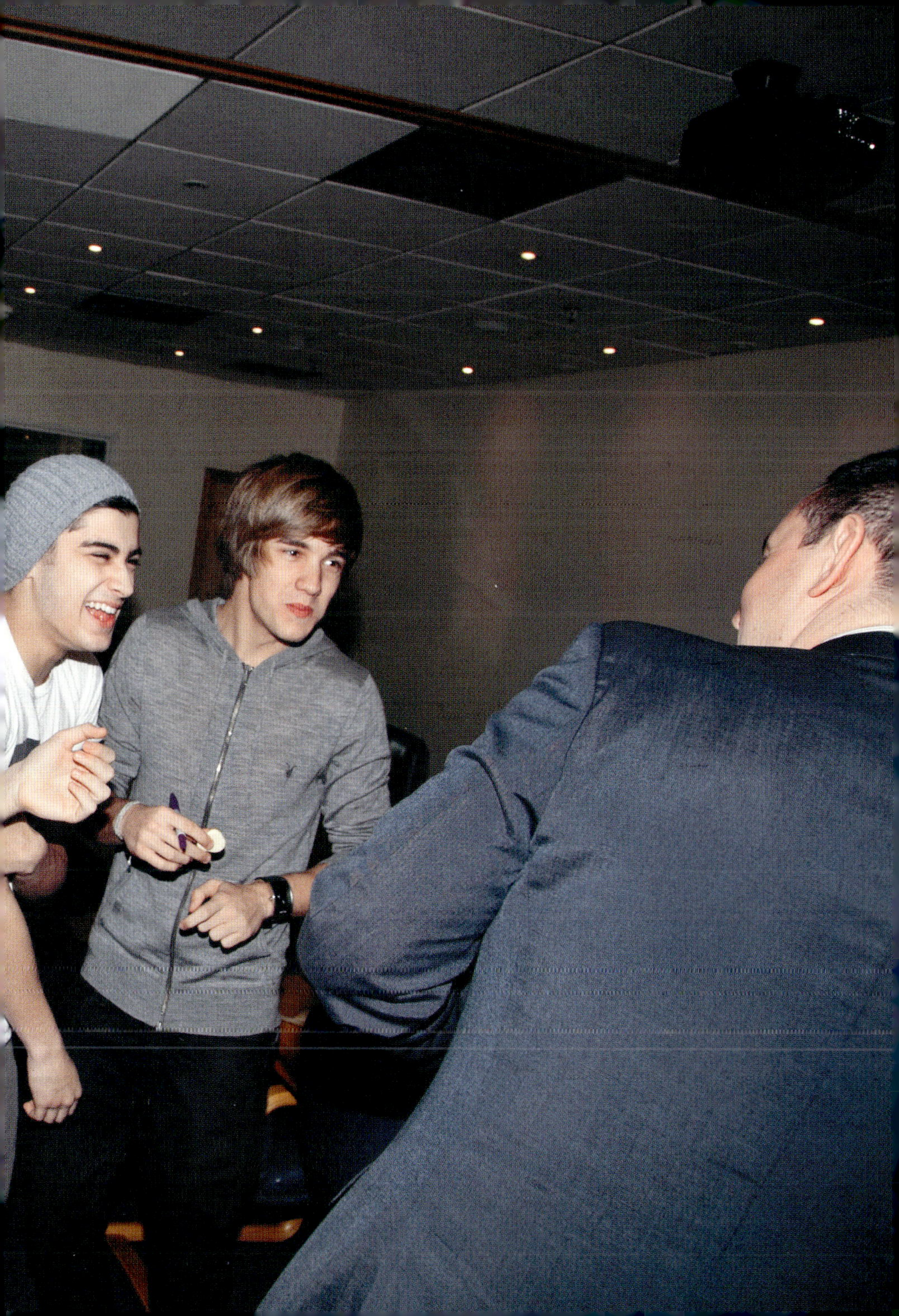

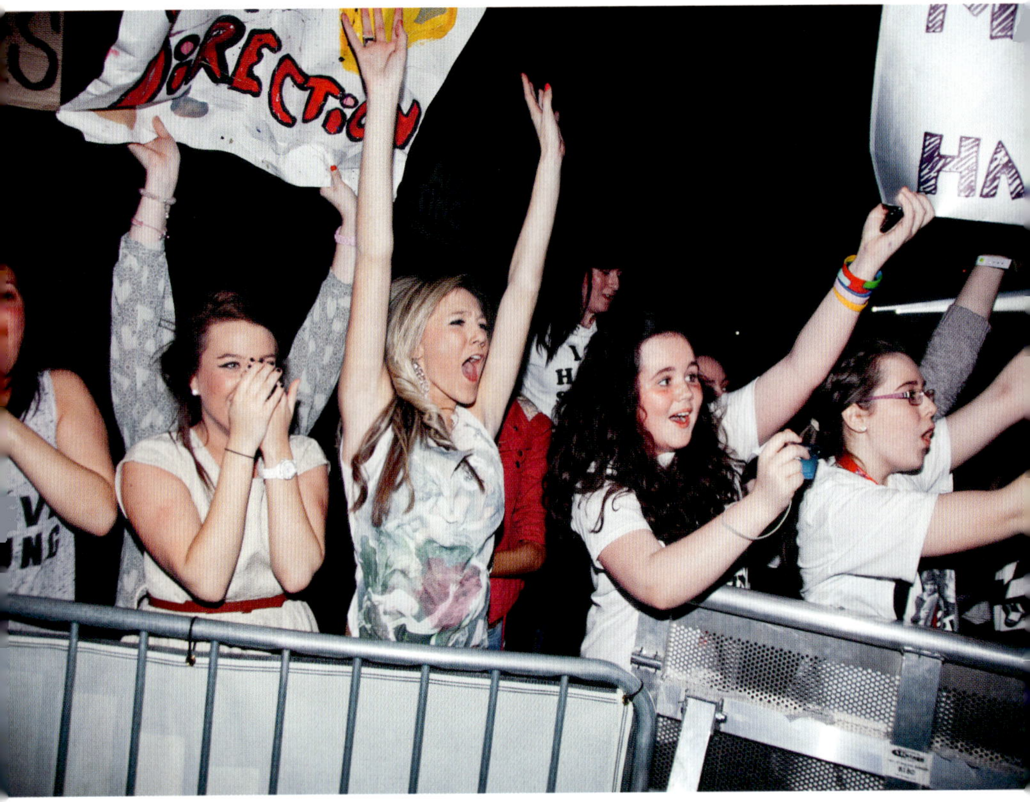

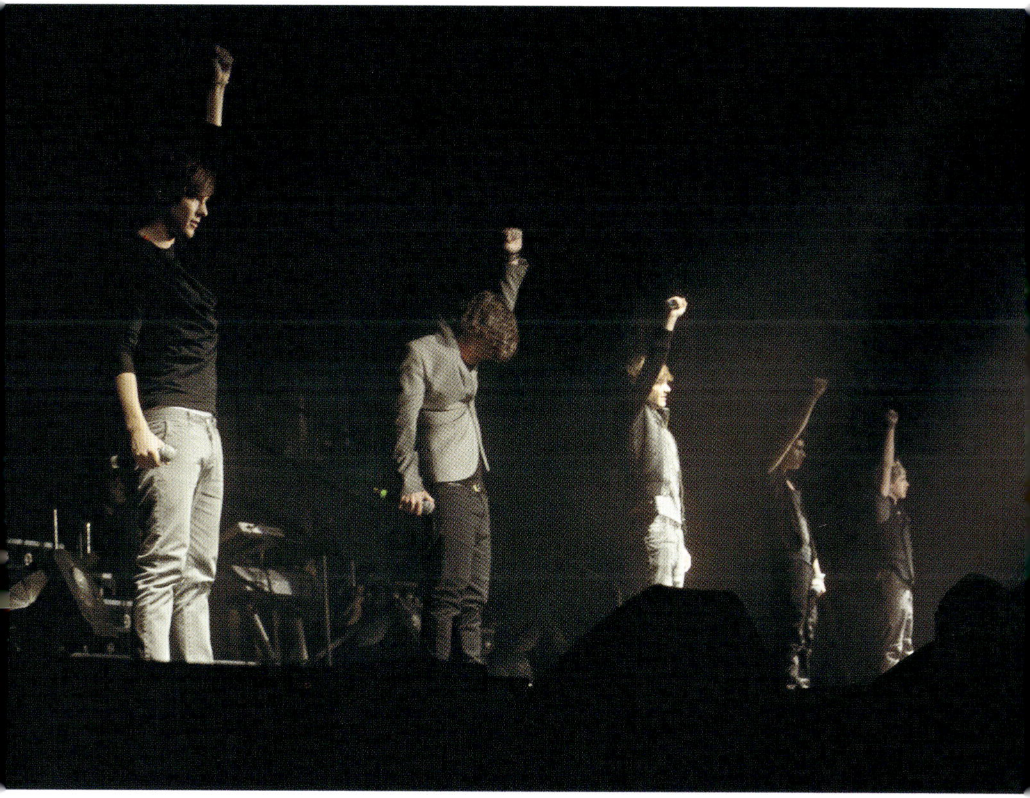

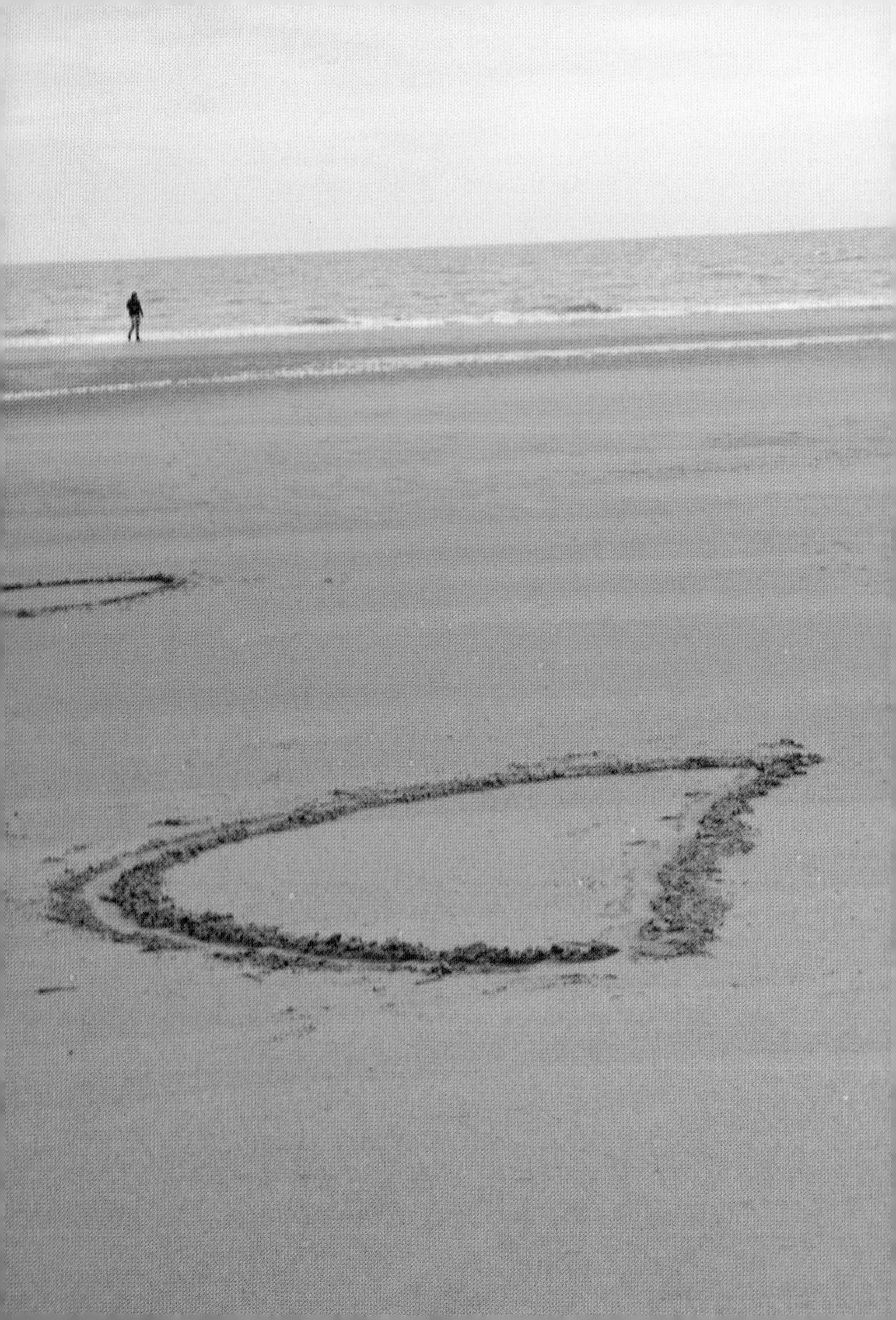

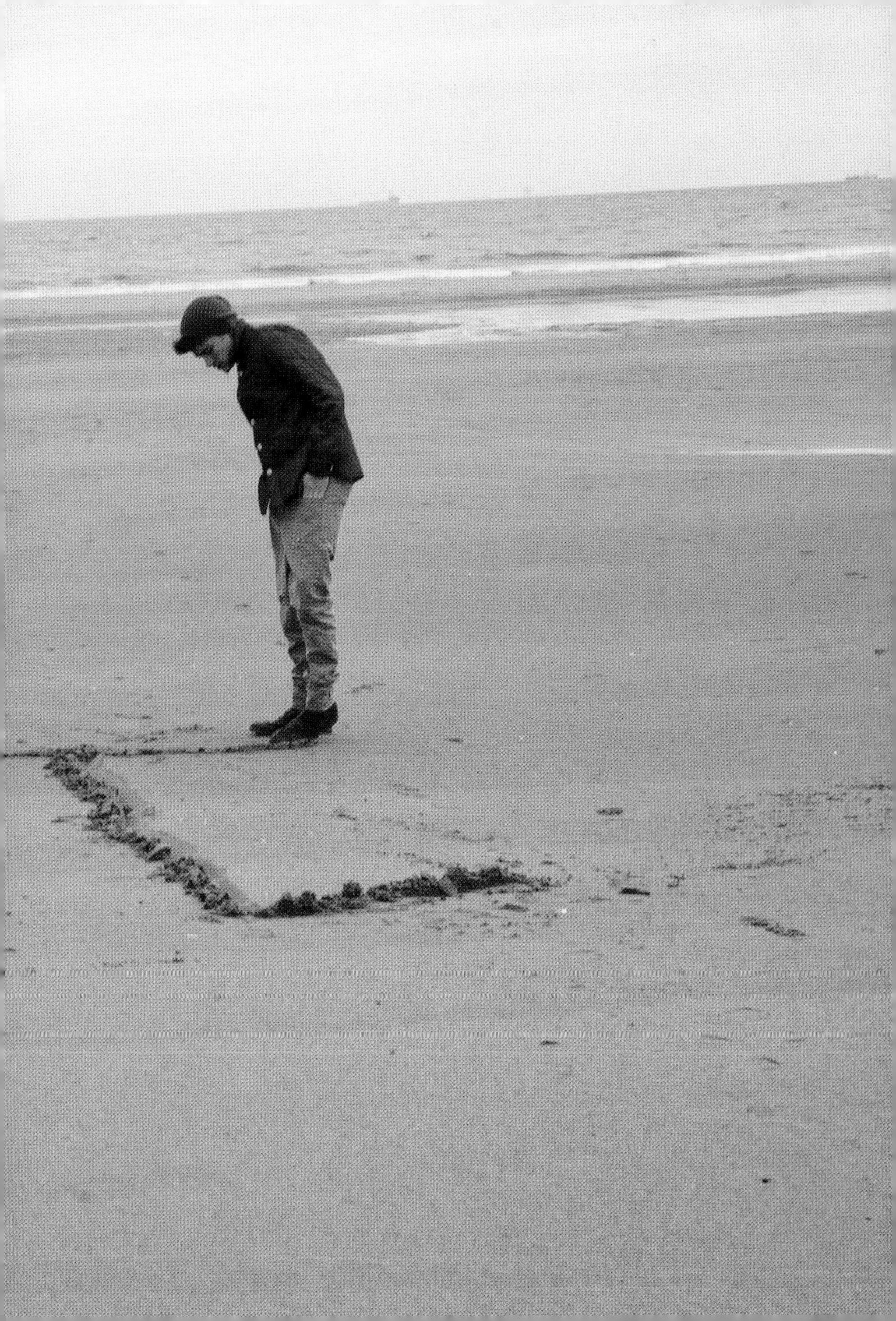

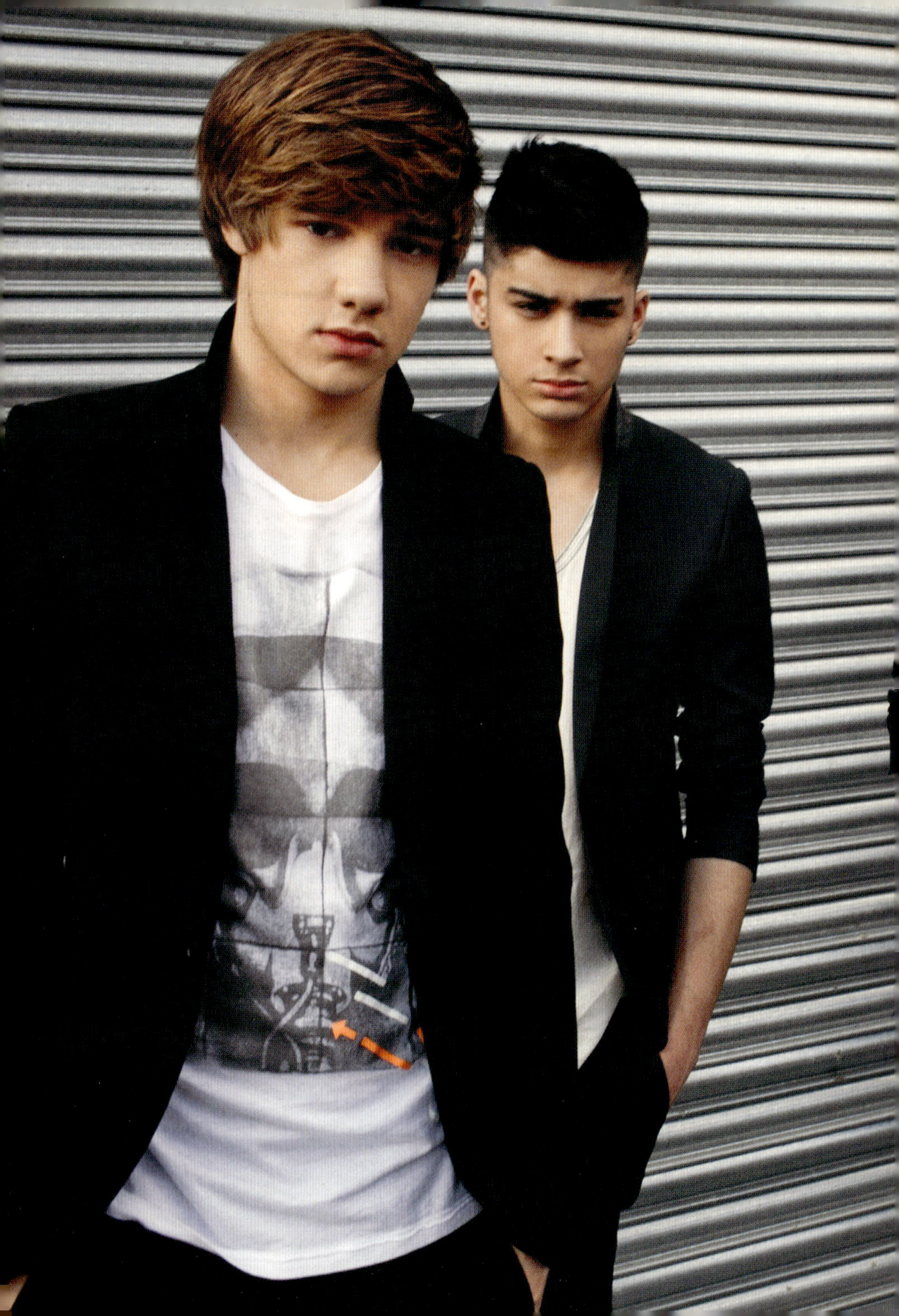

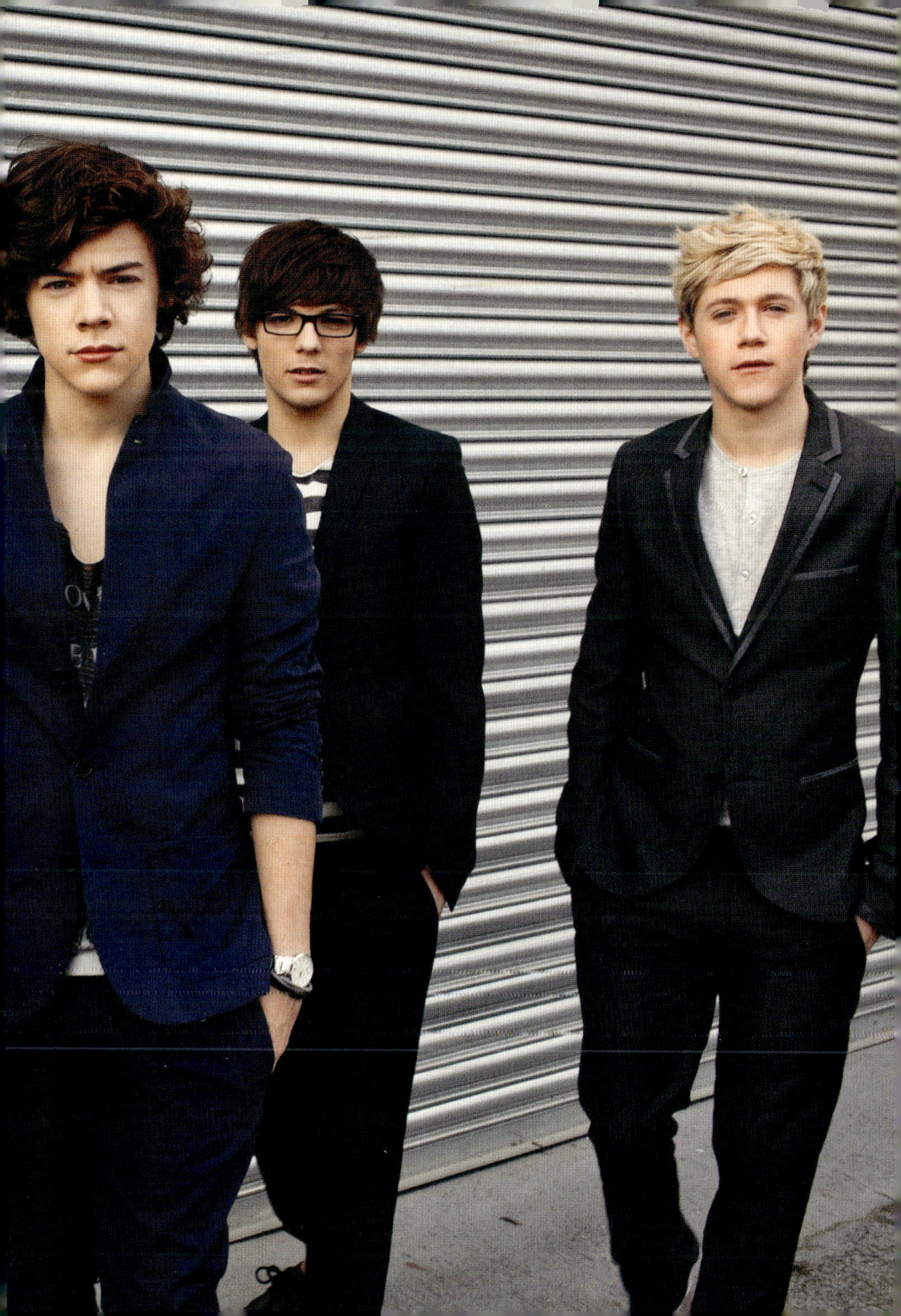

AGRADECIMENTOS

ONE DIRECTION: Gostaríamos de agradecer a todos que nos ajudaram a chegar a esse incrível marco – nosso segundo livro! Estamos muito orgulhosos. A todos que nos apoiaram antes de sermos o One Direction, especialmente nossas famílias e nossos amigos – obrigado.

Estamos incrivelmente agradecidos pela orientação, dedicação, apoio e fé de todos com quem trabalhamos no último ano. Faremos de tudo para vocês se orgulharem!

Finalmente, a nossos fãs. É difícil não usar um chavão, mas não estaríamos aqui sem vocês! Sua generosidade e amor sempre nos surpreendem. OBRIGADO!

HARRY: Este ano foi incrível por causa da turnê do X Factor e da gravação do disco, e gostaria de agradecer a algumas pessoas.

Gostaria de agradecer a Simon Cowell, Sonny Takhtar, Tyler Brown, Mark Hardy, Kim "Jimmy" Davidson, Reema Chuhan, Russel Eslamafir, Simon Jones e todo mundo da SYCO e da Sony.

Um grande obrigado para Richard Griffiths, Harry Magee, Will Bloomfield, Marco Gastel, Katie Ray, Annecka Griffiths, Emily Montgomery e todo mundo da Modest Management.

E obrigado a Nicola Carson e Innis Ferguson por cuidarem de nós nos Estados Unidos e nos mostrar como beber lama.

Gostaria de agradecer à minha família por me apoiar durante toda essa experiência até o momento – minha mãe, meu pai, minha irmã, Robin, Mike, Amy, Noel e Archie. Quero agradecer aos meus primos Matthew, Ben e Ella. E gostaria de agradecer aos meus tios, Mike e Dee. Gostaria de agradecer ao meu avô Brian por ser o cara mais legal do mundo. E gostaria de agradecer e parabenizar minha avó Beryl por chegar ao telefone a tempo quando ligo para ela. Obrigado aos meus avós Mary e Keith por cuidarem de mim.

Gostaria de agradecer aos meus amigos por estarem sempre ao meu lado – John, Ben, Nick, Naomi, Emilie, Ashley, Sophie, Ellis, Lydia e Will. Adoro estar com vocês, apesar disso não acontecer muito… sinto saudades.

Quero agradecer novamente à minha irmã por ser compreensiva quando eu digo que estou ocupado, mas por sempre estar disponível para conversar quando eu tenho tempo. Eu te amo.

Quero dizer um grande obrigado ao gerente da nossa turnê, Paul Higgins – você nos ajuda com tantas coisas que não podíamos ter ninguém melhor ao nosso lado… E parabéns pelo seu casamento… sua esposa é linda.

Muito obrigado à nossa equipe de segurança, que faz um trabalho incrível em cuidar de nós.

Obrigado a Ali Barker e Savan por supervisionar e nos ajudar em todas as coisas novas que encontramos enquanto gravamos o disco.

Um obrigado enorme para todos os fãs, cujo apoio tem sido incrível… vocês são inacreditáveis e não estaríamos aqui sem vocês, então, muito obrigado.

Gostaria de agradecer a Alex Kadis por ser a pessoa mais inteligente do mundo e tão fácil de conversar… e por me ajudar a ver coisas de um jeito diferente… ela é a melhor "professora" do mundo.

Um obrigado enorme para Dennis pelas suas palavras e por ser quem é… ainda estou processando suas sábias palavras!!!

Obrigado ao Louis, Liam, Zayn e Niall por serem tão dedicados… é incrível que a gente escolha passar mais tempo junto depois de passar o dia inteiro dentro de um estúdio, ha, ha!

Sinto muito se esqueci de alguém… amo todos vocês.

LIAM: Agradeço aos meus pais por seu apoio. Onde quer que eu esteja no mundo, eles sempre estão no outro lado do telefone quando preciso. Agradeço também às minhas irmãs, Nicola e Ruth, por sairem comigo quando estou entediado em casa e por aguentarem minha imaturidade :) Gostaria de agradecer novamente à produção do X Factor por nos ajudar durante todo o tempo que passamos no programa.

Também gostaria de agradecer a algumas pessoas que me ajudaram antes disso tudo – Jamie, do Great Western Pub, por me dar a chance de cantar em público e me divertir com isso; Graham Lauren, pelas muitas aulas de canto; Roysten, Nick, Ashley e toda a sua equipe por cortarem o meu cabelo :)

Ao Ronnie, Paul e Hannah e suas famílias pelo trabalho árduo e pela ajuda antes disso tudo, tornando as coisas divertidas e emocionantes mesmo quando cantei só para três pessoas no meio de um campo, ha, ha. Gostaria de agradecer à equipe que temos ao nosso redor 24 horas por dia, sete dias por semana, por aguentar as nossas loucuras; Preston e Ian, da equipe de segurança, por se divertirem conosco e nos manterem sorridentes; e Paul, por ser um incrível gerente de turnê e por ser como um irmão mais velho (não quis te chamar de pai) e por sempre estar disponível para conversar quando há um problema.

A Lou, do cabelo e da maquiagem; Caroline e Lydia, da produção, por garantirem que sempre estejamos bonitos.

Agradeço também à Vicky e à equipe maravilhosa da HarperCollins por transformarem nossos pensamentos em palavras e por todo o trabalho árduo.

Todas as pessoas que escreveram músicas para nós – vocês estão fazendo um trabalho incrível, adoro quase tudo o que ouço. Um agradecimento especial ao Rami por escrever o primeiro *single*.

Gostaria de agradecer a toda a equipe da SYCO – Kim e Mark do marketing por terem ótimas ideias, Sonny e Tyler do A&R por encontrar as melhores músicas para a gente, e finalmente Simon por ser um ótimo chefe.

Gostaria de agradecer a Richard, Harry e Will, e Marco e Emily, da agência Modest, por nos colocar na melhor posição possível para os momentos que enfrentaremos, e por aguentarem nossas maluquices.

Gostaria de dizer um enorme obrigado aos meus comparsas por se tornarem os melhores amigos/irmãos que eu tenho. Vocês fizeram esse momento ser incrível e emocionante, e ele não faria sentido sem vocês.

E finalmente gostaria de dizer um enorme e superobrigado a todos os nossos fãs. Não importa onde estão, nunca param de demonstrar seu apoio, e amamos vocês por isso, muito obrigado.

Desculpe se esqueci alguém, mas agradeço tudo o que você fez por mim, então, não fique bravo por ter ficado de fora!!!

LOUIS: Que ano incrível tivemos, e gostaria de parar por um momento para agradecer a cada pessoa que o tornou tão especial para mim.

Gostaria de começar dizendo um enorme obrigado ao Simon, à Sonny e a todo mundo da SYCO que esteve envolvido com o contrato do nosso disco. Ali Barker, obrigado por nos ajudar nos primeiros estágios do disco. E claro, Tyler Brown – que sempre aguentou nossos abusos e brincadeiras.

Muito obrigado a Lou Teasdale, que está grávida. Você é uma graça e fez um ótimo trabalho com o que era um corte tigelinha ridículo.

A Modest Management tem sido fantástica – um agradecimento especial a Richard e Harry pelas lembranças engraçadas, como vestir o casaco do Richard e um boné enorme do Manchester United ao mesmo tempo. Annecka e Will foram grandes amigos durante a turnê e muito divertidos. Um grande obrigado ao nosso empresário, Will Bloomfield, que entrou na brincadeira. Mas ele precisa me avisar quando for usar listras. É um pouco constrangedor quando você e seu empresário estão com camisas parecidas. Marco, continue com o bom trabalho e mantenha sempre acesa a chama da paixão pelo Milan.

Um agradecimento especial a Paul Higgins, que tem sido um grande líder, mas também um excelente amigo para todos nós. E, claro, ao Preston – obrigado por nos deixar colocar a cabeça pra fora do teto solar e beber durante o trabalho (isso é uma piada, claro!).

Mãe, você foi minha melhor amiga durante toda essa experiência. Não posso agradecer o suficiente por sua ajuda. Obrigado por ser tão generosa. Eu te amo.

Obrigado ao resto da minha família e amigos, especialmente meu pai, minhas quatro adoráveis irmãs, que estão crescendo muito rapidamente, meus avós paternos e maternos, minha bisavó Olive, minha tias Rach, Stan e Hannah. Novamente, também devo agradecer a Edna e Leonard, que são meus bisavós e de quem tenho muitas saudades. Sei que minha bisa teria contado tudo para o pessoal da aula de dança, e o meu bisavô teria feito a mesma coisa no pub enquanto jogava dominó. Amo muito vocês.

E claro, um agradecimento especial ao "Coronel" do KFC por me dar a chance de passar pela experiência do "Krushmens", algo que nunca vou esquecer. Obrigado, "Coronel" – sou realmente agradecido. E, claro, agradeço ao Mecca Bingo – a vida não estaria completa sem esse jogo fantástico.

Um enorme obrigado a todos os fãs por seu incansável apoio durante o X Factor, durante a turnê e até por comprar nosso primeiro *single*. Não seríamos nada sem vocês, muito obrigado por tudo. Nós amamos vocês! ☺

Finalmente, claro, obrigado aos meninos por continuarem a rir e a brincar o tempo todo: Harry, Liam, Zayn e Niall. Tenho muita sorte de ter conhecido vocês.

Fazer todos esses agradecimentos me deixa muito grato por tudo o que todo mundo fez por mim. Tenho muita sorte por ter vocês na minha vida.

Muito obrigado, pessoal.

NIALL: Gostaria de começar dizendo que este foi o ano mais incrível da minha vida até agora. Fizemos parte da turnê do X Factor – que experiência incrível! Gravamos nosso primeiro disco e durante esse processo viajamos muito; fomos para a Suécia e Los Angeles, e pudemos trabalhar com os melhores produtores do mundo.

Durante esse período, recebemos a ajuda e a orientação de algumas pessoas incríveis. Gostaria de agradecer a algumas delas agora!

Agradeço ao nosso incrível gerente de turnê, o primeiro e único Paul Higgins, que vai a todos os lugares com a gente e está conosco 24 horas por dia. Sem você, a gente estaria perdido. Você é um cara bacana (claro que o fato de você ser irlandês tem muito a ver com isso...). Muito obrigado também aos outros caras da segurança.

Também gostaria de agradecer ao nosso empresário Will Bloomfield e a seu assistente, Marco Gastel, que têm sido incríveis conosco. Will sabe muito sobre a indústria e está sempre disponível quando precisamos de ajuda!

Agradeço também ao pessoal da Modest Management, a espinha dorsal de todo esse processo: Richard e Harry, Katie Day, Ben Evans e Nicola Carson – nosso empresário nos EUA. Obrigado por estarem ao nosso lado e por nos ajudar. Não é possível agradecer-lhes o suficiente.

Agradeço ao pessoal da SYCO Music, especialmente aos nossos consultores de A&R e aos gerentes de marketing.

Obrigado a todos os que passaram este ano ao nosso lado. Foi uma loucura e somos muito agradecidos por tudo o que aconteceu conosco e pelas pessoas que conhecemos.

Também gostaria de agradecer aos produtores e compositores incríveis com os quais trabalhamos: o primeiro e único Savan Kotecha, que ficou com a gente desde o programa e escreveu algumas das músicas conosco, Steve Robson, Wayne Hector, Steve Mac, Jamie Scott, todos os caras da Metrophonic, Rami Yacoub, RedOne e todos os caras, Andrew Frampton, Kojak.

Claude Kelly, Andreas e Josef da Quiz Larossi, Matt Squire e Toby Gad. Foi uma experiência incrível trabalhar com esses caras.

Um gigantesco obrigado a todos os nossos fãs maravilhosos ao redor do mundo. Literalmente, não seríamos nada sem vocês, e agradecemos a cada um. Vocês têm sido incríveis aonde quer que vamos, na turnê, na rua, nas sessões de autógrafos, e, claro, no Twitter e no Facebook, onde tentamos mantê-los conectados com o nosso dia a dia. Prometemos manter vocês atualizados sobre o que sabemos, amamos muito vocês e espero que continuem ao nosso lado!

Um enorme obrigado aos caras – Harry, Zayn, Liam e Louis – por fazerem deste o melhor ano da minha vida, por todas as risadas, pelas bagunças e as zoeiras... e por nossa amizade em geral... literalmente, meus quatro melhores amigos... amo muito vocês, caras...

Muito obrigado a todos novamente! Tem sido fantástico trabalhar com vocês que fazem de nós quem somos hoje: One Direction.

Com muito amor,
Nialler

ZAYN: Este ano foi memorável e gostaria de agradecer a todas as pessoas que o fizeram assim. Também gostaria de dizer que me diverti muito com os outros quatro meninos durante o ano, e espero que tenhamos muitos outros anos pela frente. :)

Gostaria de agradecer à minha família e aos amigos, que me apoiaram e sempre tiveram fé em mim. Também gostaria de agradecer à Modest Management por me ajudar nessa oportunidade incrível, e ao Simon e sua gravadora, a SYCO, por me darem essa oportunidade. :)

Publicado originalmente na língua inglesa por HarperCollins Publishers Ltd. sob o título:
Dare to Dream: *Life as One Direction*
© One Direction 2011

Copyright da tradução © 2012 Editora Prumo.

Traduzido mediante acordo com HarperCollins Publishers Ltd.

One Direction se reserva o direito de ser identificado como autor desta obra.

Fotografias © Simon Harris exceto:
Págs. 12, 16, 17 © Harry Styles
Págs. 57, 58, 59 © Liam Payne
Págs. 105, 106, 107 © Louis Tomlinson
Págs. 152, 154, 155 © Niall Horan
Págs. 195, 198, 199 © Zayn Malik

Impresso na China pela South China Co. Ltda.

Todos os direitos reservados. Nenhuma parte desta publicação pode ser reproduzida ou transmitida por qualquer forma ou meio eletrônico ou mecânico, inclusive fotocópia, gravação ou sistema de armazenagem e recuperação de informação, sem a permissão escrita do editor.

Direção editorial
Jiro Takahashi

Editora
Luciana Paixão

Editora assistente
Anna Buarque

Assistência editorial
Roberta Bento

Tradução
Antônia Bona

Revisão
Rosamaria Gaspar Affonso
Dida Bessana

Produção de arte
Marcos Gubiotti
Ana Dobon

CIP-Brasil. Catalogação na fonte
Sindicato Nacional dos Editores de Livros, RJ

C794
    Coragem para sonhar : nossa vida como One Direction / One Direction; [tradução de Antônia Bona]. - São Paulo: Prumo; Inglaterra: HarperCollins Publishers, 2012.
    288p.: il.; 20 cm

    Tradução de: Dare to dream: life as One Direction
    ISBN 978-85-7927-223-3

    1. One Direction (Conjunto musical). 2. Músicos de rock - Inglaterra - Biografia.
    3. One Direction (Conjunto musical). I. Título.

12-5703.
                                                        CDD: 927.824166
                                                        CDU: 929:78.067.26

MIX
Paper from
responsible sources
FSC
www.fsc.org
FSC® C007454